# Sangue na Neve

# LISA GARDNER

# SANGUE NA NEVE

**Uma mulher é capaz de tudo para defender aquilo que ama**

***Tradução***
Sylvio Deutsch

1ª Impressão — 2013

Edição: Edgar Costa Silva
Produção Editorial: Lívia Fernandes, Tamires Cianci
Preparação de Texto: Lizete Mercadante Machado
Revisão de Texto: Alline Salles, Entrelinhas Editorial
Diagramação: Viviane Aragão
Impressão e Acabamento: Geográfica 010313

Este livro segue as regras da Nova Ortografia da Língua Portuguesa.

Dados Internacionais de Catalogação na Publicação (CIP)
(Câmara Brasileira do Livro, SP, Brasil)

Gardner, Lisa
Sangue na neve / Lisa Gardner ; tradução Sylvio Monteiro Deutsch.
Ribeirão Preto, SP : Novo Conceito Editora, 2013.

Título original: Love you more.
ISBN 978-85-8163-199-8

1. Ficção - norte-americana I. Título.
13-01325 CDD-813

Índices para catálogo sistemático:
1. Ficção : Literatura norte-americana 813

Rua Dr. Hugo Fortes, 1.885 — Parque Industrial Lagoinha
14095-260 — Ribeirão Preto — SP
www.editoranovoconceito.com.br

# PRÓLOGO

*Quem você ama?*

*É uma pergunta que qualquer um deve ser capaz de responder. Uma pergunta que define uma vida, cria um futuro, guia a maioria dos minutos do dia das pessoas. Simples, elegante, envolvente.*

*Quem você ama?*

*Ele fez a pergunta, e senti a resposta no peso do cinturão do meu uniforme, nos confins constritivos do meu colete à prova de balas, no brim justo do meu quepe, puxado por cima da testa. Baixei a mão lentamente, meus dedos raspando no alto da Sig Sauer no coldre em minha cintura.*

*— Quem você ama? — ele gritou novamente, agora mais alto, mais insistente.*

*Meus dedos passaram além da arma padrão da polícia, encontrando a presilha de couro negro que mantinha o cinto preso em minha cintura. O Velcro fez um barulho alto quando soltei o primeiro anel, depois o segundo, o terceiro, o quarto. Soltei também a fivela de metal e o cinturão, completo com a arma, o Taser, e o cassetete desmontável caiu da minha cintura e ficou ali pendurado entre nós.*

*— Não faça isso — sussurrei, um último apelo à razão.*

*Ele apenas sorriu.*

*— Pouco demais, tarde demais.*

*— Onde está Sophie? O que você fez?*

*— O cinto. Na mesa. Agora.*

*— Não.*

*— A ARMA. Na mesa. AGORA!*

*Em resposta, deixei a postura mais evidente, erguendo os ombros ali no meio da cozinha, o cinturão ainda pendurado na minha mão esquerda. Quatro anos da minha vida, patrulhando as estradas de Massachusetts, jurando defender e proteger. Eu tinha o treinamento e a experiência do meu lado.*

*Eu podia tentar pegar a arma. Ir adiante sem hesitar, pegar a Sig Sauer e começar a atirar.*

*A Sig Sauer estava no coldre em um ângulo estranho, isso me custaria segundos preciosos. Ele estava olhando, esperando qualquer movimento súbito. Se eu errasse, a punição viria de forma firme e terrível.*

*Quem você ama?*

*Ele estava certo. Era isso que importava no fim. Quem você amava e o quanto arriscaria por essas pessoas?*

*— A ARMA! — ele bradou. — Agora, mas que droga!*

*Pensei em minha filha de seis anos, no cheiro do cabelo dela, na sensação dos braços fininhos ao redor do meu pescoço, do som da voz dela quando eu a colocava para dormir todas as noites. "Eu te amo, mamãe", ela sempre sussurrava.*

*Também te amo, meu bem. Te amo.*

*O braço dele se moveu, primeiro hesitante na direção do cinturão pendurado, procurando a arma no coldre.*

*Uma última chance...*

*Olhei para os olhos do meu marido. A duração de uma batida do coração.*

*Quem você ama?*

*Tomei uma decisão. Coloquei o cinturão sobre a mesa da cozinha.*

*E ele pegou minha Sig Sauer e começou a atirar.*

---

# 1

A sargento detetive D.D. Warren se orgulhava de suas excelentes habilidades de investigação. Tendo servido por mais de 12 anos no DP de Boston, ela acreditava que trabalhar uma cena de homicídio não era apenas uma questão de seguir as regras, mas sim uma completa imersão sensorial. Ela sentiu o buraco liso, perfurado no painel de madeira da parede por uma bala 32 muito quente e girando em alta velocidade. Escutou o som dos vizinhos fofocando do outro lado das paredes finas porque, se conseguia ouvi-los, então eles definitivamente tinham ouvido a coisa muito ruim que acontecera ali.

D.D. sempre prestava atenção em como um corpo havia caído, se era para frente ou para trás ou levemente para um dos lados. Experimentava o ar em busca do gosto acre da pólvora, que podia permanecer por uns bons 20 ou 30 minutos depois do último disparo. E, em mais de uma ocasião, havia estimado o momento da morte com base no odor do sangue — que, como carne fresca, começava relativamente suave, mas ficava mais pesado, assumindo tons de terra à medida que o tempo passava.

Hoje, no entanto, ela não ia fazer nenhuma dessas coisas. Hoje, estava passando uma manhã, uma preguiçosa manhã de domingo vestida num moletom cinza e a camisa vermelha de flanela grande demais do Alex. Estava acampada na mesa da cozinha dele, agarrada a uma grossa caneca de cerâmica cheia de café enquanto contava lentamente até 20.

Tinha chegado a 13. Alex havia finalmente chegado à porta da frente. Agora ele parara para enrolar o longo cachecol azul no pescoço.

Ela contou até 15.

Ele terminou com o cachecol. Foi até o chapéu negro de lã e as luvas de couro. A temperatura lá fora mal passava dos –7°C. Vinte centímetros de neve no chão e outros 15 previstos para cair no fim de semana. Março não significava primavera na Nova Inglaterra.

Alex ensinava análise de cena de crime, entre outras coisas, na Academia de Polícia. Hoje teria o horário completo de aulas. Amanhã os dois teriam o dia livre, o que não acontecia com frequência e garantia algum tipo de atividade divertida ainda a ser determinada. Talvez patinar no gelo no Boston Commons. Ou uma viagem até o Museu Isabelle Stewart Gardner. Ou um dia preguiçoso abraçados no sofá assistindo a filmes antigos, com uma grande tigela de pipoca com manteiga.

As mãos de D.D. tiveram um espasmo ao redor da caneca de café. Certo, então sem pipoca.

D.D. contou até 18, 19, 20...

Alex terminou com as luvas, pegou a pasta velha de couro e foi até ela.

— Não fique com muita saudade de mim — ele disse.

Ele a beijou na testa. D.D. fechou os olhos, recitou mentalmente o número 20, então começou a contar de volta até zero.

— Vou escrever cartas de amor para você o dia todo, com pequenos coraçõezinhos nos is — ela retrucou.

— No seu fichário do colegial?

— Algo assim.

Alex recuou. D.D. chegou a 14. A caneca dela tremeu, mas Alex pareceu não notar. Ela respirou fundo e seguiu em frente. *13, 12, 11...*

Ela e Alex estavam juntos fazia pouco mais de seis meses. Naquela altura havia uma gaveta inteira só sua no pequeno rancho dele, e ele tinha uma parte do armário no apartamento dela em North End. Quando ele dava aula, era mais fácil ficarem ali. Quando ela estava trabalhando, era mais fácil ficarem em Boston. Nenhum dos dois tinha horário fixo. Isso implicaria planejamento e solidificar mais um relacionamento que os dois tomavam muito cuidado para não definir demais.

Eles gostavam da companhia um do outro. Alex respeitava os horários malucos dela como detetive de homicídios. Ela respeitava a habilidade dele na cozinha como um italiano de terceira geração. Pelo que podia dizer, os dois ansiavam pelas noites em que ficavam juntos, e sobreviviam às noites quando não ficavam. Eram dois adultos de mentalidade independente. Ela acabara de fazer 40 anos, e Alex havia cruzado essa linha fazia alguns anos. Não eram mais adolescentes ruborizados que passavam cada momento despertos pensando um no outro. Alex já tinha sido casado. D.D. entendia como eram as coisas.

Ela vivia para trabalhar, o que outras pessoas consideravam ruim para a saúde, mas que se danasse. Fora assim que chegara aonde estava.

*Nove, oito, sete...*

Alex abriu a porta da frente, endireitou os ombros para enfrentar a manhã congelante. Um sopro de vento frio entrou pelo pequeno hall, atingindo o rosto de D.D. Ela tremeu, apertando mais os dedos em torno da caneca.

— Te amo — Alex disse, indo para fora.

— Também te amo.

Alex fechou a porta, D.D. voou pelo corredor bem a tempo de vomitar.

Dez minutos mais tarde, ela permanecia largada no chão do banheiro. Os ladrilhos decorativos eram dos anos 1970, dúzias e dúzias de quadradinhos beges, marrons e dourados. Olhar para eles a fez querer vomitar outra vez. Contá-los, porém, era um exercício de meditação bastante bom. Ela inventariou ladrilhos enquanto esperava que suas faces vermelhas esfriassem e o estômago se desenrolasse.

O celular tocou. Ela olhou para ele ali no chão, sem qualquer grande interesse, dadas as circunstâncias. Mas então reparou em quem estava ligando e decidiu ter pena dele.

— Que foi? — exclamou, o que era a forma habitual como atendia o ex-namorado e atualmente casado detetive da Polícia Estadual de Massachusetts, Bobby Dodge.

— Não tenho muito tempo. Escuta bem.

— Não estou trabalhando — ela disse automaticamente. — Os casos novos vão para o Jim Dunwell. Vá encher o saco dele. — Então ela franziu a testa. Bobby não podia estar ligando por um caso. Como policial do município, ela recebia suas ordens da torre de Boston, e não de detetives da polícia estadual.

Bobby continuou como se ela não tivesse falado.

— É uma merda daquelas, mas tenho certeza de que é a *nossa* merda, então você tem de escutar. Estrelas e faixas estão aqui do lado, e os jornalistas do outro lado da rua. Venha pela rua dos fundos. Não tenha pressa, preste atenção em *tudo*. Eu já perdi um bom ponto de vista, e acredite, D.D., nesse caso você e eu não podemos nos permitir deixar passar nada.

O franzido na testa de D.D. ficou mais profundo.

— Que história é essa, Bobby? Não tenho ideia do que você está falando, sem falar que estou de folga.

— Não está mais. O DPB[1] vai querer uma mulher cuidando disso, enquanto o estado vai querer alguém no caso também, de preferência alguém que já foi *trooper*[2]. Os chefes vão ligar, o caso é nosso.

Ela escutou um barulho novo, vindo do quarto. Seu pager tocando. Droga. Estavam atrás dela, o que queria dizer que o que Bobby estava dizendo tinha mérito. Ela se levantou, apesar das pernas tremerem, e pensou que fosse vomitar de novo. Deu o primeiro passo só por causa da força de vontade e o resto foi mais fácil depois disso. Foi para o quarto, uma detetive que já havia perdido dias de folga antes e perderia novamente.

— O que preciso saber? — ela perguntou, a voz mais firme agora, o fone preso contra o ombro.

---

[1] Departamento de Polícia de Boston (N. T.).

[2] Patente utilizada por algumas das polícias estaduais nos Estados Unidos que são responsáveis pelo patrulhamento das estradas e têm também todas as atribuições das polícias municipais. O termo é usado igualmente para designar todo componente dessas polícias estaduais, mesmo que a patente do policial seja outra (N. T.).

— Neve — Bobby murmurou. — No chão, árvores, janelas. Droga. Temos policiais andando por todos os lados...

— Tire eles daí! É a porra da minha cena, tire eles todos daí!

Ela encontrou o pager na cabeceira da cama — sim, era um chamado do controle de Boston — e começou a tirar a calça do moletom.

— Eles estão fora da casa. Acredite, até os chefes sabem que é melhor não contaminar uma cena de homicídio. Mas não sabíamos que a menina estava desaparecida. Os policiais selaram a casa, mas não se importaram com o lado de fora. E agora tem pegadas por todos os lados, e não tenho como examinar nada. Precisamos de alguma coisa.

D.D. conseguiu tirar a calça e começou a tirar a camisa de Alex.

— Quem morreu?

— Um homem branco de quarenta e dois anos.

— Quem sumiu?

— Uma menina branca de seis anos.

— Tem algum suspeito?

Uma longa, longa pausa.

— Venha para cá — Bobby disse secamente. — Você e eu, D.D. Nosso caso. Nossa dor de cabeça. Temos de resolver isso bem depressa.

Ele desligou. D.D. olhou feio para o celular, então o jogou na cama para terminar de vestir a camisa branca.

Certo. Homicídio com uma criança desaparecida. Polícia estadual já está no local, mas a jurisdição é Boston. Por que então a polícia estadual iria...

Então, ótima detetive que era, D.D. finalmente juntou os pontos.

— Ah, merda!

D.D. não estava mais com náuseas. Estava furiosa.

Ela pegou o pager, o distintivo e o casaco para inverno. Então, com as instruções de Bobby ecoando nos ouvidos, preparou-se para emboscar sua própria cena de crime.

---

# 2

Quem você ama?

Conheci Brian em um churrasco de 4 de Julho. Na casa do Shane. O tipo de convite social que costumo recusar, mas ultimamente vinha pensando que devia mudar isso. Se não por minha causa, que fosse pela Sophie.

A festa não era muito grande. Talvez umas 30 pessoas, outros *troopers* do estado e famílias vizinhas do Shane. O tenente-coronel apareceu, uma pequena vitória para Shane. Na maior parte, porém, o churrasco havia atraído outros policiais de uniforme. Vi quatro sujeitos do quartel parados ao lado da churrasqueira, com cervejas nas mãos e provocando o Shane que corria atrás da última fornada de fedelhos. Diante deles havia duas mesas de piquenique, já dominadas por esposas risonhas que preparavam margaritas enquanto cuidavam de várias crianças.

Outras pessoas andavam pela casa, preparando saladas de macarrão, dando uma olhada no placar do jogo. Jogando conversa fora enquanto pegavam um pedacinho disso, um golinho daquilo. Pessoas, fazendo o que as pessoas fazem numa tarde ensolarada de sábado.

Fiquei sob a sombra de um carvalho. A pedido de Sophie, eu estava usando um vestido laranja com flores e meu único par bom de sandálias douradas e brilhantes. Ainda estava com os pés um pouco separados, os cotovelos tensos perto do corpo sem o cinturão com a arma, de costas para a árvore. Você pode tirar a mulher do trabalho, mas não há como tirar o trabalho da mulher.

Eu devia me misturar, mas não sabia por onde começar. Sentar com as senhoras que não conhecia, ou ir para onde ficaria mais confortável, junto com os rapazes? Eu raramente me encaixava com as esposas e não podia parecer que estava me divertindo com os maridos — aí as esposas parariam de rir e começariam a me olhar feio.

Então fiquei a distância, segurando uma cerveja que não bebia enquanto esperava o evento esvaziar até que pudesse ir embora educadamente.

Na maior parte, fiquei olhando minha filha.

A cem metros dali, ela ria deliciosamente ao rolar de uma pequena inclinação gramada junto com uma dúzia de crianças. O vestido de domingo rosa cálido dela já estava sujo e ela tinha chocolate espalhado pelo rosto. Quando chegava ao final da encosta, ela pegava a mão da menininha ao seu lado e elas subiam novamente tão depressa quanto suas pernas de três anos de idade permitiam.

Sophie sempre fazia amigos instantaneamente. Fisicamente, ela se parecia comigo. Mas na personalidade ela era completamente diferente. Despachada, ousada, aventureira. Se pudesse ser como ela queria, Sophie passaria todos os instantes em que estava acordada rodeada de pessoas. Talvez charme seja um gene dominante, herdado do pai, porque ela certamente não o recebeu de mim.

Ela e a outra menina chegaram ao alto da colina. Sophie deitou-se primeiro, o cabelo castanho curto contrastando muito contra o canteiro de dentes-de-leão amarelos atrás dela. Então um borrão de bracinhos e pernas rechonchudas quando começou a rolar, rindo sem parar contra o vasto céu azul.

Ela levantou embaixo ainda tonta e percebeu que eu a olhava.

— Te amo, mamãe! — gritou, e correu novamente colina acima.

Eu a observei correr e desejei, não pela primeira vez, não precisar saber de todas as coisas que uma mulher como eu tinha de saber.

— Alô.

Um homem havia se destacado da multidão, aproximando-se. No final da casa dos 30, 1,70 metro, 90 quilos, cabelo loiro cortado bem curto, ombros muito musculosos. Talvez fosse outro policial, considerando a situação, mas não o reconheci.

Ele estendeu a mão. Atrasada, também estendi a minha.

— Brian — ele disse. — Brian Darby. — Ele apontou a casa com a cabeça. — Eu moro mais adiante na rua. E você?

— Humm. Tessa. Tessa Leoni. Conheço Shane do quartel.

Esperei pelo inevitável comentário que os homens sempre fazem quando conhecem uma policial. *Uma policial? Então é bom eu me comportar.* Ou, *Ooooh, onde está sua arma?*

E esses eram os educados.

Brian, no entanto, apenas assentiu. Ele segurava uma Bud Light numa das mãos. Colocou a outra mão no bolso do short bege. Vestia uma camisa azul com colarinho com um emblema dourado no bolso, mas eu não conseguia vê-lo direito daquele ângulo.

— Tenho uma confissão a fazer — ele disse.

Eu me preparei.

— Shane me disse quem você é. Mas, para ganhar algum crédito, eu perguntei primeiro. Mulher bonita, assim sozinha. Pareceu uma boa ideia fazer algum reconhecimento.

— E o que o Shane disse?

— Ele garantiu que você está totalmente fora do meu alcance. Claro, eu engoli a isca.

— O Shane não tem ideia do que diz — ofereci.

— Normalmente. Você não está bebendo sua cerveja.

Baixei os olhos, como que notando pela primeira vez a garrafa na minha mão.

— Parte do meu reconhecimento — Brian continuou com facilidade. — Você está segurando uma cerveja, mas não bebe dela. Prefere uma margarita? Eu pego uma. Se bem que — ele olhou para o grupo de esposas, que já estavam na terceira jarra e riam de acordo — elas me assustam um pouco.

— Tudo bem. — Eu suavizei minha postura, movendo os braços. — Na verdade não bebo.

— Está a trabalho?

— Hoje não.

— Eu não sou policial, então não pretendo conhecer essa vida, mas sou amigo do Shane faz cinco anos, então acho que entendo o básico. Ser um *trooper* é muito mais do que patrulhar as estradas e preencher multas. Não é isso, Shane? — Brian falou muito alto, fazendo o lamento geral de todos os *troopers* estaduais se espalhar pelo pátio. Na churrasqueira, Shane respondeu erguendo a mão direita e fechando os dedos, menos o do meio.

— O Shane só reclama — eu disse, também erguendo a voz.

Shane mostrou o dedo para mim também. Vários dos rapazes riram.

— Há quanto tempo você trabalha com ele? — Brian perguntou.

— Faz um ano. Eu sou novata.

— Mesmo? O que fez você querer ser policial?

Eu dei de ombros, desconfortável novamente. Era uma daquelas perguntas que todo mundo fazia e eu não tinha uma boa resposta para ela.

— Pareceu uma boa ideia na hora.

— Eu sou um marinheiro mercante — Brian contou. — Trabalho em petroleiros. Viajamos por dois meses, daí ficamos em casa outros dois meses, depois saímos por mais dois meses. Acaba com a vida pessoal, mas eu gosto do trabalho. Nunca é chato.

— Marinheiro mercante? O que você faz? Enfrenta os piratas ou algo assim?

— Passamos pelo Puget Sound subindo até o Alasca e voltamos. Não tem muitos piratas somalis patrulhando aquele corredor.[3] Além disso, sou

[3] Marinheiro mercante em inglês é "merchant marine", e "marine" quer dizer também fuzileiro naval, daí a pergunta e reposta sobre piratas (N. T.).

engenheiro. Meu trabalho é manter o navio em movimento. Gosto de fios e engrenagens e rotores. Armas, por outro lado, me deixam apavorado.

— Eu também não gosto muito delas.

— Comentário curioso, vindo de uma policial.

— Não, de verdade.

Meu olhar retornou automaticamente para Sophie, conferindo onde ela estava. Brian acompanhou meu olhar.

— Shane disse que você tem uma filha de três anos. Puxa vida, ela parece muito com você. Não tem como levar a criança errada da festa para casa.

— Shane disse que eu tenho uma filha e ainda assim você engoliu a isca?

Ele ergueu os ombros.

— Eu gosto de crianças. Não tenho filhos, mas isso não quer dizer que faça qualquer oposição moral. O pai está por perto? — ele acrescentou em tom casual.

— Não.

Ele não pareceu ficar feliz com a informação, e fez uma expressão um tanto contemplativa.

— Não deve ser fácil. Ser uma policial em tempo integral e criar uma filha.

— Nós nos viramos.

— Não estou duvidando de você. Meu pai morreu quando eu era pequeno. Deixou minha mãe para criar cinco filhos sozinha. Nós também nos viramos, e eu a respeito muito por causa disso.

— O que houve com seu pai?

— Ataque cardíaco. O que aconteceu com o pai dela? — Ele moveu a cabeça na direção de Sophie, que agora parecia estar brincando de pega-pega.

— Teve oferta melhor.

— Homens são estúpidos — ele murmurou, parecendo tão sincero que eu finalmente ri. Ele ruborizou. — Eu mencionei que tenho quatro irmãs? É esse tipo de coisa que se aprende quando se tem quatro irmãs. Além disso, tenho de respeitar minha mãe em dobro porque ela não só sobreviveu como mãe solteira, mas foi mãe solteira com quatro filhas. E eu nunca a vi beber nada mais forte que chá de ervas. Que tal isso?

— Ela parece ser um rochedo — concordei.

— Já que você não bebe, talvez também seja do tipo de garota que bebe chá de ervas?

— Café.

— Ah, minha droga favorita. — Ele me fitou nos olhos. — Então, Tessa, talvez alguma outra tarde, eu possa lhe pagar um café. No seu bairro ou no meu, é só dizer.

Eu analisei Brian Darby outra vez. Olhos castanhos quentes, sorriso fácil, ombros sólidos.

— Está bem — me escutei dizendo. — Eu adoraria.

Você acredita em amor à primeira vista? Eu não. Sou contida demais, cautelosa demais para esse tipo de bobagem. Ou talvez apenas tenha conhecido mais da vida.

Fui tomar café com o Brian. Aprendi que, quando estava em casa, ele era dono do próprio tempo. O que tornava fácil ficarmos juntos nas tardes, depois que eu me recuperava do turno noturno e antes de ir buscar Sophie na creche às cinco. Depois fomos assistir a um jogo do Red Sox na minha noite de folga, e, antes que eu percebesse, ele se juntou a Sophie e a mim para um piquenique.

Sophie se apaixonou por ele à primeira vista. Em uma questão de segundos, ela subiu nas costas do Brian e exigiu ser carregada de cavalinho. Brian galopou obedientemente ao redor do parque com uma menina de três anos rindo e agarrando seu cabelo e gritando "Mais depressa!" com toda a força. Quando pararam, Brian desabou no cobertor de piquenique enquanto Sophie se afastou para pegar dentes-de-leão. Assumi que as flores eram para mim, mas ela as deu para o Brian.

Ele aceitou as flores a princípio meio sem jeito, depois verdadeiramente satisfeito ao notar que o buquê inteiro era para ele.

Ficou fácil, depois disso, passar os fins de semana na casa dele com um quintal de verdade, ao contrário do meu apertado apartamento de um quarto. Fazíamos juntos o jantar, enquanto Sophie corria ao redor com o cachorro dele, um pastor-alemão de idade avançada chamado

Duke. Brian comprou uma piscina de plástico para o quintal, e pendurou um balanço no velho carvalho.

Em um fim de semana em que fiquei presa no trabalho, ele veio e encheu a geladeira com o suficiente para eu e Sophie passarmos a semana. E numa tarde, depois de eu trabalhar em um acidente de carro que matou três crianças, ele leu para Sophie enquanto eu ficava olhando para a parede do quarto e lutava para me recuperar.

Depois fiquei enrodilhada junto dele no sofá e ele me contou histórias das quatro irmãs, incluindo quando elas o encontraram tirando uma soneca no sofá e o pintaram com maquiagem. Ele passou duas horas andando de bicicleta pelo bairro com sombra azul nos olhos e batom rosa-choque antes de ver por acaso seu reflexo numa janela. Eu ri. Depois chorei. Então ele me abraçou com força e nós dois não dissemos nada.

O verão passou. Chegou o outono, e num instante estava na hora de ele embarcar. Ele ficaria fora por oito semanas, mas garantiu que voltaria a tempo do Dia de Ação de Graças. Ele tinha um bom amigo que sempre cuidava do Duke. Mas se nós quiséssemos...

Ele me deu a chave da casa. Nós podíamos ficar. Podíamos até enfeitar o lugar se quiséssemos. Talvez pintar o segundo quarto de cor-de-rosa, para a Sophie. Colocar uns pôsteres nas paredes. Patinhos de borracha no banheiro. E tudo o mais que nos deixasse à vontade.

Eu beijei o rosto dele, e devolvi a chave.

Sophie e eu estávamos bem. Sempre estivemos, e sempre estaríamos. Vejo você em oito semanas.

Sophie, por outro lado, chorou e chorou e chorou.

Tentei dizer que eram só dois meses. Seria rápido. Só algumas semanas.

A vida perdeu a graça sem o Brian. Uma sequência interminável de levantar à uma da tarde, pegar Sophie na creche, entretê-la até a hora de dormir, às nove, com a Sra. Ennis chegando às dez para eu poder ir patrulhar das 11 às sete. A vida de uma mãe sozinha. Lutando para esticar o dinheiro, enfiando uma lista interminável de coisas para fazer numa agenda já lotada, brigando para deixar os chefes felizes e ao mesmo tempo satisfazer as necessidades da filha.

Eu podia fazer isso, ficava lembrando para mim mesma. Eu era forte. Tinha passado sozinha pela gravidez, tinha dado à luz sozinha. Tinha suportado 25 longas e solitárias semanas na Academia de Polícia, sentindo saudade da Sophie a cada respiração, mas determinada a seguir adiante porque ser uma policial estadual era minha melhor chance de garantir um futuro para minha filha. Eu podia voltar para casa e para Sophie toda sexta-feira à noite, mas também tinha de deixá-la chorando nos braços da Sra. Ennis toda segunda de manhã. Semana após semana após semana, até eu achar que ia gritar por causa da pressão. Mas fui em frente. Tudo pela Sophie. Sempre pela Sophie.

Ainda assim, comecei a verificar os e-mails com mais frequência porque se Brian estivesse em algum porto ele nos mandaria uma mensagem, ou enviaria uma foto engraçada de um alce no meio de alguma rua principal do Alasca. Na sexta semana, percebi que ficava mais feliz nos dias em que ele mandava e-mails, e mais tensa nos dias em que não mandava. E a Sophie também. Íamos juntas toda noite olhar o computador, duas meninas bonitas esperando alguma notícia do rapaz delas.

Então, finalmente, a ligação. O navio de Brian tinha aportado em Ferndale, Washington. Ele seria dispensado dali a dois dias, e pegaria o voo noturno de volta para Boston. Poderia nos levar para jantar?

Sophie escolheu seu vestido azul-escuro favorito. Eu decidi pelo mesmo vestido laranja do churrasco de 4 de Julho, colocando por cima um suéter por causa do frio de novembro.

Sophie, mantendo vigia na janela da frente, viu-o primeiro. Ela gritou deliciada e saiu do apartamento descendo a escada tão depressa que achei que ia cair. Brian mal conseguiu segurá-la lá embaixo. Ele a levantou e a girou no ar. Ela riu e riu e riu.

Eu me aproximei com mais calma, gastando algum tempo para uma última ajeitada no cabelo, e para abotoar o suéter. Saí pela porta do prédio de apartamentos. Fechei-a firmemente atrás de mim.

Então virei-me e o olhei. Olhei-o de quase três metros de distância. Saboreei a imagem dele.

Brian parou de girar com Sophie. Agora ele estava parado no final da passagem, minha filha ainda em seus braços, e ele também me olhou.

Não nos tocamos. Não dissemos uma palavra. Não era preciso.

Mais tarde, depois do jantar, depois de ele nos levar de volta para sua casa, depois de eu colocar Sophie na cama do outro lado do corredor, entrei no quarto dele. Parei diante dele, e deixei que tirasse o suéter dos meus braços, e o vestido do meu corpo. Coloquei as mãos no seu peito nu. Senti o gosto do sal na coluna que era o pescoço dele.

— Oito semanas foi tempo demais — ele murmurou com a voz embargada. — Eu quero você aqui, Tessa. Droga, eu quero sempre saber que estou voltando para casa e para você.

Coloquei as mãos dele nos meus seios, arqueando contra a sensação de seus dedos.

— Case comigo — ele sussurrou. — Estou falando sério, Tessa. Quero que você seja minha esposa. Quero que a Sophie seja minha filha. Você e ela precisam morar aqui comigo e com o Duke. Precisamos ser uma família.

Senti o gosto da pele dele novamente. Deslizei as mãos pelo corpo dele, comprimi toda minha pele nua contra a pele nua dele. Tremi com o contato, mas não era suficiente. A sensação dele, o gosto dele. Precisava dele junto de mim, precisava dele em cima de mim, precisava dele dentro de mim. Precisava dele em todo lugar, ali mesmo, naquele instante.

Puxei-o para a cama, envolvendo-lhe a cintura com as pernas. Então ele deslizou para dentro do meu corpo e eu gemi, ou talvez tenha sido ele quem gemeu, e não importava. Ele estava onde eu precisava que estivesse.

No último instante, segurei o rosto dele entre minhas mãos para poder olhá-lo nos olhos quando a primeira onda nos atingiu.

— Case comigo — ele repetiu. — Eu vou ser um bom marido, Tessa. Vou cuidar de você e de Sophie.

Ele se moveu dentro de mim e eu disse:

— Sim.

---

# 3

Brian Darby morrera na cozinha da casa dele. Três tiros, bem juntos, no meio do torso. O primeiro pensamento de D.D. foi que a *trooper* Leoni devia levar muito a sério o treino de tiro, porque os disparos tinham sido exatamente como diz o manual. Como os novos recrutas aprendem na Academia — nunca mire na cabeça nem atire para ferir. O torso é a área com maior porcentagem de acerto e, se você estiver atirando, é bom estar defendendo sua vida ou a de alguém, isto é, estar atirando para matar.

Leoni realizara o trabalho. Agora, o que é que poderia ter acontecido para fazer uma policial do estado atirar no marido? E onde estava a criança?

No momento, a *trooper* Leoni estava contida no solário da frente, com os socorristas cuidando de um corte profundo na testa e um olho preto bastante feio. O representante do sindicato já estava com ela, e um advogado encontrava-se a caminho.

Uma dúzia de outros *troopers* do estado se ajuntava do lado de fora, todos na calçada com as pernas rígidas, de onde podiam olhar feio para os colegas de Boston processando a cena, e para os ultra-agitados jornalistas que cobriam o caso.

Isso deixava boa parte dos chefes de Boston e dos chefes da polícia estadual discutindo entre si na perua branca do comando estacionada diante da escola para crianças ao lado. O supervisor da unidade de homicídio do escritório do promotor do Condado de Suffolk estava presumivelmente agindo como árbitro, sem dúvida lembrando ao superintendente da Polícia Estadual de Massachusetts que o estado não pode realmente cuidar de uma investigação envolvendo um de seus próprios policiais, enquanto também lembrava ao comissário da Polícia de Boston que o pedido do estado de um oficial de ligação da polícia estadual era algo perfeitamente razoável.

Entre ataques na tentativa de ganhar espaço, os chefes tinham conseguido emitir um Alerta Âmbar para Sophie Leoni, de seis anos, cabelo castanho, olhos azuis, com cerca de 1,15 metro de altura, pesando 23 quilos, e com os dois dentes da frente de cima faltando. Devia estar vestindo um pijama cor-de-rosa de mangas compridas com cavalinhos amarelos. Vista pela última vez por volta das dez e meia da noite anterior, quando a *trooper* Leoni alegadamente olhou a filha antes de se apresentar para seu turno de patrulha às onze.

D.D. tinha muitas perguntas para a *trooper* Tessa Leoni. Infelizmente, não tinha acesso: Leoni estava em estado de choque, segundo bradara o representante do sindicato. Precisava de atendimento médico imediato. Leoni tinha direito a aconselhamento legal apropriado. Ela já havia dado uma declaração inicial ao primeiro policial a chegar. Todas as outras perguntas teriam de esperar até o momento que o advogado declarasse ser o adequado.

A *trooper* Leoni tinha muitas necessidades, pensou D.D. Será que uma delas não incluiria ajudar a polícia de Boston a achar a filha dela?

Até o momento, D.D. havia recuado. Numa cena assim cheia de gente, havia muitos outros assuntos que requeriam atenção imediata. Encontravam-se ali detetives do distrito de Boston enxameando pela cena, detetives de homicídio de Boston trabalhando com as evidências, vários policiais de uniforme revistando os arredores pela vizinhança e — considerando que a *trooper* Leoni havia atirado no marido com a Sig Sauer de serviço — a equipe de investigação de disparos de armas de fogo fora enviada automaticamente, inundando a pequena propriedade com ainda mais policiais variados.

Bobby estava certo — na gíria oficial, aquele caso era uma merda daquelas.

E era todo dela.

D.D. chegara ali fazia meia hora. Tinha estacionado a seis quadras, na esquina da atribulada rua Washington com uma ruazinha mais calma. Allston-Brighton era um dos bairros mais densamente povoados de Boston. Cheio até o topo com estudantes do Boston College, da Boston University e da Harvard Business School, a área era dominada por acadêmicos, jovens famílias e pessoal de apoio. Era um lugar caro onde morar, o que era irônico considerando que os estudantes da faculdade e professores raramente tinham dinheiro. O resultado final era rua após rua de cansados prédios de apartamentos com três andares, cada um dividido em mais unidades do que o anterior. As famílias se apinhavam, com lojas de conveniência abertas 24 horas e lavanderias surgindo em todo canto para suprir a demanda contínua.

Na mente de D.D., aquela era a selva urbana. Não tinha balaustradas de ferro batido ou tijolos decorativos como Back Bay ou Beacon Hill. Ali, pagava-se uma fortuna pela honra de alugar um apartamentinho estritamente utilitário em um prediozinho estritamente utilitário. Lugar para estacionar era na base de quem chegar primeiro, o que significava que a maior parte dos moradores passava metade do tempo dando voltas procurando uma vaga. Eles lutavam para chegar ao trabalho, lutavam para voltar para casa, e terminavam o dia comendo um jantar de micro-ondas em uma quitinete, antes de desabar de sono no menor futon do mundo.

Mas não era um lugar ruim para um *trooper* estadual. Tinha acesso fácil para a Mass Pike, a principal artéria que dividia o estado. A leste da Pike ficava a I-93, indo para oeste encontrava-se a 128. Basicamente, em uma questão de minutos, Leoni podia alcançar as três principais áreas de caça para um *trooper* em patrulha. Muito esperta.

D.D. também gostou da casa, uma honesta casa de família encaixada na floresta urbana de Allston-Brighton, com uma fileira de prédios de apartamentos de três andares de um lado e uma escola primária de tijolos do outro. Felizmente, já que era domingo, a escola estava fechada, o que permitia que a massa de policiais tomasse o estacionamento sem ter de enfrentar o drama causado por pais assustados correndo para lá e para cá na cena.

Um dia quieto na vizinhança. Ou pelo menos tinha sido.

O bangalô de dois quartos da *trooper* Leoni fora construído em uma colina, uma estrutura branca empilhada em cima de uma garagem para dois carros de tijolos vermelhos. Um único lance de degraus de concreto levava do nível da rua até a porta da frente e um dos maiores quintais que D.D. jamais tinha visto no centro de Boston.

Boa casa de família. Espaço suficiente para criar uma criança do lado de dentro, um quintal perfeito para um cachorro e um balanço do lado de fora. Mesmo agora, andando pelo quintal no meio do inverno, D.D. podia imaginar os churrascos, as festas, as tardes preguiçosas na varanda dos fundos.

Tanta coisa que podia ter dado certo numa casa dessas. Então o que dera errado?

Ela pensou que o quintal podia conter a chave. Grande, espaçoso e completamente desprotegido no meio daquela área superpopulosa.

Corte pelo estacionamento da escola, entre nessa propriedade. Emerja na parte de trás de quatro prédios de apartamento diferentes. Era possível acessar a residência de Leoni pela rua dos fundos, como D.D. havia feito, ou subindo pelos degraus de concreto vindo da rua da frente, como a maior parte dos policiais estaduais de Massachusetts parecia ter feito. Por trás, pela frente, direita e esquerda, a casa era fácil de entrar e ainda mais fácil de sair.

Algo que qualquer policial de uniforme devia ter imaginado, porque, em vez de estudar a intocada cobertura de neve branca, D.D. olhava agora para a maior coleção de pegadas de botas jamais reunida em um único quintal.

Ela fechou ainda mais o casaco de inverno ao redor do corpo e exalou o ar com frustração numa nuvem de fumaça. Malditos idiotas.

Bobby Dodge apareceu na varanda dos fundos, provavelmente ainda procurando seu ponto de vista. Considerando o modo como ele torceu o nariz para a neve enlameada, os pensamentos dele deviam ser os mesmos que os dela. Ele a viu, ajustou o chapéu preto contra o frio de março e desceu a escada da varanda até o quintal.

— Seus *troopers* acabaram com minha cena do crime — D.D. gritou do outro lado do quintal. — Eu não vou esquecer isso.

Ele deu de ombros, enfiando as mãos dentro do casaco preto de lã à medida que se aproximava. Um ex-atirador de longa distância, Bobby ainda se movia com a economia de movimentos que vinha de passar longas horas completamente imóvel. Como a maioria dos atiradores, ele era um sujeito pequeno com uma constituição forte e rija que combinava com a expressão dura do rosto. Ninguém o descreveria como bonito, mas muitas mulheres o consideravam atraente.

Fazia muito tempo, D.D. tinha sido uma dessas mulheres. Eles começaram cómo amantes, mas descobriram que funcionavam melhor como amigos. Depois, dois anos atrás Bobby conheceu e se casou com Annabelle Granger. D.D. não aceitara bem o casamento: o nascimento da filha deles foi como um segundo golpe.

Mas D.D. agora tinha Alex. A vida ia bem. Certo?

Bobby veio parar diante dela. — *Troopers* protegem vidas — ele informou para ela. — Detetives protegem evidências.

— Seus *troopers* acabaram com minha cena. Eu não perdoo, eu não esqueço.

Bobby por fim sorriu.

— Também senti sua falta, D.D.

— Como está Annabelle?

— Está bem, obrigado.

— E o bebê?

— Carina já está engatinhando. Mal posso acreditar.

D.D. também não podia acreditar. Merda, eles estavam ficando velhos.

— E Alex? — Bobby perguntou.

— Bem, bem. — Ela fez um gesto com a mão enluvada, chega dessa conversa mole. — Então o que você acha que aconteceu?

Bobby deu de ombros novamente, demorando para responder. Enquanto alguns investigadores sentissem necessidade de trabalhar suas cenas do crime, Bobby gostava de estudar as dele. E enquanto muitos detetives eram muito falantes, Bobby mal abria a boca a não ser que tivesse algo útil a dizer.

D.D. o respeitava imensamente, mas sempre tivera o cuidado de não dizer isso para ele.

— À primeira vista, parece que foi uma situação doméstica — ele disse por fim. — Marido atacou com uma garrafa de cerveja, a *trooper* Leoni se defendeu com a arma de serviço.

— Eles têm algum histórico de chamados por perturbação doméstica? — D.D. perguntou.

Bobby fez que não; ela assentiu. A ausência de chamados não queria dizer nada. Policiais odiavam pedir ajuda, especialmente para outros policiais. Se Brian Darby batia na esposa, o mais provável era que ela aguentasse em silêncio.

— Você a conhece? — D.D. perguntou.

— Não. Deixei a patrulha um pouco antes de ela começar. Ela só está na força faz quatro anos.

— E o que dizem dela?

— Policial sólida. Jovem. Estacionada no alojamento de Framingham. Faz o turno da noite, depois corre para casa para a filha, então não tem muito contato com os outros.

— Ela trabalha *apenas* no turno da noite?

Ele arqueou uma sobrancelha, parecendo que se divertia.

— Os horários são uma área competitiva entre os *troopers*. O novato tem de passar um ano inteiro no turno noturno antes de poderem pedir uma mudança. E mesmo assim, os horários são distribuídos segundo o tempo na força. Uma recruta de quatro anos? Eu diria que ela tem mais um ano pela frente antes de conseguir ver a luz do dia.

— E eu pensando que ser detetive era uma droga.

— Os policiais de Boston são um bando de chorões — Bobby informou para ela.

— Por favor, pelo menos nós não sapateamos na neve em cenas de crimes.

Ele contraiu os lábios. Os dois voltaram a examinar o quintal pisoteado.

— Há quanto tempo eles estão casados? — D.D. perguntou.

— Três anos.

— Então ela já estava na força e já tinha a filha quando o conheceu.

Bobby não respondeu, já que não era uma pergunta.

— Em teoria, ele não sabia no que estava se metendo — D.D. continuou falando, tentando ter uma ideia preliminar de como era a dinâmica da casa. — Uma esposa que ficava fora a noite toda. Uma menininha que requeria cuidados de noite e pela manhã.

— Quando ele estava em casa.

— Como assim?

— Ele era um marinheiro mercante. — Bobby pegou um caderninho de notas e olhou algo que tinha anotado. — Embarcado sessenta dias por vez. Sessenta dias fora, sessenta dias em casa. Um dos rapazes sabia disso por causa de conversas com a *trooper* Leoni nos alojamentos.

D.D. arqueou uma sobrancelha.

— Então a esposa tem um horário maluco. O marido tem um horário ainda mais maluco. Interessante. Ele era grandalhão? — D.D. não tinha examinado o corpo, pensando em seu estômago sensível.

— Um e setenta e oito, cento e cinco ou cento e dez quilos — Bobby declarou. — Músculos, nada de gordura. Eu diria que levantava pesos.

— Um sujeito que podia dar um bom soco.

— Em contraste, a *trooper* Leoni tem um metro e sessenta, e sessenta quilos. Dá uma boa vantagem para o marido.

D.D. assentiu. Um *trooper* tem treinamento em combate corpo a corpo, é claro. Mas uma mulher pequena contra um homem maior continuava sendo uma desvantagem. E um marido, além de tudo. Muitas policiais aprenderam técnicas de trabalho que não praticavam nos combates domésticos; o olho preto da *trooper* Leoni não era o primeiro que D.D. via em uma colega.

— O incidente ocorreu quando a *trooper* Leoni voltou para casa do trabalho — Bobby estava dizendo. — Ela ainda estava de uniforme.

D.D. arqueou uma sobrancelha, absorvendo a informação.

— Ela estava usando um colete?

— Sob a camisa, SOP.

— E o cinturão dela?

— Ela sacou a Sig Sauer direto do coldre.

— Merda. — D.D. balançou a cabeça. — Isso é uma droga.

Não era uma pergunta, então novamente Bobby não respondeu.

O uniforme, para não mencionar a presença do cinturão de um *trooper*, mudava tudo. Para começar, significava que a *trooper* Leoni estava usando o colete no momento do ataque. Mesmo um homem de 110 quilos teria muita dificuldade para conseguir algum impacto através do colete. Segundo, o cinturão de um *trooper* tem muitas outras ferramentas além da Sig Sauer que seriam adequadas para se defender. Por exemplo, o cassetete desmontável, ou o Taser, ou o spray de pimenta ou até mesmo as algemas de metal.

Era fundamental para o treinamento de todos os policiais a habilidade de avaliar rapidamente a ameaça e responder com o nível adequado de força. Se alguém grita, você não saca a arma. Se alguém ataca, você não tem necessariamente de sacar a arma.

Mas a *trooper* Leoni o fizera.

D.D. estava começando a compreender por que o representante do sindicato estava tão ansioso para conseguir aconselhamento legal adequado para Tessa Leoni, e insistia tanto que ela *não* falasse com a polícia.

D.D. suspirou e esfregou a testa.

— Não estou entendendo. Parece a síndrome de esposa espancada. Ele bateu de novo, mas dessa vez ela finalmente reagiu. Isso explica o corpo dele na cozinha e a reunião dela com os socorristas no solário. Mas e a menina? Onde está a menina?

— Talvez a briga dessa manhã tenha começado ontem à noite. A menina fugiu.

Eles olharam para a neve, onde qualquer traço das pequenas pegadas teria sido completamente apagado.

— Os avisos foram enviados para os hospitais locais? — D.D. perguntou. — O pessoal de uniforme está verificando com os vizinhos?

— É um Alerta Âmbar completo, e não, nós não somos estúpidos.

Ela olhou direto para a neve. Bobby ficou quieto.

— E quanto ao pai biológico? — D.D. tentou. — Se Brian Darby é o padrasto, então onde está o pai biológico de Sophie e o que ele tem a dizer sobre isso?

— Não há pai biológico — relatou Bobby.

— Eu acho que isso é biologicamente impossível.

— Não tem nenhum nome na certidão de nascimento, nenhum sujeito foi mencionado no alojamento e nenhum homem que fizesse o papel de pai aparecia para visitar a cada dois fins de semana. — Bobby deu de ombros. — Não há pai biológico.

D.D. franziu a testa.

— Porque Tessa Leoni não o quer por perto, ou porque ele não quer estar por perto? E ah, sim, nas duas últimas noites, essa dinâmica mudou subitamente?

Bobby deu de ombros outra vez.

D.D. contraiu os lábios, começando a ver múltiplas possibilidades. Um pai biológico que pretendia reclamar direitos paternos. Ou um lar tenso demais, com duas pessoas tentando levar adiante carreiras intensas e uma criança pequena. A opção A significava que o pai biológico podia ter sequestrado sua própria filha. A opção B significava que o padrasto — ou a mãe biológica — tinha batido na criança até a morte.

— Será que a criança está morta? — Bobby perguntou.

— Eu não tenho ideia. — D.D. não queria pensar na menina. Uma esposa atirando num marido, tudo bem. Uma criança desaparecida... Esse caso ia terminar mal.

— Não dá para enterrar um corpo — ela pensou em voz alta. — Está congelado demais para cavar. Então se a garota *está* morta... Provavelmente os restos dela foram enfiados em algum canto dentro da casa. Garagem? Sótão? Algum espaço pequeno? Um freezer velho?

Bobby balançou a cabeça.

D.D. aceitou a negativa dele. Não havia entrado na casa além da cozinha e do solário, mas, considerando o número de policiais fardados examinando cada detalhe da casa, eles seriam capazes de desmontar a estrutura tábua por tábua.

— Não acho que isso tenha a ver com o pai biológico — Bobby declarou.

— Se o pai biológico voltou para fazer barulho, Tessa Leoni teria mencionado isso antes de qualquer outra coisa. *Fale com o canalha do meu ex-namorado, que está ameaçando tirar minha filha de mim.* Leoni não disse nada assim...

— Porque o representante do sindicato fez ela calar a boca.

— Porque o representante do sindicato não quer que ela faça declarações que a incriminem. Mas não tem problema nenhum se ela fizer declarações que incriminem os outros.

Não dá para argumentar com essa lógica, pensou D.D.

— Está bem, esqueça o pai biológico por um segundo. Parece que a família aqui era bastante disfuncional. A julgar pelo rosto da *trooper* Leoni, Brian Darby é um cara que bate na esposa. Talvez ele tenha batido na enteada também. Ela morreu, a *trooper* Leoni voltou para casa e viu o corpo, e os dois entraram em pânico. O padrasto fez algo terrível, mas a *trooper* Leoni deixou que fizesse, o que a torna cúmplice. Eles levam o corpo no carro e o jogam em algum lugar. Então voltam para casa, começam a brigar e a tensão da situação toda faz Tessa perder o controle.

— A *trooper* Leoni ajudou a descartar o corpo da própria filha — Bobby disse — antes de voltar para casa e atirar no marido?

D.D. o olhou diretamente.

— Não faça nenhuma suposição, Bobby. Você sabe disso melhor que ninguém.

Ele não disse nada, mas enfrentou o olhar dela.

— Eu quero a viatura da *trooper* Leoni — D.D. declarou.

— Acho que os chefes estão cuidando disso.

— E o carro dele também.

— Uma GMC Denali 2007. Seu esquadrão já está com ela.

D.D. ergueu uma sobrancelha.

— Belo carro. Marinheiros mercantes fazem tanta grana assim?

— Ele era engenheiro. Engenheiros sempre fazem tanta grana assim. Não acho que a *trooper* Leoni tenha machucado a própria filha — Bobby disse.

— Você não acha?

— Falei com alguns dos *troopers* que trabalham com ela. Tudo que dizem sobre ela são coisas boas. Mãe amorosa, dedicada à filha etc. e tal.

— Mesmo? Eles também sabiam que o marido a usava como saco de pancada?

Bobby não disse nada imediatamente, o que era uma resposta boa o bastante. Ele se virou para a cena.

— Pode ser um sequestro — ele fez questão de insistir.

— Um quintal sem cerca, com algumas centenas de estranhos como vizinhos... — D.D. deu de ombros. — Sim, se fosse só a menina desaparecida, eu diria para correr atrás dos pervertidos. Mas quais são as chances de um estranho entrar na casa na mesma noite/manhã em que o marido e a esposa têm uma discussão fatal?

— Não faça nenhuma suposição — Bobby repetiu, mas não pareceu estar mais convencido daquilo do que ela.

D.D. voltou a estudar o quintal, que poderia antes ter contido pegadas relacionadas com o assunto que debatiam no momento, mas que agora não tinha mais. Ela suspirou, odiando quando boas evidências tornavam-se ruins.

— Nós não sabíamos — Bobby murmurou junto dela. — O chamado que chegou foi de policial com problemas. Foi a isso que os *troopers* responderam. Não a uma cena de homicídio.

— Quem fez o chamado?

— Acho que foi ela quem fez o chamado inicial...

— Tessa Leoni.

— *Trooper* Leoni. Ela provavelmente ligou para um colega do alojamento. O amigo juntou a cavalaria e a chamada foi atendida por operações. Nessa altura, a maioria dos *troopers* respondeu, com o tenente-coronel vindo na retaguarda. Agora, quando o tenente-coronel Hamilton chegou aqui...

— Ele viu que era menos uma crise, e mais um caso de limpeza — D.D. murmurou.

— Hamilton fez o sensato e notificou a torre de Boston, considerando a jurisdição.

— Enquanto também chamava seus próprios detetives.

— O jogo é assim mesmo, meu bem. O que quer que eu diga?

— Quero transcrições.

— De alguma forma, como oficial de ligação oficial da polícia estadual, tenho a sensação de que essa vai ser a primeira de muitas coisas que eu vou buscar para você.

— Sim, oficial de ligação da polícia estadual. Vamos falar sobre isso. Você é o oficial de ligação, eu sou a detetive-chefe. Estou querendo dizer que eu dou as ordens e você acompanha.

— E você alguma vez trabalhou de outra forma?

— Agora que você falou nisso, não, nunca. Então, primeira tarefa. Ache essa menina para mim.

— Bem que eu queria.

— Certo. Segunda tarefa. Me consiga acesso à *trooper* Leoni.

— Bem que eu queria — Bobby repetiu.

— Vamos lá, você é o oficial de ligação da polícia estadual. Certamente ela vai falar com o oficial de ligação da polícia estadual.

— O representante do sindicato está dizendo para ela não abrir o bico. O advogado dela, quando chegar, vai muito provavelmente insistir nisso. Bem-vinda à parede azul, D.D.

— Mas eu também visto a porra do uniforme!

Bobby olhou direto para a pesada jaqueta de campo dela, onde se viam as letras BDP.

— Não no mundo da *trooper* Leoni.

---

# 4

Estava em minha primeira patrulha sozinha de duas horas quando recebi meu primeiro chamado de distúrbio doméstico. O incidente foi relatado pela expedição como um doméstico verbal — basicamente, os ocupantes do apartamento 25B estavam discutindo tão alto que os vizinhos não conseguiam dormir. Os vizinhos ficaram nervosos e chamaram a polícia.

Aparentemente, não era nada muito excitante. O *trooper* aparece, os moradores do 25B param de brigar. E provavelmente jogam um saco de cocô de cachorro bem fresco na porta do vizinho na manhã seguinte.

Mas na Academia eles enfiam em nossa cabeça — não existe isso de chamado típico. Fique atento. Esteja preparado. Fique em segurança.

Eu suei dentro do meu uniforme azul-escuro durante todo o trajeto até o apartamento 25B.

*Troopers* novos trabalham sob a supervisão de um policial mais antigo durante suas primeiras 12 semanas. Depois disso, patrulhamos sozinhos. Não há ninguém para fazer companhia, nenhum companheiro para dar cobertura. Em vez disso, é tudo com a expedição. O segundo em que você está na viatura, o segundo em que deixa o veículo, o segundo em que vai tomar um café, o segundo em que vai fazer xixi, você conta tudo para a expedição. Operações é seu cabo de segurança e, quando alguma coisa dá errado, é operações que vai enviar a cavalaria — seus colegas *troopers* — para o resgate.

Na classe, isso soara como um bom plano. Mas, à uma da manhã, saindo da minha viatura em uma área da cidade que não conhecia, indo até um prédio que nunca tinha visto, para confrontar duas pessoas que não sabia quem eram, era muito fácil pensar também em outros fatos. Por exemplo, enquanto havia aproximadamente 1.700 *troopers* no estado, apenas mais ou menos 600 estão em patrulha ao mesmo tempo. E esses 600 *troopers* estão cobrindo todo o estado do Massachusetts. O que quer dizer que estamos muito espalhados pelo lugar todo. O que quer dizer que, quando as coisas saem erradas, não é questão de esperar cinco minutos pela ajuda.

Somos todos uma grande família, mas ainda assim ficamos muito sozinhos.

Aproximei-me do prédio da forma como tinha sido treinada, os cotovelos grudados na cintura para proteger a arma, o corpo virado um pouco para o lado para oferecer um alvo menor. Fui em ângulo me afastando das janelas e fiquei do lado da porta, já que na frente dela estaria diretamente na linha de fogo.

O chamado mais comum que um policial de uniforme recebe é de situação desconhecida. Na Academia, somos avisados para tratar todos os chamados assim. O perigo está por todos os lados. Todas as pessoas são suspeitas. Todos os suspeitos são mentirosos.

É assim que trabalhamos. Para alguns policiais, isso também se torna o modo como vivem.

Subi três degraus até uma entrada minúscula e parei para respirar fundo. Postura de comando. Eu tinha 23 anos, com peso médio e infelizmente era bonita. A probabilidade era de que, quem quer que abrisse a porta, seria mais velho que eu, maior que eu e mais duro que eu. Ainda assim meu trabalho era controlar a situação. Separar os pés. Ombros para trás. Queixo para cima. Como os outros novatos costumavam dizer fazendo piada, nunca os deixe vê-lo suar.

Fiquei para o lado. Bati na porta. Então enfiei rapidamente os polegares por trás da cintura da calça azul-escura, para que minhas mãos não tremessem.

Nenhum som de distúrbio. Nenhum som de passos. Mas as luzes acenderam; os ocupantes do 25B estavam acordados.

Bati novamente. Dessa vez com mais força.

Nenhum som de movimento, nenhum sinal dos residentes.

Mexi nervosa no cinturão, debatendo as opções. Tinha recebido um chamado, e esse chamado requeria um relatório, e um relatório requeria contato. Por isso me fiz parecer maior e bati com mais *força. BAM. BAM. BAM.* Soquei meu punho contra a porta barata de madeira. Eu era uma *trooper* estadual, mas que droga, e não seria ignorada.

Dessa vez, passos.

Trinta segundos depois, a porta foi aberta silenciosamente.

A mulher que ocupava o 25B não olhou para mim. Ela ficou olhando para o chão enquanto o sangue escorria de seu rosto.

Como aprendi naquela noite, e muitas noites depois daquela, os passos básicos para lidar com violência doméstica permanecem os mesmos.

Primeiro, o policial examina a cena, uma inspeção preliminar e rápida para identificar e eliminar qualquer ameaça em potencial.

*Quem mais está no lugar, Policial? Posso andar pela casa?* Trooper, *essa é a sua arma? Vou ter de pegar sua arma de fogo,* trooper. *Tem alguma outra arma na propriedade? Também vou precisar do seu cinturão de serviço. Desafivele, devagar... obrigado. Vou pedir que remova seu colete. Você precisa de ajuda? Obrigado. Vou pegar isso agora. Preciso que vá até o solário. Sente ali. Não saia daí. Eu já volto.*

Com a cena segura, o policial então examina a mulher em busca de sinais de ferimentos. Nesse ponto, o policial não tira conclusões. O indivíduo não é nem suspeito nem vítima. É apenas uma pessoa ferida e é tratado de acordo.

*Mulher presente com lábio sangrando, olho roxo, marcas vermelhas no pescoço e lacerações com sangue no lado direito da testa.*

Muitas mulheres agredidas vão dizer que estão bem. Que não precisam de ambulância. Apenas dê o fora e as deixe em paz. Vai estar melhor pela manhã.

O policial bem treinado ignora essas declarações. Há evidência de um crime, o que faz girar as rodas maiores da justiça criminal. Talvez a mulher agredida seja a vítima, como está dizendo, e no final se recuse a prestar queixa. Mas talvez seja a instigadora — os ferimentos podem ter sido causados enquanto ela batia para valer em alguém desconhecido, o que quer dizer que ela é a perpetradora de um crime e que declarações precisam ser documentadas para as queixas que logo serão prestadas por aquela pessoa desconhecida. O *trooper* deve alertar a expedição sobre a situação, pedir reforços e chamar os socorristas.

Mais gente logo vai chegar. Policiais uniformizados. Pessoal médico. Sirenes vão soar no horizonte, veículos oficiais vindos do funil estreito das ruas da cidade enquanto os vizinhos se juntam do lado de fora para acompanhar o show.

A cena vai ficar cheia de gente, o que torna ainda mais importante que o primeiro a chegar documente, documente, documente. O *trooper* vai então conduzir uma inspeção visual mais detalhada da cena, tomando notas e tirando fotografias iniciais.

*Homem morto, no final da casa dos 30, parece ter 1,80 metro, 105 ou 110 quilos. Três disparos de arma de fogo no meio do torso. Encontrado em decúbito dorsal a 30 centímetros do lado esquerdo da mesa da cozinha.*

*Duas cadeiras de madeira da cozinha derrubadas. Restos de um copo verde quebrado sob as cadeiras. Uma garrafa verde quebrada — com rótulo Heineken — localizada a 18 centímetros à esquerda da mesa da cozinha.*

*Semiautomática Sig Sauer descoberta no alto da mesa redonda de madeira com um metro de diâmetro. Policial removeu o pente e esvaziou a câmara. Ensacada e rotulada.*

Mais uniformes vão ajudar, interrogando vizinhos, garantindo a segurança do perímetro. A mulher vai permanecer isolada da ação, onde será atendida pelo pessoal médico.

*Socorrista, verificando meu pulso, apalpando gentilmente o contorno da órbita do meu olho e malar em busca de sinais de fratura. Pedindo que eu desfaça o rabo de cavalo para poder examinar melhor minha cabeça. Usando uma pinça para retirar o primeiro pedaço de vidro verde que mais tarde será comprovado ter vindo da garrafa quebrada de cerveja.*

*— Como está se sentindo, senhora?*

*— Minha cabeça dói.*

*— Você se lembra de ter apagado ou perdido os sentidos?*

*— A cabeça está doendo.*

*— Está sentindo náusea?*

*— Sim. — O estômago está revirando. Tentando não vomitar, lutando contra a dor, contra a confusão, a crescente desorientação de que isso não pode estar acontecendo, não devia estar acontecendo...*

*A socorrista continua examinando minha cabeça, e encontra um inchaço na parte de trás do crânio.*

*— O que aconteceu com sua cabeça, senhora?*

*— O quê?*

*— Aqui atrás, senhora. Tem certeza de que não perdeu a consciência, que não caiu?*

*Eu, fitando a socorrista com olhos vidrados.*

*— Quem você ama? — eu sussurro.*

*A socorrista não responde.*

Em seguida, pegar uma declaração inicial. Um bom *trooper* vai anotar tanto o que a pessoa diz quanto *como* ela diz. As pessoas em verdadeiro estado de choque tendem a ficar falando, oferecendo fragmentos de informação, mas sem conseguir colocar tudo de uma forma coerente. Algumas vítimas desassociam. Elas falam em um tom monótono, sem emoções, sobre um evento que na mente delas não aconteceu. E tem também os mentirosos profissionais — aqueles que fingem ficar falando e desassociar.

Qualquer mentiroso cedo ou tarde vai longe demais. Acrescentar um pouco demais de detalhes. Parecer um pouco composto demais. Aí o investigador bem treinado pode atacar.

*— Você pode me dizer o que aconteceu aqui,* trooper *Leoni? — um detetive do distrito de Boston faz a primeira rodada. Ele é mais velho, o cabelo ficando grisalho nas têmporas. Parece gentil, tentando a aproximação colegial.*

*Eu não quero responder. Eu tenho de responder. É melhor o detetive do distrito do que o investigador de homicídios que virá depois. Minha cabeça pulsa, minhas têmporas, minhas faces. Meu rosto está em chamas.*

*Eu quero vomitar. Combato a sensação.*

*— Meu marido... — eu sussurro. Meu olhar cai automaticamente para o chão. Eu percebo o erro, forço-me a olhar para cima, fitando os olhos do detetive do distrito. — Às vezes... quando eu trabalho até mais tarde. Meu marido fica bravo. — Pausa. Minha voz, ficando mais forte, mais definida. — Ele bate em mim.*

*— Onde ele bateu em você, Policial?*

*— No rosto. Olho. Face. — Meus dedos encontram cada local, aliviando a dor. Dentro de minha cabeça, estou presa em um momento do tempo. Ele, erguendo-se sobre mim. Eu, me encolhendo no linóleo, verdadeiramente apavorada.*

*— Eu caí — recito para o detetive do distrito. — Meu marido ergueu uma cadeira.*

*Silêncio. O detetive do distrito espera que eu continue. Crie uma mentira, diga a verdade.*

*— Eu não bati nele — eu sussurro. Eu recolhi muitos depoimentos assim. Eu sei como essa história vai continuar. Todos nós sabemos. — Eu não enfrentei — declaro de forma mecânica. — Ele ficaria cansado e ia parar. Se eu lutasse... era sempre pior no fim.*

*— Seu marido ergueu uma cadeira,* trooper *Leoni? Onde você estava quando ele fez isso?*

*— No chão.*

*— Onde na casa?*

*— Na cozinha.*

*— Quando seu marido ergueu a cadeira, o que você fez?*

*— Nada.*

*— O que ele fez?*

*— A jogou.*

*— Onde?*

*— Em mim.*

*— Ela atingiu você?*

*— Eu... eu não lembro.*

*— Depois o que aconteceu,* trooper *Leoni? — O detetive distrital se inclinando, olhando para mim mais de perto. O rosto dele é um mapa de preocupação. Meu contato visual está errado? Minha história está detalhada demais? Ou não tem detalhes suficientes?*

Tudo que quero de Natal são meus dois dentes da frente, meus dois dentes da frente, meus dois dentes da frente.[4]

*A música soa em minha mente. Eu quero rir. Mas não faço isso.*

Te amo, Mamãe. Te amo.

*— Eu joguei a cadeira de volta nele — digo para o detetive distrital.*

*— Você jogou a cadeira de volta nele?*

*— Ele ficou... mais bravo. Então eu tinha de fazer alguma coisa, certo? Porque ele ficou mais bravo.*

*— Você estava com seu uniforme completo nesse momento,* trooper *Leoni?*

*Encontro os olhos dele.*

*— Sim.*

*— Usando seu cinturão de serviço? E seu colete?*

*— Sim.*

*— Você pegou alguma coisa no seu cinturão? Fez alguma coisa para se defender?*

*Ainda olhando nos olhos dele.*

*— Não.*

*O detetive me fitou de forma curiosa.*

*— O que aconteceu em seguida,* trooper *Leoni?*

*— Ele pegou a garrafa de cerveja. Quebrou-a na minha testa. Eu... eu consegui empurrá-lo e ele oscilou na direção da mesa. Eu caí. Contra a parede. Minhas costas contra a parede. Eu precisava achar a porta. Eu precisava sair dali.*

*Silêncio.*

*—* Trooper *Leoni?*

*— Ele estava com a garrafa quebrada — murmurei. — Eu precisava sair. Mas... estava encurralada. No chão. Contra a parede. Olhando para ele.*

---

[4] Refrão de uma música de natal muito conhecida nos Estados Unidos (N. T.).

— Trooper *Leoni?*

*— Temi pela minha vida — sussurrei. — Toquei na minha arma. Ele atacou... eu temi pela minha vida.*

— Trooper *Leoni, o que aconteceu?*

*— Eu atirei no meu marido.*

— Trooper *Leoni...*

*Eu encontrei o olhar dele pela última vez.*

*— Depois fui procurar minha filha.*

# 5

Quando D.D. e Bobby terminaram de contornar a frente da propriedade, os socorristas estavam tirando uma maca da traseira da ambulância. D.D. olhou para eles, então identificou o uniforme de Boston parado junto da fita de cena de crime com o caderno do assassinato. Ela foi falar com ele.

— Ei, policial Fiske. Você registrou cada um dos uniformes que entrou neste lugar? — Ela indicou o bloco de notas na mão dele, onde eram anotados os nomes de todo o pessoal que cruzava a fita de cena de crime.

— Quarenta e dois policiais — ele informou, sem piscar os olhos.

— Jesus. Sobrou algum policial para patrulhar a área da grande Boston?

— Duvido — disse o policial Fiske. O rapaz era jovem e sério. Era só D.D. ou eles estavam ficando mais jovens e mais sérios a cada ano que passava?

— Bem, tem um problema, policial Fiske. Enquanto você recolhia os nomes aqui, outros policiais estavam entrando e saindo pela parte de trás da propriedade, e isso está me deixando furiosa.

Os olhos do policial Fiske se arregalaram.

— Você tem um colega? — D.D. continuou. — Passe um rádio para ele pegar um bloco de notas e assumir posição na parte de trás da casa.

Quero nomes, postos e números dos distintivos, tudo registrado. E enquanto vocês dois estiverem cuidando disso, espalhe o seguinte: todos os *troopers* estaduais que vieram até aqui precisam se apresentar no Q.G. de Boston no final do dia para tirar uma cópia da pegada de suas botas. Quem não fizer isso vai ser colocado imediatamente em funções administrativas. Você ouviu isso diretamente do oficial de ligação do estado. — Ela apontou Bobby com o polegar, que estava ao seu lado, girando os olhos para cima.

— D.D. — ele começou.

— Eles pisotearam minha cena. Eu não perdoo. Eu não esqueço.

Bobby ficou quieto. Ela gostava disso nele.

Depois de garantir a segurança da cena e criar uma confusão, D.D. foi em seguida falar com os socorristas, que tinham a maca posicionada entre eles e estavam se preparando para subir com ela a escada até a porta da frente.

— Esperem — D.D. gritou.

Os socorristas, um homem e uma mulher, pararam enquanto ela se aproximava.

— Sargento detetive D.D. Warren — D.D. se apresentou. — Eu sou a encarregada desse circo. Vocês estão se preparando para transportar a *trooper* Leoni?

A mulher grandalhona na frente da maca assentiu, começando a se virar para a escada.

— Calma, calma aí — D.D. disse depressa. — Preciso de cinco minutos. Tenho algumas perguntas para a *trooper* Leoni antes de ela ser levada.

— A *trooper* Leoni sofreu ferimentos significativos na cabeça — disse a mulher com firmeza. — Vamos levá-la para o hospital para fazer uma tomografia. Vocês têm seu trabalho, nós temos o nosso.

Os socorristas deram mais um passo na direção da escada. D.D. avançou para interceptá-los.

— A *trooper* Leoni corre risco de morte por causa do sangramento? — D.D. pressionou. Ela olhou para o crachá da mulher, acrescentando então: — Marla.

Marla não pareceu ficar impressionada.

— Não.

— Ela corre algum risco físico imediato?

— Inchaço do cérebro — disse a paramédica. — Sangramento do cérebro...

— Então vamos mantê-la desperta e fazer com que recite o nome dela e a data. Não é o que vocês fazem para concussão? Conte até cinco, para frente e para trás, nome, posto e número de série etc. e tal.

Ao lado dela, Bobby suspirou. D.D. estava definitivamente assumindo o controle da situação. Ela manteve a atenção fixa em Marla, que parecia estar ainda mais exasperada do que Bobby.

— Detetive... — Marla começou.

— Uma criança está desaparecida — D.D. interrompeu. — Uma menina de seis anos. Deus sabe onde se encontra e que riscos está correndo. Eu preciso de apenas cinco minutos, Marla. Talvez seja demais para pedir para você e para seu trabalho e para a *trooper* Leoni e os ferimentos dela, mas não creio que seja muito pedir em nome de uma criança de seis anos.

D.D. era boa. Sempre fora. E sempre seria. Marla, que parecia ter uns 40 e poucos anos e provavelmente tinha pelo menos um ou dois filhos em casa, para não mencionar muitos sobrinhos e sobrinhas, cedeu.

— Cinco minutos — ela disse, olhando para o colega. — Depois nós a levamos, quer você tenha terminado ou não.

— Quer eu tenha terminado ou não — D.D. concordou, e correu escada acima.

— Você comeu seus Wheaties[5] de manhã? — Bobby murmurou correndo ao lado dela.

— Você só está com inveja.

— Por que estou com inveja?

— Porque sempre consigo resolver essas merdas.

— O orgulho vem antes da queda — Bobby murmurou.

---

[5] Cereal para o café da manhã. É comercializado em caixas de papelão que mostram atletas com o famosíssimo slogan *breakfast of the champions* (café da manhã dos campeões) (N. T.).

D.D. abriu a porta da frente da casa.

— Pelo bem da menina Sophie de seis anos, vamos torcer para que isso não aconteça.

---

A *trooper* Leoni ainda estava isolada no solário. D.D. e Bobby tinham de passar pela cozinha para chegar lá. O corpo de Brian Darby havia sido removido, deixando para trás tábuas de assoalho manchadas de sangue, uma pilha de marcadores de evidências e muito pó para digitais. Os habituais detritos de cenas de crime. D.D. cobriu a boca e o nariz com a mão ao passar. Ainda estava dois passos adiante de Bobby e torceu para ele não notar.

Tessa Leoni ergueu o rosto quando Bobby e D.D. entraram. Ela estava segurando um saco com gelo contra metade do rosto, que ainda assim não cobria o sangue no lábio nem o corte na testa que ainda sangrava. Quando D.D. entrou no solário, a policial baixou o saco revelando um olho fechado pelo inchaço e roxo como uma berinjela.

D.D. teve um momento de choque, apesar de tudo. Quer ela acreditasse ou não na declaração inicial de Leoni, a policial tinha definitivamente levado uma surra. D.D. olhou rapidamente para as mãos da policial, tentando ver algum sinal de ferimentos defensivos. A *trooper* Leoni percebeu o movimento e cobriu os nós dos dedos com o saco de gelo.

Por um momento, as duas mulheres se avaliaram. A *trooper* Leoni pareceu jovem para D.D., especialmente vestindo o azul do estado. Cabelo loiro longo, olhos azuis, rosto com formato de coração. Uma garota bonita apesar dos ferimentos e talvez mais vulnerável por causa deles. Imediatamente D.D. ficou agitada. Bela e vulnerável sempre a fazia perder sua paciência.

D.D. olhou para os outros dois ocupantes da sala.

Parado do lado de Leoni havia um *trooper* tamanho gigante, os ombros empurrados para trás na melhor postura de sujeito durão. Em contraste, diante dela estava um senhor pequenino e mais velho de terno cinza, com um bloco de papel amarelo equilibrado delicadamente em um joelho. O representante do sindicato em pé, calculou D.D., e o advogado indicado pelo sindicato sentado. Então a turma toda estava ali.

O representante do sindicato, um colega *trooper* estadual, falou primeiro.

— A *trooper* Leoni não vai responder nenhuma pergunta — ele declarou, empurrando o queixo para frente.

D.D. olhou para o distintivo dele.

— *Trooper* Lyons...

— Ela deu a declaração inicial — continuou o *trooper* Lyons em tom duro. — Todas as outras perguntas vão ter de esperar até ela ser tratada por um médico. — Ele olhou para a porta. — Onde estão os socorristas?

— Pegando o equipamento deles — disse D.D. em tom apaziguador. — Eles já vêm. Claro que os ferimentos da *trooper* Leoni são prioridade. Nada senão o melhor para uma colega policial.

D.D. foi para a direita, abrindo espaço para Bobby ficar do seu lado. Uma frente unida de policiais municipais e estaduais. O *trooper* Lyons não pareceu se importar.

O advogado havia se levantado. E agora estendia a mão.

— Ken Cargill — ele disse, apresentando-se. — Eu vou representar a *trooper* Leoni.

— Sargento detetive D.D. Warren — D.D. se apresentou, em seguida apresentou Bobby.

— Minha cliente não vai responder perguntas nesse momento — Cargill informou a eles. — Depois que tiver recebido o tratamento médico adequado e compreendido completamente a extensão de seus ferimentos, nós os informaremos.

— Entendido. Não estou aqui para forçar. Os socorristas disseram que precisam de alguns minutos para preparar a maca e pegar os soros. Pensei que poderíamos usar esse tempo para cobrir o básico. Temos um Alerta Âmbar completo para a pequena Sophie, mas eu vou ser honesta. — D.D. separou as mãos em um gesto de impotência. — Não temos pistas. E como tenho certeza de que a *trooper* Leoni sabe, nesse tipo de caso, cada minuto conta.

Com a menção do nome de Sophie, a *trooper* Leoni se enrijeceu no sofá. Ela não estava olhando para D.D., nem para nenhum dos homens na sala. Estava com os olhos fixos em um ponto do carpete verde desgastado, as mãos ainda ocultas por trás do saco de gelo.

— Eu procurei por todos os lados — Leoni disse subitamente. — Na casa, na garagem, no sótão, no carro dele...

— Tessa — interrompeu o *trooper* Lyons. — Não faça isso. Você não tem de fazer isso.

— Quando foi a última vez que viu sua filha? — perguntou D.D., aproveitando a oportunidade enquanto ela estava ali.

— Às dez e quarenta e cinco ontem à noite — a policial respondeu de forma automática, como se falando de memória. — Eu sempre vou olhar a Sophie antes de ir para o trabalho.

D.D. franziu a testa.

— Você saiu daqui às dez e quarenta e cinco para entrar no trabalho às onze? Você consegue ir daqui até o alojamento Framingham em quinze minutos?

A *trooper* Leoni fez que não com a cabeça.

— Não tenho de ir até lá. Ficamos com as viaturas em casa, então no momento em que embarcamos, estamos iniciando a patrulha. Eu chamei o oficial na mesa pelo rádio da viatura e declarei Código 5. Ele determinou minha área de patrulha e eu fui em frente.

D.D. assentiu. Não sendo uma *trooper* estadual, não sabia desses detalhes. Mas ela também estava fazendo um jogo com a *trooper* Leoni. O jogo chamava "estabelecer o estado mental do suspeito". Dessa forma, quando a *trooper* Leoni dissesse alguma coisa de útil, e seu advogado corresse para interromper dizendo que a admissão não valia porque a cliente estava sofrendo de concussão e portanto estava mentalmente incapacitada, D.D. poderia dizer que Leoni respondera com toda lucidez outras perguntas facilmente verificáveis. Por exemplo, se Leoni conseguia lembrar com precisão o horário que chamara o oficial da mesa, para onde tinha ido em patrulha etc. etc., então por que assumir que ela subitamente estaria enganada sobre como tinha atirado no próprio marido?

Esses eram os tipos de jogos que um detetive habilidoso sabia jogar. Duas horas antes, D.D. talvez não os usasse com uma colega policial. Ela poderia estar disposta a dar alguma folga para a pobre *trooper* Leoni, espancada pelo marido, dar a ela a espécie de tratamento preferencial que uma policial se sentiria inclinada a dar a outra. Mas isso fora antes de os *troopers* estaduais pisotearem sua cena de crime e colocarem D.D. claramente do outro lado da parede azul.

D.D. não perdoava. Ela não esquecia.

E não queria estar cuidando nesse momento de um caso que envolvia uma criança pequena. Mas isso era algo sobre o que não podia falar, nem mesmo com Bobby.

— Então você foi ver sua filha às dez e quarenta e cinco... — D.D. estimulou.

— Sophie estava dormindo. Eu a beijei no rosto. Ela... virou para o outro lado, puxou as cobertas.

— E seu marido?

— Estava lá embaixo. Vendo TV.

— O que ele estava vendo?

— Não reparei. Ele estava tomando uma cerveja. Isso me distraiu. Eu queria... eu preferia quando ele não bebia.

— Quantas cervejas ele bebeu?

— Três.

— Você contou?

— Vi quantas garrafas estavam alinhadas na pia.

— Seu marido tem um problema com álcool? — D.D. perguntou diretamente.

Leoni finalmente olhou para D.D., fitando-a com o único olho bom, já que a outra metade do rosto dela continuava inchada e manchada.

— Brian estava em casa sessenta dias seguidos sem nada para fazer. Eu tinha de trabalhar. Sophie tinha a escola. Mas ele não tinha nada. Às vezes, ele bebia. E às vezes... beber não era bom para ele.

— Então seu marido, que você preferia que não tivesse bebido, tomou três cervejas e mesmo assim você o deixou sozinho com sua filha.

— Ei... — o *trooper* Lyons começou a interromper novamente.

Mas Tessa Leoni continuou a falar

— Sim, senhora. Deixei minha filha com o padrasto bêbado. E se eu soubesse... eu teria matado ele naquela hora, mas que droga. Eu teria matado ele ontem à noite!

— Calma! — O advogado saltou da cadeira. Mas D.D. não prestou atenção nele. Nem Leoni.

— O que aconteceu com sua filha? — D.D. queria saber. — O que seu marido fez com ela?

Leoni já estava encolhendo os ombros.

— Ele não queria me dizer. Eu cheguei em casa e subi. Ela devia estar na cama. Ou então brincando no chão. Mas... nada. Eu procurei e procurei e procurei. Sophie tinha sumido.

— Ele já bateu nela? — D.D. perguntou.

— Às vezes ele ficava frustrado comigo. Mas nunca o vi bater nela.

— Solitário? Você fica fora a noite toda. Ele fica sozinho com ela.

— Não! Você está errada. Eu saberia! Ela teria me dito.

— Então me diga, Tessa. O que aconteceu com sua filha?

— Eu não sei! Que droga. Ela é apenas uma menininha. Que tipo de homem machuca uma criança? Que tipo de homem *faria* algo assim?

O *trooper* Lyons colocou as mãos nos ombros dela, como que tentando dar algum apoio. Mas a *trooper* Leoni afastou as mãos dele. Ela se levantou, obviamente agitada. O movimento, no entanto, demonstrou ser demais para ela; quase imediatamente, ela caiu para um lado.

O *trooper* Lyons segurou-lhe o braço, ajudando-a a se sentar novamente no sofá enquanto olhava feio para D.D. e Bobby.

— Você não entende, você não entende — a mãe/*trooper* estava balbuciando. Ela não parecia mais nem bela nem vulnerável. Seu rosto ficara de uma palidez nada saudável; parecia que ia vomitar, a mão batendo no assento vazio ao seu lado. — Sophie é tão corajosa e aventureira. Mas ela tem medo do escuro. Fica apavorada. Uma vez, quando ela estava com quase três anos, subiu no porta-malas da minha viatura e ele fechou e ela gritou e gritou e gritou. Se você pudesse ter ouvido os gritos. Daí saberia, você ia entender...

Leoni virou-se para o *trooper* Lyons. Segurou as mãos grandes dele, olhando para ele com ar desesperado.

— Ela tem de ficar segura, está bem? Você tem de deixá-la segura, certo? Você vai cuidar dela? Traga ela para casa. Antes de escurecer, Shane. Antes de escurecer. Por favor, por favor, estou implorando para você, *por favor.*

Lyons parecia não saber como responder ou como lidar com aquilo. Ele permaneceu segurando os ombros de Leoni, e foi D.D. quem pegou a lata de lixo e a colocou sob o rosto cinza-pálido da mulher bem a tempo. Leoni vomitou até não ter mais nada no estômago, então vomitou mais um pouquinho.

— Minha cabeça — ela gemeu, voltando a se encostar no sofá.

— Ei, quem está incomodando nossa paciente? Quem não for socorrista, para fora! — Marla e o colega tinham voltado. Eles entraram na sala, Marla olhando duro para D.D.

Bobby e D.D. entenderam a deixa e começaram a sair para a cozinha.

Mas Leoni, logo ela, segurou o pulso de D.D. A força na mão pálida dela surpreendeu D.D., e ela parou.

— Minha filha precisa de você — sussurrou a policial, enquanto a socorrista segurava a outra mão dela para colocar o soro.

— Claro — disse D.D., sem saber o que mais dizer.

— Você tem de encontrá-la. Prometa que vai encontrá-la!

— Vamos fazer o melhor que...

— *Prometa!*

— Está bem, está bem — D.D. se escutou dizendo. — Nós vamos encontrar sua filha. Claro. Apenas... vá para o hospital. Cuide de si mesma.

Marla e o colega colocaram a policial na tábua. Leoni estava agitada, tentando afastá-los, tentando puxar D.D. para mais perto. Era difícil dizer o que acontecia. Em uma questão de segundos, os socorristas a prenderam na tábua, que carregaram para a maca, e estavam saindo pela porta. O *trooper* Lyons os seguiu estoicamente.

O advogado ficou para trás, estendendo um cartão enquanto passava do solário de volta para dentro da casa.

— Tenho certeza de que você sabe que nada disso é admissível. Entre outras coisas, minha cliente nunca abriu mão dos direitos dela, e, ah sim, ela está sofrendo de *concussão.*

Dizendo isso, o advogado também partiu, deixando D.D. e Bobby parados sozinhos perto da cozinha. D.D. não precisava mais cobrir o nariz. Estava tão distraída pela entrevista com a policial Leoni que não notou o cheiro.

— Sou só eu — D.D. disse — ou parece que alguém bateu no rosto de Tessa Leoni com um martelo de carne?

— E ainda assim não tem nenhum corte ou raspado nas mãos dela — Bobby lembrou. — Nem unhas quebradas ou nós dos dedos machucados.

— Então alguém bate nela desse jeito e ela não ergue a mão para se defender? — D.D. perguntou sem acreditar.

— Até ela o matar a tiros — Bobby corrigiu suavemente.

D.D. girou os olhos para cima, sentindo-se perplexa e não gostando disso. Mas os ferimentos no rosto de Tessa Leoni pareciam bem reais. O medo por causa do desaparecimento da filha era genuíno. Mas a cena... a ausência de ferimentos de defesa, uma policial treinada que usou primeiro a arma quando tinha todos os recursos do cinturão à disposição, uma mulher que acabara de fazer aquela declaração emocional enquanto evitava cuidadosamente fazer contato visual...

D.D. estava profundamente desconfortável com a cena, ou talvez, com uma colega policial que agarrara seu braço e basicamente implorara que ela encontrasse a filha desaparecida.

A pequena Sophie Leoni de seis anos, que ficava apavorada com o escuro.

Oh, Deus! Esse caso ia machucar.

— Parece que ela e o marido brigaram para valer — Bobby estava dizendo. — Ele a dominou, derrubou-a no chão, então ela sacou a arma. Só depois ela descobriu que a filha tinha sumido. E percebeu, claro, que tinha acabado de matar a única pessoa que poderia dizer onde Sophie está.

D.D. assentiu, ainda pensando.

— Aqui está a pergunta: qual é o primeiro instinto de um *trooper*, proteger a si mesmo ou as outras pessoas?

— Proteger os outros.

— E qual a principal prioridade de uma mãe? Proteger a si mesma ou a seus filhos?

— Os filhos.

— E ainda assim, a filha da *trooper* Leoni está desaparecida, e a primeira coisa que ela faz é notificar o representante do sindicato e arrumar um bom advogado.

— Talvez ela não seja uma *trooper* das melhores — disse Bobby.

— Talvez ela não seja uma mãe das melhores — respondeu D.D.

———■———

# 6

Eu me apaixonei quando tinha oito anos. Não do jeito que você está pensando. Eu tinha subido em uma árvore no jardim de casa e sentado no galho mais baixo e ficado olhando para o pequeno trecho de grama queimada ali embaixo. Meu pai provavelmente estava no trabalho. Ele tinha uma oficina e começava a trabalhar às seis na maioria das manhãs e não voltava antes das cinco na maioria das tardes. Minha mãe provavelmente dormia. Ela passava os dias na penumbra do quarto deles. Às vezes me chamava e eu levava pequenas coisas para ela — um copo de água, dois biscoitos. Mas na maior parte das vezes ela apenas esperava meu pai voltar para casa.

Ele preparava o jantar para nós, e minha mãe por fim saía de seu abismo escuro para se juntar a nós na pequena mesa redonda. Ela sorriria para ele, quando meu pai lhe passasse as batatas. Ela mastigaria de forma mecânica, enquanto ele contava rispidamente sobre seu dia.

E então, depois do jantar, ela voltaria para as sombras no final do corredor, tendo consumido toda a reserva de energia do dia. Eu lavaria a louça. Meu pai assistiria à televisão. Às nove, as luzes eram apagadas. Outro dia terminado para a família Leoni.

Aprendi bem cedo a não convidar colegas da escola para ir em casa. E aprendi a importância de ficar quieta.

Agora estava quente, era julho, e eu tinha outro dia interminável estendendo-se diante de mim. Outras crianças deviam estar se divertindo em acampamentos de verão, ou brincando na água nas piscinas comunitárias. Ou talvez, aquelas com realmente muita sorte, tivessem pais felizes e divertidos que as levavam para a praia.

Eu ficava sentada em uma árvore.

Uma menina apareceu. Montada em um patinete cor-de-rosa, tranças loiras ondulando no vento por baixo de um capacete roxo profundo enquanto ela voava descendo a rua. No último instante, ela olhou para cima e viu minhas pernas magras. Ela freou e parou ali embaixo, olhando para o alto.

— Meu nome é Juliana Sophia Howe — disse ela. — Eu sou nova no bairro. Você devia descer e vir brincar comigo.

Então eu desci.

Juliana Sophia Howe também tinha oito anos. Os pais dela tinham acabado de mudar de Framingham para Harvard, Massachusetts. O pai dela era contador. A mãe ficava em casa e fazia coisas como cuidar da casa e cortar as cascas de sanduíches de pasta de amendoim e geleia.

Por acordo mútuo, sempre brincávamos na casa da Juliana. A casa tinha um quintal grande, com grama de verdade. Ela também tinha um esguicho com a cabeça da Pequena Sereia e também o escorregador e esteira da Pequena Sereia. Podíamos brincar por horas, daí a mãe dela nos servia limonada com canudinhos cor-de-rosa curvos e grossas fatias de melancia.

Juliana tinha um irmão de 11 anos, Thomas, que era um verdadeiro "chato". Ela também tinha 15 primos e toneladas de tias e tios. Nos dias quentes de verdade, a família dela toda seguia para a casa da avó na South Shore e iam todos para a praia. Às vezes, ela ia andar de carrossel, e Juliana se considerava uma especialista em pegar o anel de latão, apesar de ainda não ter pegado — mas estava quase lá.

Eu não tinha primos, nem tios e tias nem uma avó perto da South Shore. Em vez disso, contei para Juliana como meus pais tinham feito um bebê quando eu tinha quatro anos. Só que o bebê nasceu azul e os médicos tiveram de enterrá-lo no chão, e minha mãe teve de vir do hospital para casa e ficar no quarto. Às vezes, ela chorava no meio do dia. Às vezes, ela chorava no meio da noite.

Meu pai me disse que eu não devia falar sobre isso, mas um dia encontrei uma caixa de sapato atrás da bola de boliche do meu pai no armário do corredor. Na caixa tinha um pequeno boné azul e um pequeno cobertor azul e um par de botinhas azuis de bebê. Tinha também uma foto de um bebê recém-nascido perfeitamente branco com lábios vermelhos brilhantes. Embaixo na foto alguém tinha escrito *Joseph Andrew Leoni.*

Então acho que eu tive um irmãozinho chamado Joey, mas ele morreu e meu pai vinha trabalhando e minha mãe vinha chorando desde esse dia.

Juliana pensou nisso. Ela decidiu que devíamos fazer uma missa adequada para o bebê Joey, por isso ela pegou o rosário dela, me mostrou como enrolar as bolinhas verde-escuras em torno dos dedos e dizer uma pequena prece. Depois, precisávamos cantar uma música, então cantamos "Away in the Manger", porque era sobre um bebê e nós meio que sabíamos a letra. Daí era a hora do louvor.

Juliana fez as honras. Ela tinha ouvido um louvor uma vez, no enterro do avô. Agradeceu ao Senhor por tomar conta do bebê Joey. Disse que era bom que ele não tivesse sofrido. Falou também que estava certa de que ele estava se divertindo no céu jogando pôquer, e olhando lá de cima para todos nós.

Então, ela segurou minhas mãos nas dela e me disse que sentia muito pela minha perda.

Eu comecei a chorar, grandes soluços barulhentos que me horrorizaram. Mas Juliana só deu tapinhas nas minhas costas. Pronto, pronto, ela disse. Daí ela chorou comigo e a mãe dela veio ver por que estávamos fazendo tanto barulho. Pensei que Juliana ia contar tudo para a mãe dela. Mas, em vez disso, Juliana anunciou que precisávamos de biscoitos de chocolate de emergência. Então a mãe dela voltou para a cozinha e assou uma fornada deles para nós.

Juliana Sophia Howe era esse tipo de amiga. Você podia chorar no ombro dela e confiar que ela guardaria seus segredos. Você podia brincar no quintal dela e ter certeza de que ela lhe daria os melhores brinquedos dela. Você podia ficar na casa dela e estar certa de que ela compartilharia sua família com você.

Quando entrei em trabalho de parto sozinha, imaginei Juliana segurando minha mão. E quando finalmente segurei minha filha nos braços pela primeira vez, eu dei a ela o nome em honra de minha amiga de infância.

Juliana, infelizmente, não sabia de nada disso.

Ela não fala comigo faz mais de dez anos.

Durante algum tempo, Juliana Sophia Howe foi a melhor coisa que jamais me aconteceu, mas, no final das contas, eu fui a pior coisa que jamais aconteceu com ela.

Às vezes o amor é assim.

No fundo da ambulância, a socorrista administrou fluidos intravenosos. Ela pegou um recipiente bem a tempo para eu vomitar novamente.

Meu rosto queimava. Meus seios da face tinham enchido com sangue. Eu precisava aguentar. Mais que nada, eu queria fechar os olhos e deixar o mundo sumir. A luz machucava os olhos. As lembranças queimavam meu cérebro.

— Diga seu nome — instruiu a socorrista, forçando-me a prestar atenção.

Eu abri a boca. Nenhuma palavra saiu.

Ela me deu um gole de água, ajudou-me a limpar os lábios cortados.

— Tessa Leoni — finalmente consegui dizer.

— Que dia é hoje, Tessa?

Por um segundo, eu não soube responder. Nenhum número apareceu em minha mente e comecei a entrar em pânico. Só conseguia ver a cama vazia de Sophie.

— Treze de março — sussurrei por fim.

— Dois mais dois?

Mais uma pausa.

— Quatro.

Marla grunhiu, ajustando o tubo por onde o soro escorria até as costas da minha mão.

— Belo olho roxo — ela comentou.

Eu não respondi.

— Quase tão bonito quanto o roxo cobrindo metade da sua bunda. O marido gosta de botas com ponta de aço?

Eu não respondi, só imaginei o rosto sorridente da minha filha.

A ambulância diminuiu a velocidade, talvez se preparando para entrar na sala de emergência. Eu só podia torcer que fosse isso.

Marla me observou por mais um segundo.

— Eu não entendo — ela disse abruptamente. — Você é uma policial. Você teve treinamento especial, você já cuidou de chamados desse tipo. Certamente mais que ninguém devia saber que... — Ela pareceu cair em si. — Bem, acho que é assim que as coisas acontecem, certo? A violência doméstica ocorre em todos os grupos sociais. Até entre aqueles que sabem o que está acontecendo.

A ambulância parou. Trinta segundos depois, as portas de trás foram abertas e fui levada para a luz do dia.

Não olhei mais para Marla. Mantive os olhos no céu cinzento passando no alto.

Dentro do hospital, subitamente havia muita atividade. Uma enfermeira da sala de emergência correu para nos receber, nos levando para uma sala de exames. Havia a papelada a preencher, incluindo o onipresente formulário HIPAA que me informava sobre meu direito à privacidade. Como a enfermeira me assegurou, meu médico não discutiria meu caso com ninguém, nem mesmo com outros membros da lei, pois isso violaria a confidencialidade entre médico e paciente. O que ela não disse, mas eu já sabia, foi que minhas fichas médicas eram consideradas neutras e podiam ser requisitadas legalmente pelo promotor distrital. O que significava que qualquer declaração que eu fizesse para o médico, que fosse anotada nas fichas...

Sempre tem uma brecha em algum lugar. Pergunte a um policial.

Com a papelada terminada, a enfermeira avançou para o próximo passo.

Na noite anterior, eu tinha passado 15 minutos vestindo o uniforme. Primeiro, a calcinha preta básica, depois um sutiã esportivo preto, em seguida uma camiseta de seda para impedir que a camada seguinte — o pesado colete à prova de balas — esfregasse na minha pele. Depois coloquei as meias pretas, a calça azul-marinho com as faixas de azul-elétrico. Em seguida calcei e amarrei as botas, porque já havia aprendido da pior forma possível que não conseguiria alcançar os pés depois de vestir o colete. Assim meias, calça, botas e de novo para a metade de cima, acrescentando o colete volumoso, que cobri com a blusa de gola olímpica em deferência ao clima, e por cima a blusa azul-clara oficial. Tinha de ajustar o colete por baixo da blusa de gola olímpica, depois trabalhar para enfiar três camadas — a camiseta de seda, a blusa de gola olímpica e a blusa — dentro da calça. Após tudo isso vinha o cinto preto largo para segurar a calça no lugar. Em seguida vinha o equipamento.

Dez quilos de cinturão de trabalho de couro preto, que coloquei por cima do cinto da calça, e fixei com quatro prendedores de Velcro. Depois tirei a semiautomática Sig Sauer do cofre para arma no armário do quarto e a coloquei no coldre em meu quadril direito. Prendendo o celular na frente do cinturão, coloquei então o microfone do rádio da polícia no suporte no ombro direito. Conferi o rádio no quadril esquerdo, inspecionei os dois pentes de munição de reserva, o cassetete de aço, spray de pimenta, algemas e Taser. Daí coloquei três canetas nas alças costuradas na manga esquerda.

Por fim, a *pièce de résistance*, o quepe oficial de *trooper* estadual.

Eu sempre parava para examinar meu reflexo no espelho. O uniforme de um *trooper* não é apenas aparência, mas uma sensação. O peso do cinturão no quadril. O volume do colete, deixando meu peito liso, alargando os ombros. A faixa apertada do quepe, puxado para baixo sobre a testa e cobrindo meus olhos com uma sombra impenetrável.

Imponha presença. Nunca os deixe ver você suando, meu bem.

A enfermeira tirou meu uniforme. Ela removeu a blusa leve azul-clara, a blusa de gola olímpica, o colete, camiseta, sutiã. Puxou minhas botas, enrolou as meias, soltou o cinturão, e puxou a calça pelas pernas, antes de fazer o mesmo com a calcinha.

Todos os itens foram removidos, em seguida ensacados e rotulados como evidência de um caso que a polícia de Boston construiria contra mim.

Por fim, a enfermeira retirou meus pequenos brincos dourados, meu relógio e minha aliança de casamento. Não se pode usar joias para entrar no tomógrafo, segundo ela explicou ao me deixar completamente nua.

A enfermeira me passou uma camisola de hospital, depois se afastou com seus sacos de evidências e meus itens pessoais. Eu não me mexi. Só fiquei ali deitada, sentindo a perda do meu uniforme, a vergonha por estar nua.

Pude ouvir uma televisão mais adiante no corredor irradiando o nome da minha filha. Em seguida viria uma imagem da foto dela de escola, tirada em outubro passado. Sophie vestia seu top amarelo de franjinhas favorito. Ela estava virada um pouco de lado, olhando para a câmera com seus grandes olhos azuis, um sorriso animado no rosto porque adorava fotografias e queria especialmente essa foto, sua primeira desde que perdera o dente da frente de cima, e a fada dos dentes tinha trazido um dólar inteiro que ela mal podia esperar para gastar.

Meus olhos ardiam. Existe dor, e depois existe dor. Todas as palavras que eu não podia dizer. Todas as imagens que não podia tirar da cabeça.

A enfermeira voltou. Ela colocou meus braços na camisola, então me fez virar de lado para amarrar atrás.

Dois técnicos entraram. Eles me levaram para o tomógrafo, meu olhar fixo na passagem dos ladrilhos do teto.

— Grávida? — um deles perguntou.

— O quê?

— Você está grávida?

— Não.

— Tem claustrofobia?

— Não.

— Então isso vai ser fácil.

Fui levada para outra sala estéril, essa dominada por uma grande máquina com forma de rosquinha. Os técnicos não me deixaram sentar, eles me carregaram da maca para a mesa.

Fui instruída a ficar completamente imóvel enquanto o raio-X com forma de rosquinha passava em volta da minha cabeça, produzindo imagens em fatias do meu crânio. Um computador então combinaria as imagens em duas dimensões do raio X para formar um modelo tridimensional.

Em 30 minutos, o médico teria uma imagem do meu cérebro e ossos, incluindo qualquer inchaço, mancha roxa, ou sangramento.

Os técnicos fizeram tudo parecer muito fácil.

Deitada sozinha na mesa, imaginei o quão profundo o escaneamento podia ir. Imaginei se ele veria todas as coisas que eu via quando fechava os olhos. Sangue aparecendo na parede atrás do meu marido, depois escorrendo até o chão da cozinha. Os olhos do meu marido abrindo-se de surpresa quando ele olhou para baixo, parecendo notar as manchas vermelhas surgindo em seu peito musculoso.

Brian deslizando para baixo, para baixo, para baixo. Eu, agora em pé acima dele. E vendo a luz sumir dos olhos dele.

— Eu te amo — eu tinha sussurrado para meu marido, logo antes de a luz sumir. — Eu lamento. Eu lamento. Eu te amo...

Existe dor, e depois existe dor.

A máquina começou a se mover. Fechei os olhos e me permiti uma última lembrança do meu marido. As palavras finais dele, enquanto morria no chão da nossa cozinha.

— Desculpe — Brian balbuciou, com três balas no torso. — Tessa... te amo... mais.

---

# 7

Com o corpo de Brian Darby removido e Tessa Leoni levada para o hospital, as ações imediatas de uma investigação de homicídio começaram a ficar mais lentas enquanto a busca por Sophie Leoni de seis anos de idade acelerava.

Com isso em mente, D.D. chamou os policiais da força-tarefa para a perua branca de comando e começou a estalar o chicote.

Testemunhas. D.D. queria uma lista curta de todos os policiais de uniforme e de todos os vizinhos com quem valia a pena falar novamente. Ela então escolheu seis detetives de homicídio para começarem essas entrevistas imediatamente. Se alguém fosse uma testemunha confiável ou um suspeito em potencial, ela queria que fossem identificados e entrevistados nos próximos três minutos.

Câmeras. Boston estava coberta com elas. A cidade as instalara para monitorar o tráfego. Negociantes as instalaram por causa da segurança. D.D. formou uma equipe de três homens cuja função era não fazer nada além de identificar todas as câmeras em um raio de três quilômetros e assistir às gravações delas das últimas 12 horas, começando com as câmeras mais perto da casa.

Conhecidos. Amigos, família, vizinhos, professores, babás, empregadores; se alguém já pisara na propriedade, D.D. queria o nome deles em sua mesa nos próximos 45 minutos. Em particular, queria todos os professores, amiguinhos e aqueles que cuidavam de Sophie Leoni reunidos e passados pelo espremedor. Verificações completas do passado, revistas nas casas se os detetives conseguissem convencê-los a deixar que entrassem. Os policiais tinham de eliminar amigos e identificar inimigos e precisavam fazer isso já, já, já.

Outras pessoas lá fora conheciam essa família. Inimigos do emprego do marido, infratores presos nas patrulhas da *trooper* Leoni, talvez parceiros de casos tórridos, ou confidentes de longa data. Outras pessoas conheciam Brian Darby e Tessa Leoni. E uma dessas pessoas podia saber o que acontecera com uma menina de seis anos que fora vista pela última vez dormindo em sua cama.

O tempo não estava do lado deles. Saiam, vão para a rua, vençam o tempo, D.D. bradou para seu pessoal.

Então ela ficou quieta por um momento e os mandou voltar ao trabalho.

Os detetives de Boston saíram correndo. Os chefes assentiram satisfeitos. Ela e Bobby voltaram para a casa.

D.D. confiava que seus colegas investigadores iniciariam a imensa tarefa de filtrar todas as nuances da existência de uma família inteira. O que ela mais queria, porém, era viver e respirar as últimas horas da vítima. Queria absorver a cena do crime em seu DNA. Queria se inundar com os menores detalhes domésticos, da escolha das cores até os enfeites decorativos. Queria montar e remontar a cena de uma dúzia de formas diferentes em sua mente, e queria colocar nela uma menininha, um marinheiro mercante como pai e uma *trooper* do estado como mãe. Essa casa, essas três vidas, essas últimas dez horas. Tudo se resumia a isso. Uma casa, uma família, um curso de colisão de múltiplas vidas com consequências trágicas.

D.D. precisava ver aquilo, sentir aquilo, viver aquilo. Depois podia dissecar a família até sua mais negra e profunda verdade, que por fim a levaria à Sophie Leoni.

O estômago de D.D. se contorceu de forma desagradável. Ela tentou não pensar nisso enquanto ela e Bobby mais uma vez entravam na cozinha cheia de sangue.

Por consentimento mútuo, eles começaram no andar de cima, que continha dois quartos separados por um banheiro. O quarto que dava para a rua parecia ser o do casal, dominado por uma cama tamanho *queen size* com uma cabeceira simples de madeira e acolchoado azul. Para D.D. aquele quarto pareceu imediatamente mais dele do que dela. E nada do que havia ali a fez mudar de ideia.

A cômoda larga, de carvalho e com muitas marcas, era claramente algo dos tempos dele de solteiro. No alto dela uma velha televisão de 36 polegadas ligada na ESPN. Paredes lisas e brancas, chão liso de madeira. Não era exatamente um refúgio doméstico. Era mais uma estação de parada, pensou D.D. Um lugar para dormir, trocar de roupas e depois sair.

D.D. tentou o armário. Três quartos dele mostravam camisas de homem perfeitamente bem passadas, arrumadas pelas cores. Depois meia dúzia de calças jeans penduradas com perfeição. Depois uma confusão de calças de algodão e tops, dois uniformes da polícia estadual, um vestido de uniforme, e um vestido cor de laranja com flores.

— Ele tinha mais espaço no armário — D.D. relatou para Bobby, que estava examinando a cômoda.

— Homens já foram mortos por menos que isso — concordou ele.

— Sério. Dê uma olhada. Camisas separadas por cor, calças jeans *passadas.* Brian Darby era mais que apenas maníaco por ordem, estava beirando a maluquice plena.

— Brian Darby também estava ficando mais largo, veja isso. — Bobby ergueu com as mãos enluvadas uma fotografia de 26 por 20. D.D. terminou de inspecionar o cofre de segurança para a arma que encontrou no canto esquerdo do armário e foi até ele.

A foto mostrava Tessa Leoni no vestido laranja com um suéter branco, segurando um pequeno buquê de lírios. Brian Darby estava ao lado dela em um terno esporte marrom, com um único lírio preso na lapela. Uma menininha, provavelmente Sophie Leoni, achava-se diante deles, com um vestido de veludo verde-escuro e uma coroa de lírios na cabeça. Os três sorriam para a câmera, uma família feliz celebrando um dia feliz.

— Foto de casamento — D.D. murmurou.

— É o que acho. Agora olhe para o Darby. Veja os ombros dele.

D.D. olhou obedientemente para o noivo e agora marido morto. Um sujeito bem-apessoado, ela concluiu. Tinha um ar de militar/policial com aquele corte militar do cabelo loiro, no queixo forte, ombros largos. Mas a impressão era equilibrada pelos olhos castanhos calorosos, enrugados nos cantos pelo impacto do sorriso. Ele parecia feliz, relaxado. Não era o tipo de sujeito que se imaginava que batia na esposa — nem, por sinal, que passasse as calças jeans.

D.D. devolveu a foto para Bobby.

— Eu não entendi. Então ele estava feliz no dia do casamento. Isso não quer dizer nada.

— Não. Ele era *menor* no dia do casamento. Esse Brian Darby tinha noventa quilos de boa forma. Aposto que ele erguia pesos, se mantinha ativo. O Brian Darby morto, por outro lado...

D.D. lembrou do que Bobby tinha dito mais cedo.

— Um cara grandalhão, foi o que você disse. Cento e cinco ou cento e dez quilos, provavelmente levantador de peso. Então não é que ele tenha casado e ficou gordo. Você está dizendo que ele se casou e ficou *mais musculoso*.

Bobby assentiu.

D.D. pensou novamente na foto.

— Não é fácil estar num relacionamento em que é a mulher que carrega a arma — ela murmurou.

Bobby não comentou a declaração, e ela se sentiu grata.

— Temos de encontrar o lugar onde ele puxava ferro — ele disse. — Descobrir quanto ele praticava. Perguntar sobre suplementos.

— Raiva provocada por esteroides?

— Vale a pena perguntar.

Eles saíram do quarto e entraram no banheiro. Ali, pelo menos, havia alguma personalidade. Uma cortina de listas brilhantes estava puxada ao redor de uma antiga banheira com pés. Um tapete de borracha com um pato amarelo no chão de ladrilhos. Camadas de toalhas azuis e amarelas aqueciam as prateleiras de madeira.

O lugar também tinha mais sinais de vida — uma escova de dentes da Barbie na beirada da pia, uma pilha de elásticos roxos para o cabelo em uma cesta em cima da caixa de água da privada, um recipiente de plástico transparente com a forma de um vaso para cuspir onde estava escrito "Princesinha do Papai".

D.D. abriu o armário de remédios. Encontrou três frascos com remédios prescritos, um para Brian Darby, Ambien, um sonífero. Um para Sophie Leoni, algum tipo de pomada para os olhos. O terceiro para Tessa Leoni, hidrocodona, um analgésico.

Ela mostrou esse frasco para Bobby. Ele tomou nota.

— Temos de falar com o médico. Ver se ela teve algum ferimento, talvez algo relacionado com o trabalho.

D.D. assentiu. O resto do armário estava ocupado por muitas loções, cremes de barba, barbeadores e colônias. Uma coisa que merecia nota, ela pensou, era o grande estoque de suprimentos para primeiros-socorros. Muitos Band-Aids, ela pensou, de vários tamanhos. Uma mulher que apanhava, se preparando para os reparos inevitáveis, ou apenas a vida normal de uma família ativa? Ela olhou embaixo da pia, encontrando a habitual mistura de sabonete, papel higiênico, produtos para higiene feminina e produtos para limpeza.

Eles foram em frente.

O outro quarto claramente era o de Sophie. Paredes rosa-claro, com flores em verde e azul-claros. Um tapete com forma de flor. Uma parede com uma estante de plástico com gavetas cheias de bonecas, vestidos e sapatilhas de balé com lantejoulas. Tessa e Brian viviam em um alojamento. A pequena Sophie, por outro lado, habitava um jardim mágico completo com coelhos correndo pelo assoalho e borboletas pintadas ao redor da janela.

Era além de obsceno, pensou D.D., estar no meio de um espaço assim e começar a procurar indícios de sangue.

A mão dela tocou a barriga. Ela nem notou que estava fazendo isso quando começou a primeira inspeção visual da cama.

— Luminol? — ela murmurou.

— Não tem nada — Bobby respondeu.

Segundo o protocolo, os técnicos da cena de crime tinham passado luminol nos lençóis de Sophie Leoni, um produto químico que reagia com fluidos corporais tais como sangue e sêmen. O fato de nada aparecer significava que os lençóis estavam limpos. O que não queria dizer que Sophie Leoni nunca tivesse sido atacada sexualmente; significava apenas que ela não fora atacada recentemente naquele conjunto de lençóis. Os técnicos da cena de crime também verificariam a lavanderia, chegando a desmontar a máquina de lavar se fosse necessário. A menos que alguém lavasse a roupa de cama com alvejante, era surpreendente o que o luminol podia revelar em lençóis "limpos".

Mais coisas que D.D. não queria saber enquanto estava no meio de um jardim mágico.

Ela imaginou quem teria pintado aquele quarto. Tessa? Brian? Ou talvez os três juntos, na época em que o amor ainda era novo e a família recém-reunida e todos estavam animados uns com os outros.

Também imaginou quantas noites tinham passado antes de Sophie acordar pela primeira vez com o sonoro barulho de um tapa, um grito abafado. Ou talvez Sophie não estivesse dormindo. Talvez estivesse sentada na cadeira da cozinha, ou brincando com uma boneca em um canto.

Talvez ela tenha corrido até a mãe da primeira vez. Talvez...

Ah, Jesus Cristo. D.D. não queria estar trabalhando em um caso assim nesse momento.

Ela fechou as mãos, virou-se para a janela e se concentrou na luz fraca do dia de março.

Bobby estava quieto perto da parede. Ele a observava, mas não disse uma palavra.

Mais uma vez, ela se sentiu grata.

— Temos de descobrir se ela tem um brinquedo favorito de abraçar — ela disse por fim.

— Boneca de pano. Vestido verde, cabelo de fios marrons, olhos de botões azuis. Chamada Gertrude.

D.D. assentiu, olhando lentamente pelo quarto. Ela identificou uma luz noturna, "Sophie tem pavor do escuro" — mas nada do brinquedo de abraçar.

— Não estou vendo a boneca por aqui.

— O primeiro policial também não viu. Até o momento, estamos trabalhando com a hipótese de que a boneca também sumiu.

— O pijama dela?

— A *trooper* Leoni disse que a filha estava vestindo um pijama de manga comprida, rosa, com estampa de cavalos amarelos. Nenhum sinal do pijama também.

D.D. pensou numa coisa.

— E o casaco dela, gorro, e botas de neve?

— Não estão nas minhas notas.

Pela primeira vez, D.D. teve um pouco de esperança.

— A ausência do casaco e gorro significa que ela foi acordada no meio da noite. Não teve tempo para se trocar, mas deu para vestir as roupas de proteção.

— E não há motivo para proteger um cadáver — Bobby lembrou.

Eles saíram do quarto e desceram a escada. Inspecionaram o armário de casacos, depois a caixa para sapatos e acessórios de inverno atrás da porta de entrada. Não havia nenhum casaco para criança. Nem um gorro para criança. Nem botas para criança.

— Sophie Leoni foi vestida para o frio! — D.D. declarou triunfante.

— Sophie Leoni deixou esta casa viva.

— Perfeito. Agora, tudo que temos de fazer é achar a menina antes do cair da noite.

---

Eles voltaram para cima pelo tempo necessário para examinar as janelas em busca de sinais de entrada forçada. Não encontrando nenhum, voltaram para o térreo e fizeram o mesmo. As duas portas tinham fechaduras relativamente novas, e nenhuma mostrava indícios de ter sido arrombada. Descobriram que as janelas do solário eram tão antigas e empenadas pela umidade que se recusavam a se mover.

No final das contas, a casa parecia segura. Julgando pela expressão de Bobby, ele não esperava nada diferente, e D.D. também não. A triste regra em casos de crianças desaparecidas — na maioria das vezes, o problema vinha de dentro de casa, não de fora.

Examinaram a sala de estar, que para D.D. lembrou o quarto. Paredes nuas, assoalho de madeira com tapete bege grande. O sofá em L de couro negro parecia mais algo comprado por ele do que por ela. Um laptop que parecia bem novo estava em um canto do sofá, ainda conectado à tomada. Na sala havia também uma televisão de tela plana, montada acima de uma unidade de entretenimento com um sistema de som de primeira, Blu-ray e console de Nintendo Wii.

— Meninos e seus brinquedos — lembrou D.D.

— Engenheiro — Bobby disse outra vez.

D.D. examinou uma pequena mesa montada em um canto para Sophie. Em um lado da mesa havia uma pilha de papéis em branco. No meio uma caixa cheia de lápis de cera. E era tudo. Não havia um trabalho em andamento sobre a mesa. Nenhuma exposição dos trabalhos geniais completados nas paredes. Tudo muito organizado, pensou ela, especialmente para uma menina de seis anos.

A impessoalidade da sala estava começando a incomodá-la. As pessoas não viviam assim, e pessoas com crianças definitivamente não deviam viver assim.

Foram até a cozinha, onde D.D. ficou o mais distante possível do contorno do cadáver no chão. Manchas de sangue, cacos de vidro e cadeiras viradas à parte, a cozinha estava tão meticulosamente arrumada como o resto da casa. Também era velha e cansada. Armários de madeira escura com 30 anos de idade, aparelhos brancos, topos dos balcões de fórmica branca. A primeira coisa que Alex faria naquela casa, D.D. pensou, seria arrancar tudo daquela cozinha e modernizá-la.

Mas Brian Darby não tinha feito isso. Ele gastara o dinheiro em equipamento eletrônico, um sofá de couro e no carro. Mas não na casa.

— Eles fizeram um esforço pela Sophie — D.D. murmurou em voz alta —, mas não um pelo outro.

Bobby olhou para ela.

— Pense nisso — ela continuou. — É uma casa antiga que continua sendo antiga. Como você continua repetindo, ele era engenheiro, o que quer dizer que tinha uma habilidade básica com ferramentas elétricas. Os salários combinados eram de bons duzentos mil por ano, e além disso Brian Darby tinha essa coisa de sessenta dias de férias. O que significa que havia alguém que sabia o que fazer, e os dois tinham tempo e recursos que podiam gastar na casa. Mas não fizeram isso. Só gastaram no quarto da Sophie. Ela ficou com a pintura nova, móveis novos, cama bonita etc. Fizeram um esforço por ela, mas não por eles mesmos. O que me faz pensar em quantas outras áreas da vida eles aplicaram a mesma regra.

— Muitos pais se concentram nos filhos — Bobby observou calmamente.

— Eles nem penduraram um quadro.

— A *trooper* Leoni trabalha muito. Brian Darby fica fora durante meses. Talvez, quando estivessem em casa, eles tivessem outras prioridades.

D.D. deu de ombros.

— Que outras prioridades?

Bobby inclinou a cabeça, indicando o lado de fora.

— Venha. Venha ver a garagem.

A garagem assustou D.D. para valer. O espaço largo para dois carros tinha três paredes cobertas pelo mais louco sistema de Peg-Board[6]

[6] Tábua com a superfície coberta por furos alinhados nos quais se encaixam cabides, pinos ou prateleiras para pendurar e organizar objetos (N. T.).

que já havia visto. No duro, havia Peg-Boards do chão até o teto. E nelas estavam presas prateleiras e suportes de bicicletas e caixas plásticas para equipamento esportivo e até mesmo um suporte para uma sacola de golfe.

D.D. examinou o lugar e duas coisas ficaram imediatamente evidentes: Brian Darby aparentemente tinha muitos hobbies externos, e precisava de ajuda profissional para essa mania de ordem.

— O chão está limpo — D.D. disse. — Estamos em março, está nevando, e a cidade inteira está branca. Como é possível este chão estar assim limpo?

— Ele estacionava o carro na rua.

— Ele estacionava a SUV de sessenta mil dólares em uma das ruas mais movimentadas de Boston para não sujar a garagem?

— A *trooper* Leoni também parava a viatura na frente da casa. O departamento gosta que deixemos nossos carros visíveis para a vizinhança, a presença de um carro de polícia é vista como uma forma de intimidação dos criminosos.

— Isso é uma maluquice — D.D. declarou. Ela foi até uma parede, onde encontrou uma vassoura grande e um pano pendurados lado a lado. Perto deles estavam duas grandes latas de lixo de plástico e uma outra azul para reciclagem. Na caixa de reciclagem havia meia dúzia de garrafas verdes de cerveja. As latas de lixo estavam vazias — os sacos deviam ter sido removidos pelos técnicos de cena de crime. D.D. passou pelas mountain bikes dele e dela, mais uma pequena e rosa que certamente era da Sophie. E encontrou uma fileira de mochilas e uma prateleira dedicada a botas de caminhada com vários tamanhos e pesos, incluindo um par cor-de-rosa para Sophie. Caminhadas, ciclismo, golfe, era o que parecia.

Então, do outro lado da garagem, ela teve de acrescentar esqui à lista. Seis pares de esquis, três alpinos, três cross-country. E três pares de botas para a neve.

— Quando Brian Darby estava em casa, ele ficava em movimento — D.D. acrescentou a seu perfil mental.

— E queria a família com ele — Bobby comentou, apontando para os conjuntos para esposa e filha que acompanhavam cada tipo de equipamento esportivo.

— Mas — D.D. conjeturou — Tessa já comentou, ela tinha de trabalhar, e Sophie tinha escola. Quer dizer, Brian costumava ficar sozinho. Sem a família amorosa para se juntar a ele, nenhuma audiência feminina para apreciar e ficar impressionada com suas habilidades másculas.

— Você está estereotipando — Bobby avisou.

D.D. apontou ao redor pela garagem.

— Por favor. Isto é um estereótipo. Engenheiro. Maníaco por ordem. Se ficar muito aqui, minha cabeça vai começar a doer.

— Você não passa seus jeans? — ele perguntou.

— Não coloco rótulos nas minhas ferramentas elétricas. Sério, veja isso. — Ela chegou até a bancada, onde Brian Darby havia organizado as ferramentas elétricas em uma prateleira com rótulos para cada uma delas.

— Belas ferramentas — Bobby disse franzindo a testa. — Ferramentas realmente belas. Certamente bem caras.

— E ele não arruma a casa — D.D. lamentou. — Até aqui, fico do lado da Tessa nisso.

— Talvez não seja sobre o fazer — Bobby disse. — Talvez seja sobre o comprar. Brian Darby gosta de ter brinquedos. Não quer dizer que brinque com eles.

D.D. pensou naquilo. Certamente era uma opção, e isso explicaria a condição impecável da garagem. Seria fácil de manter limpa se não estacionam nela, nem fazem nenhum trabalho ali, nem vão pegar nenhuma ferramenta dali.

Mas então ela balançou a cabeça.

— Não, ele não ganhou trinta quilos em músculos ficando o dia todo sentado. Falando nisso, cadê o equipamento de ginástica?

Eles olharam ao redor. Em meio a todos os brinquedos, não havia halteres e conjuntos de pesos.

— Ele devia ir a uma academia — Bobby disse.

— Vamos ter de verificar isso — D.D. falou. — Então Brian gosta de estar fazendo alguma coisa. Mas a esposa e a filha também estão ocupadas. Então talvez ele faça alguma coisa sozinho para passar o tempo. Infelizmente, ele ainda assim volta para uma casa vazia, o que o deixa agitado. Daí ele primeiro limpa completamente o lugar...

— E depois — Bobby concluiu — ele toma algumas cervejas.

D.D. estava com a testa franzida. Ela foi até o outro canto, onde o chão de concreto parecia mais escuro. Abaixou-se, tocou o local com os dedos. Parecia úmido.

— Um vazamento? — ela murmurou, tentando inspecionar o canto da parede onde a umidade parecia estar penetrando, mas, claro, os blocos de cimento estavam ocultos por mais Peg-Boards.

— Pode ser. — Bobby foi até onde ela estava ajoelhada. — Esse canto todo fica junto de uma encosta. Pode haver problemas de drenagem, ou um vazamento de um cano acima.

— Temos de observar, ver se isso aumenta.

— Está preocupada que a casa possa desabar durante seu turno?

Ela olhou para ele.

— Não, estou preocupada que não seja água de um vazamento. Quer dizer, isso pode vir de alguma outra coisa, e eu quero saber o quê.

Inesperadamente, Bobby sorriu.

— Eu não dou bola para o que os outros policiais do estado dizem. A *trooper* Leoni tem sorte de ter você no caso dela, e Sophie Leoni tem ainda mais sorte.

— Ah, vá se ferrar — D.D. falou olhando feio para ele. Então levantou, mais desconfortável com o elogio do que jamais se sentira com críticas. — Vamos. Vamos sair.

— O padrão da mancha de umidade disse onde Sophie está?

— Não. Considerando que o advogado de Tessa Leoni não ligou como que por mágica para nos dar permissão de falar com ela, vamos nos concentrar em Brian Darby. Quero falar com o chefe dele. Quero saber exatamente que tipo de homem precisa de um armário com as coisas arrumadas por cor e tantas Peg-Boards na garagem.

— Um maníaco por controle.

— Exatamente. E quando algo ou alguém ameaça esse controle...

— Será que ele fica muito violento? — Bobby terminou a frase. Eles ficaram parados ali no meio da garagem.

— Não acho que um estranho tenha levado Sophie Leoni — D.D. declarou calmamente.

Bobby parou por um instante.

— Eu também não.

— Quer dizer que foi ele ou ela.

— Ele está morto.

— O que quer dizer que a *trooper* Leoni pode finalmente ter percebido a verdade.

---

# 8

Uma mulher nunca esquece a primeira vez que apanha.

Eu tive sorte. Meus pais nunca bateram em mim. Meu pai nunca me deu um tapa no rosto por responder, nem bateu no meu traseiro por ser desobediente. Talvez porque eu nunca tenha sido muito desobediente. Ou, talvez, porque quando meu pai chegava em casa de noite, estava cansado demais para se importar. Meu irmão morreu e meus pais se tornaram como que cascas do que tinham sido antes, consumindo toda a energia apenas para chegar ao final do dia.

Quando estava com 12 anos, eu tinha entendido o pequeno lar mórbido que era o meu. Praticava esportes — futebol, softbol, atletismo, tudo que pudesse me manter mais tempo na escola e minimizasse as horas que passaria na frente da casa. Juliana também gostava de esportes. Nós éramos as irmãs Bobbsey[7], sempre de uniforme, sempre correndo para algum lugar.

[7] Livros infantis norte-americanos muito famosos, publicados entre 1904 e 1992, escritos por inúmeros autores sob o pseudônimo de Laura Lee Hope. Os livros contam as aventuras da família de classe média Bobbsey, que tem dois pares de gêmeos (N. T.).

Apanhei um pouco nos esportes. Uma colisão com uma defesa que me jogou de costas no chão. Percebi que realmente vemos estrelas quando a cabeça bate na terra dura e ficamos sem fôlego.

Depois vieram alguns ferimentos no futebol, uma cabeçada no nariz, chuteiras no joelho, o ocasional cotovelo na barriga. Acredite, meninas podem ser duras. Nós ficamos realmente agressivas e competitivas no calor da batalha, tentando fazer um gol para nosso time.

Mas esses machucados não eram nada pessoal. Apenas o tipo de dano colateral que ocorre quando você e sua oponente querem a bola. Depois do jogo, as duas se dão as mãos, dão tapinhas nas costas ou no traseiro, e está tudo bem.

A primeira vez que realmente tive de brigar foi na Academia. Eu sabia que passaria por um treinamento duro em combate corpo a corpo e estava ansiosa para começar. Uma mulher sozinha vivendo em Boston? Combate corpo a corpo era uma ideia excelente, quer eu fosse uma *trooper* ou não.

Durante duas semanas, praticamos situações. Posições defensivas básicas para proteger o rosto, rins e, claro, nossas armas. Nunca esqueça sua arma, era o que nos repetiam o tempo todo. Muitos policiais que perdem as armas são baleados e mortos com elas. Primeira linha de defesa, controlar o oponente antes de chegar ao alcance das mãos. Mas, no caso de as coisas ficarem sérias e você se ver numa situação de combate pessoal, proteja sua arma e ataque na primeira oportunidade que tiver.

Acontece que eu não sabia como dar um soco. Parecia fácil. Mas eu fechava a mão do jeito errado, tinha uma tendência de usar demais o braço, em vez de colocar o peso todo do corpo no soco ao girar a cintura. Então tivemos mais duas semanas em que todos aprenderam, mesmo os sujeitos grandalhões, como dar socos.

Depois de seis semanas, os instrutores decidiram que já chegava de treinos. Era hora de praticar o que tínhamos aprendido.

Eles nos dividiram em dois grupos. Vestimos equipamento de proteção e, para começar, usamos barras almofadadas que os instrutores chamavam afetuosamente de *pogo sticks*[8]. Depois, eles nos deixavam livres.

Não acredite nem por um segundo que eu tinha de lutar com outra mulher com mais ou menos meu tamanho e peso. Isso seria fácil demais. Sendo uma policial, o que se esperava é que eu conseguisse lidar com qualquer situação ou com qualquer ameaça. Assim os treinadores faziam a seleção das duplas ao acaso. Eu terminei enfrentando outro recruta, chamado Chuck, que tinha 1,83 metro, 122 quilos e era ex-jogador de futebol americano.

Ele nem mesmo tentou me atingir. Apenas correu na minha direção e me jogou no chão. Eu caí como uma tonelada de tijolos, lembrando mais uma vez daquela defesa que me atingiu enquanto lutava para recuperar o fôlego.

O instrutor apitou. Chuck ofereceu a mão para me ajudar a levantar, e tentamos de novo.

Dessa vez, percebi meus colegas recrutas assistindo. Registrei a expressão feia do instrutor com meu desempenho desapontador. Concentrei-me no fato de que essa devia ser minha nova vida. Se não conseguia me defender, se não conseguia fazer aquilo, não poderia ser uma *trooper*. E daí o que faria? Como ia ganhar o suficiente para Sophie e eu vivermos? Como cuidaria da minha filha? O que aconteceria com nós duas?

Chuck correu. Dessa vez, saí para o lado e atingi a barriga dele com meu *pogo stick*. E tive aproximadamente meio segundo para me sentir bem. Daí os 120 quilos de Chuck se endireitaram, riram e caíram sobre mim.

A coisa ficou feia depois disso. Até hoje não lembro direito de tudo. Lembro que comecei a sentir medo de verdade. Que estava bloqueando e me movendo, e colocando o ombro em cada soco, e ainda assim Chuck continuava vindo e vindo. Cento e vinte quilos de jogador de futebol americano contra meus 60 quilos de mãe desesperada.

---

[8] Conhecido como pula-pula no Brasil (N. T.).

A ponta acolchoada do *pogo stick* dele atingiu meu rosto. Minha cabeça girou para trás quando o nariz absorveu o impacto. Eu balancei, os olhos se enchendo de lágrimas no mesmo instante, desequilibrada, querendo cair, mas percebendo desesperada que não podia cair. Ele me mataria. É essa a sensação. Você não pode cair ou vai morrer.

Daí, no último segundo, eu caí, formando uma bola pequena e apertada e então me abri atingindo aquelas pernas imensas. Eu o acertei no joelho, fui para o lado e subi nele como se fosse uma árvore.

O instrutor apitou. Meus colegas aplaudiram.

Eu fiz força para permanecer em pé, tocando com cuidado o nariz.

— Isso vai deixar uma marca — o instrutor me informou alegremente.

Eu fui até o Chuck e ofereci a mão para ajudá-lo a levantar.

Ele aceitou com gratidão suficiente.

— Desculpe pelo rosto — ele disse, meio sem jeito. Pobrezinho do grandalhão, apanhou da mocinha.

Garanti para ele que estava tudo bem. Estávamos todos fazendo o que tínhamos de fazer. Depois fomos colocados contra outros parceiros e começamos tudo de novo.

Mais tarde, naquela noite, enrodilhada em minha cama no quarto do dormitório, eu por fim envolvi meu nariz com a mão e chorei. Porque eu não sabia se conseguiria passar por aquilo tudo de novo. Porque eu não tinha certeza se estava mesmo preparada para uma nova vida onde teria de bater e apanhar. Onde poderia ter de lutar de verdade pela minha vida.

Naquele momento, eu não queria mais ser uma *trooper*. Só queria ir para casa e para minha filhinha. Queria abraçar Sophie e sentir o cheiro do xampu dela. Queria sentir suas mãozinhas gordas encostadas no meu pescoço. Queria sentir o amor incondicional da minha filha de dez meses.

Em vez disso, no dia seguinte levei mais socos e de novo no dia depois daquele. Aguentei costelas machucadas, canelas batidas e pulsos doendo muito. Aprendi como levar um soco. Aprendi como dar socos. Até que no final do curso de 25 semanas, saí pelo portão junto com os melhores deles, cheia de manchas roxas, mas pronta para a ação.

Pequena, rápida e dura.

Matadora de Gigantes, era como os colegas recrutas me chamavam, e eu tinha orgulho do apelido.

Lembrei-me agora daqueles dias, enquanto o médico examinava o resultado da tomografia, e depois apalpou gentilmente a massa de carne roxa em torno do meu olho.

— Fratura do osso zigomático — murmurou ele, acrescentando, para que eu entendesse: — Seu osso da face está quebrado.

Mais exames das imagens nos filmes, mais inspeções no meu crânio.

— Não há sinal de hematoma ou contusão no cérebro. Náusea? Dor de cabeça?

Eu murmurei sim para as duas perguntas.

— Nome e data.

Eu disse meu nome, não soube dizer a data.

Foi a vez do médico de assentir.

— Como a tomografia está limpa, parece que você tem apenas uma concussão para acompanhar a fratura do zigomático. E o que aconteceu aqui? — Ele terminou com minha cabeça e passou para o torso, onde os restos verdes e amarelos de uma mancha roxa que sumia cobriam metade das minhas costelas.

Não respondi, só fiquei olhando para o teto.

Ele apalpou meu estômago.

— Isso dói?

— Não.

Ele girou meu braço direito, depois o esquerdo, procurando outros sinais de danos. Encontrou um no lado esquerdo do quadril, mais uma mancha roxa profunda, dessa vez na forma de um arco, como o que seria formado pela ponta de uma bota de trabalho.

Eu tinha visto manchas roxas com o formato de anéis masculinos, de relógios, até mesmo uma moeda gravada no rosto de uma mulher que havia sido espancada por um namorado segurando uma pilha de moedas. Julgando pelo rosto do médico, ele também já havia visto de tudo.

O dr. Raj colocou a camisola de novo no lugar, pegou minha ficha, anotou alguma coisa.

— A fratura do rosto vai sarar bem se não fizermos nada — ele declarou. — Vamos manter você aqui esta noite para monitorar a concussão. Se a náusea e dor de cabeça tiverem diminuído pela manhã, provavelmente você irá para casa.

Eu não disse nada.

O médico se aproximou, limpou a garganta.

— Há um inchaço na sua sexta costela esquerda — ele declarou. — Uma fratura que desconfio que não soldou direito.

Ele parou como que esperando que eu dissesse alguma coisa, talvez uma declaração que poderia anotar na minha ficha: *Paciente disse que marido a derrubou e a chutou nas costelas. Paciente disse que o marido tem um taco de beisebol favorito.*

Eu não disse nada, porque declarações tornam-se registros, e registros tornam-se evidências que podem ser usadas contra você.

— Você mesma enfaixou suas costelas? — o médico perguntou.

— Sim.

O médico grunhiu, essa minha única admissão preenchendo todos os espaços vazios.

O médico me via como uma vítima, da mesma forma como a socorrista tinha me visto. Os dois estavam errados. Eu era uma sobrevivente e estava no momento andando na corda bamba de onde eu não podia, absolutamente, positivamente, me permitir cair.

O dr. Raj me analisou de novo.

— Descanso é o melhor modo de sarar — ele disse por fim. — Considerando sua concussão, não posso prescrever nenhum narcótico, mas vou pedir para a enfermeira trazer ibuprofeno para a dor.

— Obrigada.

— No futuro — ele disse —, se machucar suas costelas, por favor venha aqui imediatamente. Eu gostaria que fossem enfaixadas da forma correta.

— Vou ficar bem — eu disse.

O dr. Raj não pareceu convencido.

— Descanse — repetiu. — A dor e inchaços vão diminuir logo. Apesar de que eu acho que você já sabe disso a essa altura.

E então ele saiu.

Meu rosto parecia em chamas. A cabeça pulsava. Mas eu estava satisfeita.

Estava desperta, estava lúcida. E, por fim, estava sozinha.

Era hora de fazer planos.

Meus dedos se fecharam segurando o lençol. Observei os ladrilhos do teto com o olho bom, e usei a dor para aumentar a determinação.

Uma mulher lembra a primeira vez que foi agredida. Mas, com alguma sorte, ela também lembra a primeira vez que reagiu e venceu.

Eu sou a Matadora de Gigantes.

Mas preciso pensar. Preciso planejar. Ficar um passo adiante.

Posso fazer isso. Eu vou fazer isso.

*Tudo que quero de Natal são meus dois dentes da frente, meus dois dentes da frente, meus dois dentes da frente.*

Então, virei para o lado, me encolhi e chorei.

# 9

Quando D.D. não estava supervisionando um grupo de ação interagências encarregado de resolver um assassinato e resgatar uma criança, ela liderava um esquadrão de três homens na unidade de homicídio de Boston. Seu primeiro colega de esquadrão, Phil, era o típico homem de família, casado com a namorada do Ensino Médio e criando quatro filhos. O outro colega de esquadrão, Neil, era um ruivo esguio que trabalhara como socorrista antes de entrar para o DPB. Ele tinha a tendência de cuidar das autópsias para a equipe, passava tanto tempo na morgue que estava namorando o legista, Ben Whitley.

D.D. tinha uma força-tarefa inteira a sua disposição; mas ela ainda preferia trabalhar com o que conhecia. Colocou Neil como encarregado da autópsia de Brian Darby, que estava marcada para a tarde de segunda. Enquanto isso, Neil podia começar a perturbar o pessoal médico que estava cuidando de Tessa Leoni para determinar a extensão dos ferimentos atuais dela e também tentar conseguir qualquer registro médico sobre "acidentes" passados. Ela colocou Phil, que era o homem dos dados da equipe, para pesquisar nos computadores a vida de Brian Darby e Tessa Leoni. E, claro, conseguir as informações sobre o empregador de Brian Darby, imediatamente.

O resultado foi que Brian trabalhava para a Alaska South Slope Crude[9], conhecida como ASSC. Os escritórios eram em Seattle, Washington, e não abriam aos domingos. Isso não estava bom para D.D. Ela mastigou o interior da bochecha ali sentada na van de comando, segurando uma garrafa de água. A afluência de policiais tinha diminuído. Muitos dos vizinhos também haviam saído dali, deixando as habituais variações de murmúrios de "não vi nada, não sei de nada" para trás. Agora restava apenas a mídia, ainda atracada na calçada do outro lado da rua, ainda clamando por uma conferência de imprensa.

D.D. provavelmente teria de fazer alguma coisa em relação a isso, mas ainda não estava pronta. Queria que algo acontecesse antes. Talvez uma pista que pudesse balançar diante das hordas famintas. Ou uma informação nova que fizesse a imprensa trabalhar a seu favor. Alguma coisa. Qualquer coisa.

Droga, ela estava cansada. Realmente, verdadeira, profundamente cansada, tão cansada que podia se enrodilhar ali mesmo no chão da van de comando e dormir em um segundo. Não conseguia se acostumar com aquilo. As intensas ondas de náusea seguidas pela sensação quase fatal de cansaço. Já fazia cinco semanas e seu corpo ainda não era seu.

O que ia fazer? Como podia contar para Alex, quando ainda não sabia o que sentia a respeito?

O que ia fazer?

Bobby, que estava numa conversa animada com o tenente-coronel, finalmente veio se sentar ao lado dela. Ele estendeu as pernas.

— Com fome? — perguntou.

— O quê?

— Já passa das duas, D.D. Precisamos almoçar.

---

[9] Alaska South Slope quer dizer Inclinação, Declive, do Sul do Alasca. Crude quer dizer Cru, em referência ao petróleo cru. O nome é uma brincadeira da autora com Alaska North Slope Crude, a empresa que extrai petróleo no norte do Alasca (N. T.).

Ela olhou para ele com surpresa, incapaz de acreditar que já eram mais de duas e ela definitivamente não estava pronta para lidar com os assuntos relacionados a refeições.

— Você está bem? — ele perguntou abertamente.

— Claro que estou bem! Só estou... preocupada. Caso você não tenha notado, ainda não encontramos uma menina de seis anos.

— Então tenho um presente para você. — Bobby mostrou uma folha de papel. — O tenente-coronel acaba de receber este fax. É do arquivo de Tessa Leoni, e inclui um contato de emergência além do marido.

— O quê?

— A senhora Brandi Ennis. Imagino que ela olhasse Sophie quando a *trooper* Leoni saía em patrulha e Brian Darby estava fora no mar.

— Caramba. — D.D. pegou o papel, passou os olhos por ele, em seguida apanhou o celular.

Brandi Ennis atendeu ao primeiro toque. Sim, ela tinha visto as notícias. Sim, ela queria falar. Imediatamente. Na casa dela estaria bem. Ela passou o endereço.

— Nos dê cinco minutos — D.D. garantiu à mulher que parecia ser mais velha. Ela e Bobby saíram da van.

Doze minutos mais tarde, D.D. e Bobby estacionaram diante de um prédio baixo de apartamentos. Tinta branca descascando ao redor de janelas pequenas. Concreto caindo da entrada.

Residência para gente sem dinheiro, decidiu D.D., e que provavelmente ainda assim era cara demais para a maioria dos moradores.

Dois garotos estavam brincando na neve na frente, tentando decorar um boneco de neve de aspecto triste. Eles viram dois policiais descendo do carro e correram para dentro. D.D. ficou abatida. Incontáveis horas de trabalho de relacionamento com a comunidade e a próxima geração ainda desconfiava da polícia *a priori*. O que não tornava a vida deles nem um pouco mais fácil.

A Sra. Ennis morava no segundo andar. Apartamento 2C. Bobby e D.D. subiram pela escada, e bateram suavemente na porta maltratada de madeira. A Sra. Ennis abriu antes que D.D. baixasse o punho, obviamente esperando por eles.

Ela os convidou com um gesto para entrar na quitinete pequena, mas bem-arrumada. Armários de cozinha à esquerda, mesa de cozinha à direita, sofá-cama marrom com flores bem na frente. A televisão estava ligada, retumbando do alto de um suporte barato para forno de micro-ondas. A Sra. Ennis levou um segundo para cruzar o espaço e desligá-la. Então perguntou educadamente se eles queriam um chá ou café.

D.D. e Bobby recusaram. A Sra. Ennis foi mexer nos armários assim mesmo, colocou uma chaleira no fogo e pegou um pacote de wafers Nilla.

Era uma mulher mais velha, provavelmente no final dos 60, começo dos 70. Cabelo grisalho cortado curto para ser prático. Vestia um moletom azul-escuro sobre o corpo pequenino com ombros caídos. As mãos nodosas tremiam levemente ao abrir a caixa de biscoitos, mas ela se moveu de forma rápida, uma mulher que sabia o que estava fazendo.

D.D. precisou de um momento para observar o lugar, só para o caso de Sophie Leoni estar sentada por um passe de mágica no sofá com seu sorriso faltando um dente, ou talvez brincando com patinhos na banheira, ou até mesmo escondida no único armário embutido para se proteger dos pais violentos.

Ao fechar a porta do armário, a Sra. Ennis disse calmamente:

— Pode se sentar agora, detetive. A menina não está aqui, nem eu faria isso com a pobre mãe dela.

Castigada o suficiente, D.D. tirou o casaco pesado de inverno e sentou-se. Bobby já estava mastigando um wafer Nilla. D.D. olhou para os wafers. Como seu estômago não deu uma cambalhota em protesto, ela pegou um com todo o cuidado. Comidas simples como bolachas e cereal seco tinham sido boas para ela até então. Deu várias mordidas experimentais, então decidiu que podia estar com sorte, porque tudo que conseguia pensar era que estava faminta.

— Há quanto tempo a senhora conhece Tessa Leoni? — D.D. perguntou.

A Sra. Ennis estava sentada segurando uma caneca de chá. Os olhos pareciam vermelhos, como se tivesse chorado mais cedo, mas agora estava recomposta. Pronta para falar.

— Conheci Tessa faz sete anos, quando ela mudou aqui para o prédio. Do outro lado do corredor, no apartamento 2D. Também é uma quitinete, mas ela alterou tudo para ter um quarto, pouco depois de a Sophie nascer.

— A senhora a conheceu antes de Sophie nascer? — D.D. perguntou.

— Sim. Ela estava com três ou quatro meses de gravidez. Era uma coisinha com aquela barriguinha. Ouvi barulho e fui até o corredor. Tessa estava tentando carregar uma caixa cheia de potes e panelas escada acima e a caixa rasgou. Ofereci ajuda, que ela não aceitou, mas peguei o fritador de frango assim mesmo e foi como começou.

— Vocês ficaram amigas? — D.D. procurou esclarecer.

— Eu a convidava para jantar de vez em quando e ela devolvia o favor. Duas mulheres solitárias no prédio. Era bom ter alguma companhia.

— E ela já estava grávida?

— Sim, senhora.

— Ela falava muito sobre o pai?

— Ela jamais o mencionou.

— E quanto a encontros, vida social, visitas da família dela?

— Ela não tem família. Nem tinha namorados. Trabalhava numa cafeteria, tentando economizar dinheiro para o nascimento do bebê. Não é fácil, esperar sozinha o nascimento do bebê.

— Não tinha nenhum homem por perto? — D.D. pressionou. — Talvez ela saísse de vez em quanto, ficasse com amigos...

— Ela não tem amigos — a Sra. Ennis disse com ênfase.

— Ela não tem amigos? — D.D. repetiu.

— Não é o jeito dela — disse a Sra. Ennis.

D.D. olhou para Bobby, que também pareceu intrigado pela informação.

— E qual é o jeito dela? — D.D. perguntou por fim.

— Independente. Isolada. O bebê importava para ela. Desde o começo, era nisso que Tessa falava e para isso que trabalhava. Ela sabia que seria difícil ser mãe sozinha. Pois não foi quando estava sentada bem aqui nessa mesa que ela teve a ideia de ser policial?

— Mesmo? — Bobby falou. — E por que uma *trooper*?

— Ela estava tentando fazer planos, não podia sustentar uma criança trabalhando a vida toda numa cafeteria. Então ela começou a debater as opções. Ela tem GED[10]. Ela não conseguia se ver por trás de uma mesa, queria algum tipo de trabalho em que pudesse fazer coisas, ser ativa. Meu filho tinha se tornado um bombeiro. Conversamos sobre isso, e de repente Tessa havia decidido ser policial. Ela fez pesquisas, descobriu quais eram todas as opções. O pagamento era bom, ela se enquadrava nas requisições iniciais. Depois, claro, ela descobriu sobre a Academia e ficou desanimada. Foi quando me ofereci para cuidar da Sophie. Eu ainda não conhecia a pequena Sophie, mas disse que cuidaria dela. Se Tessa conseguisse chegar a esse ponto do processo de recrutamento, eu ajudaria com a menina.

D.D. estava olhando para Bobby.

— Quanto tempo mesmo leva a Academia de Polícia do estado?

— Vinte e cinco semanas — ele informou. — Vivendo nos dormitórios, só pode ir para casa nos fins de semana. Não é nada fácil para uma mãe sozinha.

— Eu vou lhe dizer — a Sra. Ennis declarou de forma dura — que nos saímos muito bem. Tessa terminou o processo inicial antes de dar à luz. Ela foi aceita na classe de recrutamento seguinte, quando Sophie estava com nove meses. Sei que Tessa estava nervosa. Eu também estava. Mas foi tudo muito excitante. — Os olhos da mulher mais velha brilharam. Ela observou D.D. — Você é solteira? Tem filhos? Tem algo de revigorante em embarcar em um novo capítulo da sua vida, assumir um risco que pode criar um novo futuro completamente diferente para você e seu bebê. Tessa sempre foi séria, mas aí ela ficou dedicada. Diligente. Ela sabia o que estava enfrentando, uma mãe sozinha tentando se tornar policial. Mas ela também acreditava que se tornar uma *trooper* do estado era a melhor

---

[10] GED. General Education Development: Desenvolvimento Educacional Geral: É um teste que, quando a pessoa passa, atesta que tem conhecimentos do nível do Ensino Fundamental II (N. T.).

oportunidade para ela e para Sophie. Ela nunca hesitou. E aquela mulher, quando decide alguma coisa...

— Mãe solteira e dedicada — D.D. murmurou.

— Muito.

— Amorosa?

— Sempre! — a Sra. Ennis disse enfaticamente.

— E quando ela se graduou na Academia — Bobby falou. — A senhora comemorou com ela?

— Ela até comprou um vestido novo — a Sra. Ennis confirmou.

— E havia mais alguém na comemoração?

— Só nós meninas.

— Ela tinha de começar a patrulhar imediatamente — Bobby continuou. — Trabalhando durante a noite e vindo para casa para uma criança pequena...

— Ela pensou em colocar Sophie numa creche durante o dia, mas eu nem quis saber disso. Sophie e eu nos demos muito bem durante o período da Academia. Para mim era fácil atravessar o corredor e dormir no sofá da Tessa em vez do meu. E quando Sophie estava acordada, eu a trazia para cá depois do almoço para Tessa poder descansar. Não era problema cuidar da Sophie por algumas horas. Puxa, aquela menina... É só sorrisos e risadinhas e beijos e abraços. Todos devíamos ter a sorte de ter uma pequena Sophie em nossa vida.

— Era uma criança alegre? — D.D. perguntou.

— E divertida e mal-humorada. Uma menininha linda. Elas partiram meu coração quando mudaram daqui.

— E quando foi isso?

— Quando ela conheceu o marido, Brian. Ele arrebatou tanto ela quanto Sophie. Um verdadeiro Príncipe Encantado. Era o mínimo que Tessa merecia, depois de trabalhar tão duro sozinha. E Sophie também. Toda menina devia ter a oportunidade de ser a Princesinha do Papai.

— A senhora conheceu Brian Darby? — D.D. perguntou.

— Sim — a Sra. Ennis declarou, apesar de seu tom ficar claramente mais reservado.

— Como eles se conheceram?

— Por causa do trabalho, eu acho. Brian era amigo de outro *trooper*.

D.D. olhou para Bobby, que assentiu e tomou nota.

— Ele passava muito tempo aqui?

A Sra. Ennis fez que não.

— O apartamento é pequeno demais; era mais fácil eles irem para a casa dele. Houve um período em que não vi muito Tessa e Sophie. E eu estava feliz por elas, claro, claro. Mas... — A Sra. Ennis suspirou. — Eu não tenho netos. Sophie, ela é como se fosse minha neta, eu sinto falta dela.

— Mas a senhora continuou ajudando?

— Quando Brian vai para o navio. Nesses dois meses eu vou para lá, passo a noite com Sophie, como nos velhos tempos. Pela manhã eu a levo para a escola. Também estou listada como contato de emergência, porque, com o trabalho de Tessa, ela pode não estar disponível imediatamente. Ou nos dias de muita neve, ou quando Sophie não está se sentindo muito bem. Eu cuido dela nesses dias. E não é incômodo algum. Como eu disse, Sophie é como se fosse minha neta.

D.D. contraiu os lábios, olhando para a mulher mais idosa.

— Como a senhora descreveria a *trooper* Leoni como mãe? — perguntou.

— Não tem nada que ela não fizesse por Sophie — a Sra. Ennis respondeu de imediato.

— A *trooper* Leoni bebia às vezes?

— Não, senhora.

— Deve ser estressante. Trabalhar, depois chegar em casa para cuidar da filha. Parece que ela nunca teve um instante para ela mesma.

— Nunca a ouvi reclamar — a Sra. Ennis disse com determinação.

— Nunca recebeu um telefonema porque Tessa estava tendo um dia ruim, e queria uma pequena folga?

— Não, senhora. Se ela não estava trabalhando, ela queria estar com a filha. Sophie é o mundo dela.

— Até ela conhecer o marido.

A Sra. Ennis ficou em silêncio por um momento.

— Honestamente?

— Honestamente — D.D. disse.

— Acho que Tessa amava Brian porque Sophie amava Brian. Porque, pelo menos no começo, Brian e Sophie se davam muito bem.

— No começo — provocou D.D.

A mulher mais velha suspirou e baixou os olhos para o chá.

— Casamento — disse, com um peso de emoções na palavra. — Sempre começa bem... — Ela suspirou outra vez. — Mas não posso dizer o que acontecia por trás de portas fechadas, claro.

— Mas... — D.D. provocou novamente.

— Brian, Tessa e Sophie faziam uns aos outros felizes no começo. Tessa voltava para casa com histórias sobre caminhadas e piqueniques e passeios de bicicleta e churrascos, todas as coisas boas. Eles brincavam bem juntos. Mas casamento é mais que brincar. Também se tornou as saídas de Brian para o navio, e agora Tessa está em uma casa com quintal e o cortador de grama está quebrado ou o soprador de folhas está quebrado e ela tem de cuidar de tudo porque ele está fora e ela está ali e é preciso cuidar da casa, assim como da criança, sem falar no trabalho dela na polícia. Eu a vi... eu a vi ficar em frangalhos com mais frequência. A vida com Brian em casa era melhor para ela, eu acho. Mas a vida quando Brian estava fora era muito mais difícil. Ela tinha mais com o que lidar, mais do que cuidar, do que quando eram apenas ela e Sophie em um apartamento pequeno de um quarto.

D.D. assentiu. Podia entender aquilo. Havia um motivo para ela não ter um quintal, plantas ou um peixinho dourado.

— E para Brian?

— Claro, ele nunca me confidenciou nada — a Sra. Ennis disse.

— Claro.

— Mas pelos comentários que a Tessa fez... ele trabalhava quando estava no navio. Vinte e quatro horas por dia, sete dias por semana, aparentemente, sem folgas. Então, quando voltava para casa, ele não queria ir direto para as tarefas domésticas ou cortar a grama nem mesmo cuidar de criança.

— Ele queria brincar — D.D. afirmou.

— Homens precisam de tempo para relaxar. Tessa mudou seu horário, assim na primeira semana que ele estava em casa, eu continuava indo ajudar com a Sophie pelas manhãs. Mas Brian também não gostava disso, dizia que não podia relaxar comigo na casa. Por isso voltamos a nossa velha rotina. Eles estavam tentando — A Sra. Ennis falou com seriedade. — Mas os horários deles eram duros. Tessa tinha de trabalhar e nem sempre ia para casa quando devia ir para casa. Daí Brian sumia por sessenta dias, e reaparecia por sessenta dias... eu não acho que tenha sido fácil para nenhum deles.

— A senhora os ouviu brigando? — D.D. perguntou.

A Sra. Ennis observou o chá.

— Não brigar... eu podia sentir a tensão. Sophie às vezes... Quando Brian vinha para casa, ela passava uns dois dias quieta demais. Então ele partia novamente e ela se animava. Um pai que ia e vinha, isso não é fácil para uma criança compreender. E a tensão na casa... crianças podem sentir isso.

— Ele batia nela?

— Puxa vida, não! E se eu suspeitasse de algo assim, teria delatado eu mesma!

— Para quem? — D.D. perguntou curiosa.

— Para Tessa, claro.

— E ele batia nela?

A Sra. Ennis hesitou. D.D. olhou para a outra mulher com renovado interesse.

— Eu não sei — a mulher mais idosa disse por fim.

— A senhora não sabe?

— Às vezes, notei algumas manchas roxas. Uma ou duas vezes, não faz tempo, Tessa parecia estar mancando. Mas quando perguntava a respeito, ela dizia que tinha escorregado nos degraus com gelo, ou sofrera um pequeno acidente esquiando. Eles são uma família ativa. Às vezes, pessoas ativas se machucam.

— Mas não Sophie.

— Não Sophie! — a Sra. Ennis disse com ferocidade.

— Porque a senhora teria feito algo a respeito.

Pela primeira vez, os lábios da mulher tremeram. Ela desviou os olhos, e naquele momento, D.D. pôde ver que estava envergonhada.

— A senhora desconfia de que ele batia nela — D.D. disse no mesmo tom. — Temia que o marido batesse em Tessa e não fez nada a respeito.

— Seis ou oito semanas atrás... Estava claro que alguma coisa tinha acontecido, ela não estava se movendo direito, mas também não queria admitir. Eu tentei falar a respeito...

— O que ela disse?

— Que tinha caído na escada da frente. Ela tinha esquecido de jogar sal nos degraus, era culpa dela mesma... — A Sra. Ennis contraiu os lábios, claramente cética. — Eu não conseguia entender — disse por fim. — Tessa é uma policial. Ela tinha treinamento, carregava uma arma. Eu disse para mim mesma que, se ela precisasse de ajuda, ela me diria. Ou talvez falasse com outro policial. Ela passava o dia inteiro com a polícia. Como podia não pedir ajuda?

É a pergunta de um milhão de dólares, pensou D.D. Ela podia dizer, pela expressão de Bobby, que ele estava pensando o mesmo. Ele se inclinou para frente, chamando a atenção da Sra. Ennis.

— Tessa mencionou alguma vez o pai biológico da Sophie? Talvez ele tenha entrado em contato recentemente, demonstrado algum interesse pela menina?

A Sra. Ennis fez que não com a cabeça.

— Tessa nunca falou nele. Sempre achei que o homem nunca teve interesse em ser pai. Ele teve uma oferta melhor, ela disse, e a deixou.

— Tessa alguma vez disse que estava preocupada com uma prisão que tinha feito recentemente?

A Sra. Ennis fez que não.

— E quanto a algum problema no trabalho, talvez com outro *trooper*? Não devia ser fácil para ela ser a única mulher no alojamento Framingham.

Novamente, a Sra. Ennis fez que não.

— Ela nunca fala do trabalho. Pelo menos comigo. Mas Tessa tinha orgulho do trabalho. Eu podia ver isso, só pelo jeito de ela sair para a patrulha toda noite. Talvez ela tenha escolhido a polícia estadual porque pensou que ia ajudar a filha, mas isso a ajudou também. Um trabalho forte para uma mulher forte.

— A senhora acha que ela pode ter atirado no marido? — D.D. perguntou subitamente.

A Sra. Ennis não respondeu.

— E se ele machucou a filha dela?

A Sra. Ennis ergueu o rosto repentinamente.

— Oh meu Deus. Você não quer dizer... — Ela cobriu a boca com a mão. — Você acha que Brian matou Sophie? Você acha que ela está morta? Mas o Alerta Âmbar... Eu pensei que ela só estava desaparecida. Talvez tivesse corrido por causa da confusão...

— Que confusão?

— O noticiário disse que teve um incidente. Com um morto. Pensei que talvez alguém tivesse invadido, e houve uma luta. Talvez Sophie tenha corrido, para ficar segura.

— E quem iria querer invadir? — D.D. perguntou.

— Eu não sei. Estamos em Boston. Assaltantes, gangues... Essas coisas acontecem.

— Não há sinais de arrombamento — D.D. informou calmamente, dando à Sra. Ennis tempo para se acalmar. — Tessa confessou ter atirado no marido. O que estamos tentando determinar é o que levou a esse evento, e o que aconteceu com Sophie.

— Oh meu Deus. Puxa vida... Puxa vida... — As mãos da Sra. Ennis foram da boca para os olhos. Ela já estava chorando. — Mas nunca achei... Apesar de o Brian ter... perdido a calma algumas vezes, eu nunca imaginei que as coisas ficaram assim ruins, por que ela e Sophie não o deixaram quando ele estava fora? Eu teria ajudado. Certamente ela sabia disso!

— É uma pergunta excelente — D.D. concordou suavemente. — Por que ela e Sophie não partiram quando ele estava fora?

— Sophie falava muito sobre a escola? — Bobby perguntou. — Ela parecia feliz lá, ou tinha algum problema?

— Sophie amava a escola. Primeiro ano. A Sra. DiPace. Ela acabou de começar a ler os romances de Junie B. Jones, com alguma ajuda. Estou falando ler mesmo, assim de repente. Ela é uma menina brilhante. E também uma boa menina. Eu posso... eu posso anotar os nomes do diretor, professores, tenho a lista inteira da escola já que a levo para a escola na metade do tempo. Todos só têm coisas maravilhosas para dizer sobre ela, e puxa vida, só...

A Sra. Ennis levantou, andando em um círculo apertado antes de parecer lembrar o que precisava fazer. Ela foi até uma pequena mesa perto do sofá, abriu a gaveta de cima e pegou um papel.

— E quanto a atividades depois da escola? — D.D. perguntou.

— Eles tinham um programa de arte para depois das aulas. Toda segunda. Sophie adorava.

— Os pais são voluntários nisso? — Bobby sugeriu.

D.D. assentiu, entendendo para onde ele estava indo. Pais que eles poderiam pesquisar.

A Sra. Ennis voltou a se sentar, carregando vários papéis — um calendário da escola, informações de contato de pessoal administrativo, vários outros pais a quem notificar caso nevasse.

— A senhora pode pensar em alguém que poderia querer machucar Sophie? — D.D. perguntou tão gentilmente quanto possível.

A Sra. Ennis fez que não, o rosto ainda arrasado.

— Se ela fugiu, a senhora pode imaginar onde ela foi se esconder?

— Na árvore — a Sra. Ennis disse imediatamente. — Quando queria ficar sozinha, ela sempre subia no velho carvalho no quintal. Tessa disse que costumava fazer a mesma coisa quando era pequena.

Bobby e D.D. assentiram. Os dois tinham examinado a árvore desfolhada. A menina de seis anos não estava encarapitada num dos galhos.

— Como a senhora vai até lá? — D.D. perguntou enquanto ela e Bobby levantavam.

— De ônibus.

— Sophie alguma vez foi com a senhora? Ela compreende como funciona o sistema de trânsito?

— Nós andamos de ônibus. Não sei se ela saberia como... — A Sra. Ennis parou, os olhos escuros brilhando. — Mas ela conhece as moedas.

Da última vez que andamos de ônibus, ela contou o dinheiro. E ela é muito aventureira. Se achou que tinha de subir no ônibus por algum motivo, eu a vejo fazendo isso sozinha.

— Obrigada, Sra. Ennis. Se pensar em mais alguma coisa... — D.D. entregou seu cartão para a mulher.

Bobby estava com a porta aberta. No último momento, quando D.D. estava saindo para o corredor, Bobby virou-se para a dona da casa.

— A senhora disse que um outro policial apresentou Tessa e Brian. Por acaso sabe quem foi?

— Oh, foi um churrasco... — A Sra. Ennis fez uma pausa, procurando na memória. — Shane. É como Tessa o chamou. Ela tinha ido à casa do Shane.

Bobby agradeceu, então seguiu D.D. descendo a escada.

— Quem é Shane? — D.D. perguntou, no momento que saíram, com a fumaça da respiração escapando da boca e se agarrando nas luvas deles.

— Acho que é o *trooper* Shane Lyons, do alojamento Framingham.

— O representante do sindicato! — D.D. lembrou.

— Sim. E também o policial que fez o chamado inicial.

— Então é ele quem vamos ver a seguir. — D.D. olhou para o horizonte distante, notando pela primeira vez que a luz do dia diminuía rapidamente, e sentiu um aperto no coração. — Oh, não, Bobby... está quase escuro!

— Então é melhor trabalharmos mais depressa.

Bobby caminhou pela passagem. D.D. o seguiu, apertando o passo.

---

# 10

Eu estava sonhando. Naquele estado semiadormecida, eu entendia isso, mas não me forcei a acordar totalmente. Reconheci a tarde de outono, os fios dourados da memória, e não queria deixá-los. Estava com meu marido e minha filha. Estávamos juntos, e estávamos felizes.

Em meu sonho/lembrança, Sophie está com cinco anos, o cabelo escuro preso em um pequeno rabo de cavalo por baixo do capacete enquanto pedala sua bicicleta cor-de-rosa com grandes rodinhas brancas de apoio, atravessando o parque do bairro. Brian e eu vamos atrás, de mãos dadas. O rosto de Brian está relaxado, os ombros soltos. É um belo dia de outono em Boston, ensolarado, as folhas brilham em um tom de cobre, e a vida é boa.

Sophie chega ao alto de uma colina. Ela espera até a alcançarmos, querendo audiência. Então, com um gritinho, ela empurra com os pés e desce pela inclinação suave, pedalando loucamente para chegar à velocidade máxima.

Eu balanço a cabeça diante do jeito maluco da minha filha. E não revelo que meu estômago se contraiu quando ela partiu. Já aprendi a não demonstrar na expressão do rosto o que sinto. Meu nervosismo apenas a encoraja, "assustar a mamãe" é o jogo predileto dela e de Brian.

— Eu quero ir mais depressa! — Sophie anuncia lá de baixo.

— Encontre uma colina mais alta — Brian diz.

Eu viro os olhos para eles dois.

— Isso já foi rápido o bastante, muito obrigada.

— Eu quero tirar as rodinhas.

Eu paro, sem saber o que fazer.

— Você quer tirar as rodinhas?

— Sim. — Sophie está decidida. — Quero pedalar como uma garota grande. Com duas rodas. Daí eu vou conseguir ir mais depressa.

Eu não sei direito o que pensar. Quando eu havia tirado as rodinhas de apoio? Eu tinha uns cinco ou seis anos. Não lembro. Provavelmente mais cedo. Sempre fui ousada. Como poderia acusar Sophie por ter o mesmo comportamento?

Brian já está do lado da bicicleta de Sophie, examinando as rodas.

— Vamos precisar de ferramentas — ele declara, e, assim depressa, está decidido. Brian corre até a casa para pegar as ferramentas, Sophie pedala pelo parque, anunciando para todos os estranhos e para pelo menos meia dúzia de esquilos que vai pedalar com apenas duas rodas. Todos ficam impressionados, especialmente os esquilos, que titilam para ela antes de correr árvore acima.

Brian retorna em 15 minutos; ele devia ter corrido a distância de ida e volta até a casa e eu sinto uma grande gratidão. Por ele amar Sophie tanto assim. Por ele entender tão bem a impulsividade de alguém com cinco anos.

Tirar as rodinhas revelou ser algo extremamente simples. Em minutos, Brian as jogou na grama, e Sophie subiu novamente na bicicleta, os pés apoiados no chão enquanto prendia os tirantes do capacete vermelho e olhava para nós com ar solene.

— Estou pronta — ela declara.

E eu marco claramente aquele momento, a mão comprimindo o estômago, pensando, "mas eu não estou". E não estou mesmo. Não tinha sido apenas ontem que ela era um bebezinho que encaixava na curva do meu ombro? Ou aquela ousada menininha de dez meses, arriscando aquele primeiro passo? Como ela ficou assim alta e para onde foram todos aqueles anos e como eu os recupero?

Ela é meu mundo todo. Como vou lidar com a situação se ela cair?

Brian já está perto dela. Com uma das mãos ele segura o guidão, mantendo-o alinhado, e com a outra o assento longo para manter a bicicleta estável.

Sophie coloca os dois pés nos pedais. Ela parece preocupada e também determinada. Vai seguir adiante, é só uma questão de quantos tombos levará até conseguir.

Brian está falando com ela. Murmurando alguma instrução que não posso ouvir, porque é mais fácil se eu ficar longe, distanciando-me do que vai acontecer. As mães querem segurar, os pais querem empurrar. Talvez seja assim que o mundo é.

Tento me lembrar novamente da minha primeira experiência sem as rodinhas. Meu pai me ajudou? Minha mãe veio testemunhar o evento? Não posso lembrar. Mas quero lembrar. Qualquer tipo de lembrança do meu pai dando conselhos, dos meus pais prestando atenção.

Mas não me lembro de nada. Minha mãe morreu. E há dez anos meu pai deixou bem claro que não queria me ver novamente.

Ele não sabe que tem uma neta chamada Sophie. Ele não sabe que sua única filha tornou-se uma policial do estado. O filho dele morreu. A filha, ele descartou.

Brian mantém Sophie alinhada. A bicicleta está oscilando um pouco. O nervosismo dela. E talvez o dele. Os dois estão concentrados, intensos. Eu fico de lado, incapaz de falar.

Sophie começa a pedalar. Ao lado dela, Brian começa a correr, as mãos na bicicleta, garantindo o equilíbrio enquanto Sophie ganha impulso. Ela está indo depressa. Mais depressa, mais depressa.

Eu seguro a respiração, as duas mãos fechadas. Graças a Deus ela está de capacete. É tudo que consigo pensar. Graças a Deus pelo capacete. E por que não a embrulhei toda em plástico-bolha antes de deixá-la voltar para a bicicleta?

Brian a solta.

Sophie segue adiante, pedalando com força. Um metro, um metro e meio, dois metros, dois metros e meio. Então, no último segundo ela olha para baixo, parece perceber que Brian não está mais ao seu lado, que está mesmo por própria conta. No instante seguinte o guidão gira e ela cai. Um grito de susto, um tombo impressionante.

Brian já está lá, ajoelhado ao lado dela antes que eu possa dar três passos. Ele desembaraça Sophie da bicicleta, a coloca em pé, inspecionando cada um dos membros.

Sophie não está chorando. Em vez disso, ela se vira para mim, enquanto corro na direção dela.

— Você *viu?* — minha filha maluca grita. — Mamãe, você me *viu?*

— Sim, sim, sim — eu me apresso em garantir para ela, finalmente chegando lá e a inspecionando, procurando machucados. Ela está bem; eu perdi 20 anos de vida.

— De novo! — minha filha exige.

Brian ri enquanto endireita a bicicleta e a ajuda a subir.

— Você é doida — ele diz para ela, balançando a cabeça.

Sophie apenas sorri, iluminando o rosto.

Até o final da tarde, ela está pedalando pelo parque, as rodinhas de apoio não sendo mais do que uma lembrança distante. Brian e eu não conseguimos mais andar atrás dela; Sophie está rápida demais para nós. Então nos sentamos a uma mesa de piquenique, de onde a vemos exuberante na bicicleta.

Estamos novamente de mãos dadas, ombro contra ombro no frio do fim de tarde. Coloco a mão no ombro dele enquanto Sophie passa em velocidade.

— Obrigada — eu digo.

— Ela é doida — ele responde.

— Acho que eu não conseguiria ter feito isso.

— Droga, meu coração ainda está martelando no peito.

Isso me surpreende o suficiente para me endireitar e olhar para ele.

— Ela o assustou?

— Está brincando? Completamente. — Ele balança a cabeça. — Ninguém diz como é assustador ser pai. E só estamos começando. Ela vai querer uma bicicleta de malabarismo em seguida, você sabe. Ela vai subir escadas, se equilibrar em corrimões. Eu vou precisar daquele negócio para o cabelo para homens, como chama, que tira o grisalho?

— Just for Men?

— Isso. Assim que chegarmos em casa, vou encomendar uma caixa.

Eu ri. Ele passou o braço pelos meus ombros.

— Ela é mesmo incrível — ele diz, e só consigo assentir, porque ele está perfeitamente certo. Ela é Sophie e é a melhor coisa que jamais aconteceu com nós dois.

— Eu lamento sobre o fim de semana — Brian diz, um, dois minutos mais tarde.

Assinto contra o ombro dele, aceitando as palavras sem olhar para ele.

— Não sei o que eu estava pensando — ele continua. — Acho que me deixei levar. Não vai acontecer de novo.

— Está tudo bem — respondo, e estou falando sério. Nesse estágio do casamento, eu ainda aceito os pedidos de desculpa dele. Nesse estágio do casamento, eu ainda acredito nele.

— Estou pensando em fazer academia — Brian diz subitamente. — Tenho muito tempo nas mãos, então acho que posso gastá-lo ficando em forma.

— Você está em forma.

— Sim. Mas eu quero voltar a levantar peso. Não faço isso desde a faculdade. E vamos encarar o fato... — Sophie passa zunindo pela nossa mesa de piquenique — do jeito que ela está indo, vou precisar de toda a força possível para acompanhar.

— Se você quer mesmo, vá em frente — digo para ele.

— Ei, Tessa.

— O quê?

— Eu te amo.

Em meu sonho/lembrança, eu sorri, passando os braços pela cintura do meu marido.

— Ei, Brian. Também te amo.

Acordo subitamente, um barulho me arranca do passado dourado e me lança no presente estéril. Naquela tarde, a sensação sólida do meu marido em meus braços, o som brilhante da risada de Sophie. A calmaria antes da tempestade, exceto que naquela hora eu não sabia.

Naquela tarde Brian e eu voltamos para casa com uma criança exultante. Nós a colocamos na cama mais cedo. Depois, após um jantar tranquilo, fizemos amor e caí no sono pensando que era a mulher mais sortuda do mundo.

Passaria um ano antes que eu dissesse novamente ao meu marido que o amava. E ele estaria morrendo em nosso recém-esfregado chão da cozinha, com três balas da minha arma no peito, o rosto, um espelho triste do meu próprio arrependimento.

Nos segundos antes que eu corresse pela casa, que desmontasse a casa, procurando desesperadamente pela filha que ainda não havia encontrado.

Mais ruídos penetraram minha consciência. Pagers distantes, passos rápidos, alguém gritando alguma coisa. Ruídos de hospital. Altos, insistentes. Urgentes. Isso me fez voltar de uma vez por todas ao presente. Não havia marido. Não havia Sophie. Apenas eu, sozinha em um quarto de hospital, enxugando lágrimas do lado do rosto que não estava machucado.

Pela primeira vez, percebi que havia algo na minha mão esquerda. Ergui a mão para inspecionar a descoberta com meu único olho bom.

Era um botão, percebi. Com pouco mais de um centímetro de diâmetro. Um fio azul-marinho ainda estava preso nos quatro buracos. Podia ser de uma calça, ou blusa, ou até do uniforme de polícia.

Mas não era. Eu reconheci o botão no momento em que o vi. Eu podia até ver o segundo botão que devia estar costurado ao lado dele, dois pedaços de plástico redondo que formavam os olhos azuis da boneca favorita da minha filha.

E, por um segundo, fiquei tão brava, tão cheia de raiva que os nós dos meus dedos ficaram brancos e eu não conseguia falar.

Joguei o botão do outro lado do quarto, onde ele bateu na cortina. Então, com a mesma velocidade, lamentei ter tido esse gesto impulsivo.

Eu queria o botão de volta. Precisava dele. Era uma conexão com Sophie. Uma das minhas únicas ligações com ela.

Tentei sentar, pensando em ir pegar o botão. Imediatamente a parte de trás da minha cabeça rugiu ganhando vida, meu rosto começou a pulsar com um novo jorro de dor. O quarto ondulou, inclinando-se de uma forma que causava enjoo, e senti o meu coração acelerar muito por causa do esforço súbito e extremo.

Droga, droga, droga.

Forcei-me a deitar novamente, respirando fundo. Finalmente o teto voltou a ficar no lugar e consegui engolir sem ter náuseas. Fiquei completamente imóvel, agudamente consciente de minha própria vulnerabilidade, a fraqueza que não podia me permitir.

Era por isso que os homens batiam nas mulheres, é claro. Para provar sua superioridade física. Para demonstrar que são maiores e mais fortes que nós, e que nenhuma quantidade de treinamento especial vai jamais mudar isso. Eles são o gênero dominante. Nós podemos aceitar isso já e nos render.

Só que eu não precisava que quebrassem uma garrafa de cerveja na minha cabeça para compreender minhas limitações físicas. Não precisava de um punho cabeludo explodindo em meu rosto para perceber que algumas batalhas não podiam ser vencidas. Já havia passado toda minha vida aprendendo a aceitar o fato de que era menor, mais vulnerável que os outros. E ainda assim sobrevivi à Academia. Ainda assim passei quatro anos patrulhando e sendo uma das poucas *troopers* mulheres do estado.

E ainda assim dei à luz, sozinha, a uma filha maravilhosa.

Eu não ia me submeter de jeito nenhum.

Estava chorando outra vez. As lágrimas me envergonhavam. Enxuguei de novo o lado bom do rosto, tomando cuidado para não tocar o olho roxo.

Esqueça o maldito cinturão, nossos instrutores disseram no primeiro dia de treinamento na Academia. As duas ferramentas mais valiosas que uma policial tem são a cabeça e a boca. Pense de forma estratégica, fale com cuidado, e você pode controlar qualquer um, qualquer situação.

Era disso que eu precisava. Recuperar o controle, porque os policiais de Boston iam voltar logo e daí eu provavelmente estaria perdida.

Pense estrategicamente. Certo. Hora.

Quatro, cinco horas?

Logo estaria escuro. A noite estava caindo.

*Sophie...*

Minhas mãos tremeram. Suprimi a fraqueza.

Pense estrategicamente.

Presa em um hospital. Não podia correr, não podia me esconder, não podia atacar, não podia me defender. Por isso precisava ficar um passo adiante. Pense estrategicamente. Fale com cuidado.

Faça sacrifícios com sagacidade.

Lembrei-me novamente de Brian, a beleza daquela tarde de outono, e da forma como é possível amar e amaldiçoar um homem com o mesmo fôlego. Eu sabia o que tinha de fazer.

Encontrei o telefone na cabeceira da cama e disquei.

— Ken Cargill, por favor. É a cliente dele, Tessa Leoni. Por favor, diga para ele que preciso tomar providências sobre o corpo do meu marido. Imediatamente.

# 11

O *trooper* Shane Lyons concordou em receber Bobby e D.D. no quartel-general do DPB em Roxbury depois das seis. Isso dava a eles tempo suficiente de parar para jantar. Bobby pediu um sanduíche gigante, com tudo duplo. D.D. ficou mexendo em um prato de sopa de macarrão com frango, coberta com muito farelo de bolacha.

A lanchonete tinha uma televisão com o som alto em um canto, o noticiário das cinco anunciando as novidades sobre o tiroteio em Allston-Brighton e o desaparecimento de Sophie Marissa Leoni. O rosto da menina preencheu a tela, grandes olhos azuis, um imenso sorriso faltando um dente. Por baixo da foto ficou passando o número de emergência, assim como a oferta da recompensa de 25 mil dólares para qualquer pista que levasse até ela.

D.D. não conseguiu ficar olhando. Aquilo a deprimia demais.

Oito horas depois do chamado inicial, e eles não estavam avançando como deveriam. Um vizinho relatou que havia visto Brian Darby saindo em sua GMC Denali branca pouco depois das quatro da tarde do dia anterior. Depois disso, nada. Não foi mais visto. Não havia registro de telefonemas na linha da casa, nem mensagens no celular dele. Aonde

Brian Darby havia ido, o que tinha feito, quem poderia tê-lo visto, ninguém tinha a menor ideia.

O que os levava à menina de seis anos, Sophie. O dia anterior havia sido sábado. Sem escola, sem companheiros para brincar, sem aparecer no quintal, sem aparecer nas câmeras locais nem qualquer pista mágica que tivesse vindo pelo número de emergência. Na sexta ela fora pega na escola às três da tarde. Depois disso, ninguém sabia.

Tessa Leoni havia comparecido às 23 horas para seu turno na noite de sábado. Três vizinhos tinham visto a viatura dela saindo; um havia notado o reaparecimento do carro depois das nove na manhã seguinte. A expedição tinha uma lista completa de chamados, confirmando que a *trooper* Leoni havia trabalhado durante todo o seu turno, entregando os últimos papéis pouco depois das oito na manhã de domingo.

Nesse ponto, a família toda desaparece. Os vizinhos não viram nada. Os vizinhos não ouviram nada. Nenhuma briga, nenhum grito, nem mesmo os tiros, mas isso deixou D.D. desconfiada porque não compreendia como era possível *não* ouvir uma nove milímetros disparar três tiros. Talvez as pessoas não quisessem ouvir o que não queriam ouvir. Isso parecia o mais provável.

Sophie Leoni havia sido declarada desaparecida desde as dez dessa manhã. O sol desaparecera, o termômetro baixava rapidamente, e diziam que iam cair de 10 a 15 centímetros de neve logo.

O dia tinha sido ruim. A noite seria pior.

— Tenho de fazer uma ligação — Bobby disse. Ele havia terminado o sanduíche e estava fazendo uma bola com o envelope de papel.

— Precisa dizer para Annabelle que vai trabalhar até mais tarde?

Ele fez um gesto na direção da vitrine da lanchonete, onde os primeiros flocos de neve começavam a cair.

— E estou errado?

— Ela não se importa com seu horário? — D.D. perguntou.

Ele deu de ombros.

— O que ela pode fazer? O trabalho é o trabalho.

— E quanto a Carina? Logo ela vai perceber que o papai desaparece e nem sempre volta para casa para brincar. E depois virão os recitais perdidos, as festas na escola, os jogos de futebol. *Eu marquei um gol, papai! Mas você não estava lá para ver.*

Bobby a olhou com um ar curioso.

— O trabalho é o trabalho — ele repetiu. — Sim, tem horas que esse trabalho é uma droga, mas o fato é que todos os trabalhos são assim.

D.D. fez cara feia. Olhou para baixo, mexeu mais um pouco na sopa. Os farelos tinham absorvido o líquido, criando uma massa disforme. Ela não estava mais com vontade de comer. Estava cansada. Desencorajada. Estava pensando em uma menininha que eles provavelmente não encontrariam viva. Estava pensando nos comentários da Sra. Ennis sobre como era difícil para a *trooper* Leoni lidar com o trabalho, a casa e a filha.

Talvez mulheres que trabalhavam na polícia não fossem destinadas às alegrias do lar. Talvez se a *trooper* Leoni não tivesse tentado conseguir toda aquela coisa de marido e cerquinha branca, D.D. não teria sido chamada naquela manhã e uma linda e inocente menina não estaria desaparecida.

Meu Deus, o que D.D. ia dizer para Alex? Como ela, uma detetive de carreira e assumidamente viciada em trabalho, devia se *sentir* quanto a isso?

Ela mexeu na sopa mais uma vez, então a afastou. Bobby ainda estava sentado ali, aparentemente esperando que ela dissesse alguma coisa.

— Você já me imaginou sendo mãe? — ela perguntou para ele.

— Não.

— Você não precisou nem mesmo pensar a respeito.

— Não faça a pergunta se não quer a resposta.

Ela balançou a cabeça.

— Eu nunca me imaginei como mãe. Mães... cantam músicas de ninar e carregam salgadinhos e fazem caretas engraçadas só para fazer seus bebês sorrirem. Eu só sei fazer meu sorriso de trabalho e para isso preciso de café fresco e uma rosquinha com cobertura de bordo.

— Carina gosta de brincar de achou — Bobby disse.

— Mesmo?

— Sim. Eu cubro os olhos com as mãos, aí as puxo e grito "Achou!". Ela pode ficar rindo disso durante horas. E acontece que eu também consigo fazer isso durante horas. Quem poderia imaginar?

D.D. cobriu os olhos com a mão, daí as afastou rapidamente. Bobby reapareceu. Além disso, o gesto não fez muito mais por ela.

— Eu não sou seu bebê — Bobby disse à guisa de explicação. — Somos geneticamente programados para alegrar nossos filhos. Carina se ilumina, e... eu nem consigo descrever. Mas por causa disso meu dia inteiro vale a pena e, seja qual for a coisa boba que a faça ficar assim, eu vou fazer de novo. O que mais posso dizer? É mais maluco que amor. Mais profundo que amor. É... ser pai.

— Acho que Brian Darby assassinou a filha adotiva. Acho que ele matou Sophie, daí Tessa Leoni voltou para casa e atirou nele.

— Eu sei.

— Se somos geneticamente programados para querer fazer nossos filhos felizes, como é possível que tantos pais machuquem os próprios filhos?

— As pessoas são uma droga — Bobby disse.

— E esse pensamento o faz sair da cama toda manhã?

— Eu não preciso me envolver com pessoas, eu tenho Annabelle, Carina, minha família e meus amigos. Isso basta.

— Vai haver uma segunda Carina?

— Espero que sim.

— Puxa, você é um otimista, Bobby Dodge.

— Do meu jeito. Pelo que estou entendendo, a coisa entre você e Alex está ficando séria?

— Acho que essa é a questão.

— Ele a faz feliz?

— Eu não sou alguém que fica feliz.

— Então ele a faz se sentir bem?

Ela pensou sobre aquela manhã, vestindo a camisa de Alex, sentada na mesa de Alex.

— Eu podia passar mais tempo com ele.

— É um começo. Agora, se me der licença, vou ligar para minha esposa e provavelmente fazer alguns sons infantis para minha filha. — Bobby se levantou.

— Posso escutar? — D.D. perguntou enquanto ele se afastava.

— De jeito nenhum — ele respondeu de longe.

O que estava bem, porque seu estômago estava novamente se contorcendo e ela estava pensando em um pequeno embrulho em um cobertorzinho cor-de-rosa ou um pequeno embrulho em um cobertorzinho azul e imaginando como seria um pequeno Alex ou uma pequena D.D., e se poderia amar um bebê tanto quanto Bobby obviamente amava Carina, e se apenas esse amor seria o bastante.

Porque as alegrias domésticas raramente funcionavam para mulheres policiais. Pergunte para Tessa Leoni.

Quando Bobby terminou a ligação, a neve do começo da noite havia deixado as ruas muito confusas. Eles usaram as luzes e sirenes no caminho todo, mas ainda assim precisaram de mais 40 minutos para chegar a Roxbury. Mais cinco minutos para encontrar um lugar para estacionar, e o *trooper* Shane Lyons estava esperando fazia mais de 15 minutos quando eles entraram no saguão do quartel-general do DPB. O policial grandalhão levantou quando eles entraram, ainda usando o uniforme completo, o quepe puxado para baixo sobre a testa, as luvas de couro preto cobrindo ambas as mãos.

Bobby cumprimentou o policial primeiro, depois D.D. fez o mesmo. Uma sala de interrogatório pareceria falta de respeito, por isso D.D. encontrou uma sala de reunião onde conversarem. Lyons sentou-se, tirou o quepe, mas ficou com o casaco e as luvas. Aparentemente, ele planejava sair logo dali.

Bobby ofereceu uma Coca, que ele aceitou. D.D. preferiu água, e Bobby pegou um café para si mesmo. Terminadas as preliminares, eles passaram ao trabalho.

— Você não pareceu ficar surpreso por entrarmos em contato — D.D. começou.

Lyons deu de ombros, e girou a Coca entre os dedos enluvados.

— Eu sabia que meu nome ia aparecer. Mas primeiro eu tinha de cumprir meu dever como representante do sindicato, que era minha responsabilidade primária na cena.

— Faz tempo que conhece a *trooper* Leoni? — Bobby perguntou.

— Quatro anos. Desde que ela começou no alojamento. Eu era o oficial superior dela, vistoriei as primeiras doze semanas de patrulha dela. — Lyons tomou um gole do refrigerante. Parecia desconfortável, a típica testemunha relutante.

— Você trabalhou diretamente com a *trooper* Leoni? — D.D. cutucou.

— Nas primeiras doze semanas, sim. Mas, depois disso, não. *Troopers* patrulham sozinhos.

— E fora do trabalho?

— Nos víamos talvez uma vez por semana. Os policiais trabalhando tentam se reunir para um café ou o café da manhã. É uma boa forma de manter um bom clima. — Ele olhou para D.D. — Às vezes, os policiais de Boston também vão.

— Mesmo? — D.D. fez o possível para parecer horrorizada.

Lyons por fim sorriu.

— Temos de apoiar uns aos outros, certo? Então é bom manter as linhas de comunicação abertas. Mas, tendo dito isso, na maior parte do turno de um *trooper* ele está sozinho. Especialmente de noite. É você, o radar e uma estrada cheia de bêbados.

— E quanto ao alojamento? — D.D. quis saber. — Você e Tessa conversavam, iam comer alguma coisa depois do trabalho?

Lyons fez que não com a cabeça.

— Não. A viatura de um *trooper* é seu escritório. Só voltamos para o alojamento se temos de fazer uma prisão, processar um OUI[11], esse tipo de coisa. Mais uma vez, a maior parte do nosso tempo é gasta na estrada.

— Mas vocês ajudam uns aos outros — Bobby falou. — Especialmente quando ocorre algum incidente.

— Claro. Semana passada, a *trooper* Leoni pegou um sujeito por operar sob influência na Pike, então eu fui ajudar. Ela levou o sujeito para o alojamento para aplicar o bafômetro e ler os direitos dele. Eu fiquei com o veículo dele até o guincho chegar para levá-lo. Nós nos apoiamos,

---

[11] Operating Under Influence: dirigir alcoolizado (N. T.).

mas raramente ficamos conversando sobre nossos casamentos e filhos enquanto ela coloca um bêbado na traseira da viatura. — Lyons atravessou Bobby com um olhar. — Você deve lembrar como é.

— Conte sobre Brian Darby — D.D. falou novamente, redirecionando o olhar de Lyons.

O *trooper* estadual não respondeu de imediato, mas contraiu os lábios, parecendo estar lutando com algo dentro de si.

— Eu estou ferrado de um jeito ou de outro — ele murmurou abruptamente.

— Está ferrado por quê, *trooper*? — Bobby perguntou em tom calmo.

— Olhe. — Lyons colocou o refrigerante na mesa. — Sei que estou ferrado aqui. Eu deveria ser um excelente juiz de caráter, faz parte do trabalho. Mas, daí, essa situação com Tessa e Brian. Droga, ou eu sou um completo idiota que não sabia que meu vizinho tinha problemas de controle da raiva, ou sou um filho da puta que armou para colocar uma companheira com um sujeito que bate na esposa. Honestamente... eu não sabia, se eu desconfiasse...

— Vamos começar com Brian Darby — D.D. disse. — O que você sabe sobre ele?

— Eu o conheço faz oito anos. Nós dois estávamos na liga de hóquei do bairro. Jogamos juntos sexta sim, sexta não; ele parecia ser um bom sujeito. Ele esteve em casa algumas vezes para jantar e tomar uma cerveja. Continuou parecendo um bom sujeito. Trabalhava em um horário maluco como marinheiro mercante, e ele achava o mesmo do meu trabalho. Quando ele estava em casa nós nos víamos, jogávamos hóquei, íamos esquiar, fazer caminhadas. Ele gostava de esportes e eu gosto de esportes também.

— Brian era um sujeito ativo — Bobby disse.

— Sim. Ele gostava de ficar em movimento. Tessa também. Francamente, eu pensei que se dariam muito bem. Foi por isso que juntei os dois. Calculei que, mesmo que não namorassem, eles poderiam ser colegas de caminhada ou algo assim.

— Então você os juntou — D.D. repetiu.

— Convidei os dois para um churrasco. Deixei que fossem em frente a partir daí. Vamos lá, eu sou um homem. Esse é o máximo de envolvimento que um homem se permite.

— Eles saíram juntos do churrasco? — Bobby perguntou.

Lyons teve de pensar a respeito.

— Não. Eles saíram para beber mais tarde, ou algo assim. Não sei. Mas, quando percebi, Tessa e a filha estavam se mudando para a casa dele, então acho que deu certo.

— Você foi ao casamento?

— Não. Nem ouvi falar a respeito até já ter acontecido. Acho que notei um dia que Tessa estava usando uma aliança. Quando perguntei, ela disse que tinham se casado. Fiquei um pouco surpreso, achei que era um pouco rápido demais, e, sim, talvez tenha ficado surpreso por eles não me convidarem, mas... — Lyons deu de ombros. — Não era como se eu fosse assim tão próximo ou que estivesse tão envolvido.

Parecia importante para ele estabelecer esse ponto. Ele não era *tão* próximo do casal, não estava *tão* envolvido na vida deles.

— Tessa falou alguma vez sobre o casamento? — D.D. perguntou.

— Não comigo.

— Então ela falou com os outros?

— Só posso responder por mim mesmo.

— E não está fazendo nem mesmo isso — D.D. declarou com toda a franqueza.

— Ei, estou tentando dizer a verdade, não passo os domingos jantando na casa do Brian e da Tessa nem eles vão a minha casa depois da igreja. Somos amigos, sim. Mas temos nossa vida separada. Droga, o Brian nem mesmo estava na cidade durante metade do ano.

— Então — D.D. disse lentamente. — Seu colega de hóquei Brian Darby sai no navio durante metade do ano, deixando sozinha uma colega *trooper* para cuidar de tudo em casa, do jardim, da criança pequena, tudo sozinha, e você simplesmente segue seu caminho. Tem sua própria vida, não precisa se atolar na vida deles?

*Trooper* Lyons ficou vermelho. Ele olhou para a Coca, o queixo quadrado claramente contraído.

É um cara atraente, D.D. pensou, daquele estilo de rosto corado. O que a fez pensar: Brian Darby começou a ganhar mais músculos porque a esposa carregava uma arma? Ou porque a esposa começou a chamar um colega *trooper* grandalhão para ajudar em casa?

— Eu posso ter consertado o cortador de grama — Lyons murmurou.

D.D. e Bobby esperaram.

— A pia da cozinha estava pingando. Dei uma olhada nela, mas não entendo nada disso, então dei para ela o telefone de um bom encanador.

— Onde você estava ontem à noite? — Bobby perguntou calmamente.

— Patrulhando! — Lyons ergueu os olhos repentinamente. — Pelo amor de Deus, eu não volto para casa desde ontem às onze da noite. Tenho três filhos, sabe, e se você acha que não penso neles cada vez que a foto da Sophie aparece nos noticiários... Merda. Sophie é apenas uma menininha! Eu ainda lembro dela rolando na encosta no meu quintal. Depois no ano passado, subindo no velho carvalho. Nem mesmo meu garoto de oito anos consegue acompanhar aquela menina. Ela é meio macaca, pode apostar. E aquele sorriso, e ah... droga.

O *trooper* Lyons cobriu o rosto com a mão. Parecia incapaz de falar, por isso Bobby e D.D. deram um momento para ele.

Quando finalmente se recompôs, Lyons baixou a mão, com uma expressão dura no rosto.

— Sabe como chamávamos o Brian? — ele disse abruptamente. — O apelido dele no time de hóquei?

— Não.

— Senhor Sensibilidade. O filme favorito dele é *Uma Linda Mulher*. Quando o cachorro dele, o Duke, morreu, ele escreveu um poema e o publicou no jornal local. Ele era esse tipo de cara. Então não, eu não pensei duas vezes sobre apresentá-lo para uma colega policial com uma filha pequena. Droga, pensei que estava fazendo um favor para a Tessa.

— Você e Brian ainda jogavam hóquei juntos? — Bobby perguntou.

— Não muito. Meu horário mudou. Eu trabalho geralmente nas noites de sexta.

— Brian parece maior agora do que era quando casou. Parece que ele encorpou.

— Acho que ele entrou para uma academia, ou algo assim. Ele falava sobre levantar pesos.

— Você alguma vez levantou pesos com ele?

Lyons fez que não.

O pager de D.D. começou a tocar. Ela olhou para a tela, viu que era do laboratório de cena do crime e pediu desculpas. Quando deixou a sala de conferências, Bobby estava interrogando o *trooper* Lyons sobre o programa de exercícios de Brian Darby, e o possível consumo de suplementos.

D.D. pegou o celular e ligou para o laboratório criminal. Eles tinham alguns resultados sobre a Denali branca de Brian. Ela escutou, assentiu, daí terminou a ligação em tempo de correr até o banheiro das mulheres, onde conseguiu manter a sopa no estômago, mas apenas depois de jogar muita água fria no rosto.

Ela lavou a boca. Jogou mais água fria nas costas das mãos. Em seguida estudou o reflexo pálido no espelho e informou a si mesma que, querendo ou não, ia até o fim com aquilo.

Ia sobreviver àquela noite. Ia encontrar Sophie Leoni.

Depois iria para casa, para Alex, porque eles tinham algumas coisinhas sobre o que conversar.

D.D. marchou de volta para a sala de conferência. Não esperou, atacou com as armas grandes porque o *trooper* Lyons estava escondendo alguma coisa e, francamente, não tinha tempo para esse tipo de besteira.

— O relatório preliminar do veículo de Brian Darby — ela disse de forma incisiva.

Apoiou as mãos na mesa diante do *trooper* Lyons e se inclinou para frente, até estar a apenas alguns centímetros do rosto dele.

— Eles encontraram uma pá dobrável em um compartimento na traseira, ainda coberta de terra e pedaços de folhas.

Lyons não disse nada.

— Também encontraram um perfumador novinho, com odor de melão, daqueles que são fixados em um encaixe. O pessoal do laboratório achou estranho, então eles o tiraram.

Lyons não disse nada.

— O cheiro ficou evidente em menos de quinze minutos. Muito forte, eles disseram. Muito distinto. Mas, sendo cientistas, eles pegaram um cachorro farejador de cadáver só para ter certeza.

O policial ficou pálido.

— Decomposição, *trooper* Lyons. Quer dizer, os gurus do laboratório estão muito certos de que um corpo morto foi colocado na traseira do veículo de Brian Darby nas últimas vinte e quatro horas. Considerando a presença da pá, eles estão deduzindo que o corpo foi levado para um local desconhecido e enterrado. Brian tem uma segunda casa? Uma casa no lago, cabana de caça ou de esqui? Talvez se você por fim começar a falar com a gente, nós possamos pelo menos trazer para casa o corpo de Sophie.

— Ah não... — Lyons ficou ainda mais pálido.

— Para onde Brian levou a filha adotiva?

— Eu não sei! Ele não tem uma segunda casa. Pelo menos nunca me falou nada a respeito.

— Você falhou com elas. Você apresentou Brian Darby para Tessa e Sophie, e agora Tessa está em um hospital, espancada, e a pequena Sophie provavelmente está morta. *Você* colocou isso em movimento. Agora seja homem e nos ajude a achar o corpo de Sophie. Para onde ele a levou? O que ele fez? Conte todos os segredos de Brian Darby.

— Ele não tem segredos! Eu juro... Brian era um sujeito decente. Viajava pelo mar, daí voltava para casa para a esposa e a filha adotiva. Eu nunca o ouvi erguer a voz. Certamente nunca o vi erguer um punho.

*— Então que droga foi que aconteceu?*

Uma pausa de um segundo. Outra inspiração longa e trêmula.

— Tem... tem uma outra opção — Lyons disse abruptamente. Ele olhou para os dois, o rosto ainda cinzento, as mãos abrindo e fechando ao redor da Coca. — Não estou realmente saindo da linha — ele balbuciou.

— Quer dizer, vocês vão descobrir mais cedo ou mais tarde pelo tenente--coronel Hamilton. Foi ele quem me contou. Além disso, é algo que está registrado.

— *Trooper* Lyons! Fale de uma vez! — D.D. gritou.

Então ele falou.

— O que aconteceu essa manhã... Bem, vamos dizer, essa não foi a primeira vez que a *trooper* Leoni matou um homem.

# 12

A primeira coisa que aprendi como mulher policial foi que os homens não eram o inimigo que eu temia que fossem.

Um bando de machões bêbados em um bar? Se meu oficial superior, o *trooper* Lyons, saísse da viatura, eles imediatamente passariam a agir de forma machista e cada vez mais agressiva. Mas, se eu aparecesse no lugar, eles abandonavam a pose e começavam a estudar as botas, um bando de meninos pegos no ato pela Mamãe. Caminhoneiros de aparência rude? Eles conseguem dizer *sim, senhora* ou *não, senhora* rápido o bastante se estou parada ao lado do caminhão deles com o bloco de multa. Garotos bonitos da faculdade que beberam um pouco demais? Eles gaguejam, tropeçam e hesitam, depois quase sempre terminam me convidando para sair.

Muitos homens foram treinados desde o nascimento para responder a uma figura de autoridade feminina. Eles veem alguém como eu ou como a mãe a qual foram preparados para obedecer ou, talvez, dada minha idade e aparência, como uma mulher desejável que merece ser agradada. De qualquer forma, não sou um desafio direto. Assim, o homem mais beligerante pode se dar o luxo de se rebaixar diante dos amigos. Em situações carregadas de testosterona, meus colegas *troopers* costumam me chamar diretamente para ajudar, contando com meu jeito feminino para desarmar a situação, como geralmente aconteceu.

Homens podem flertar um pouco, podem se agitar um pouco, ou ambos. Mas inevitavelmente eles fazem o que eu digo para fazer.

As mulheres, por outro lado...

Pare a mamãe do futebol indo a 130 no Lexus dela, e ela instantaneamente fica verbalmente combativa, berrando com a voz aguda sobre a necessidade de correr diante dos filhos igualmente rotulados de crianças 2.2. Realizando um serviço civil, dando assistência enquanto um sujeito sob uma ordem de restrição pega suas últimas coisas do apartamento, e a namorada que apanhou vai inevitavelmente me atacar, exigindo saber por que estou deixando ele pegar a própria roupa de baixo e praguejando e gritando comigo como se eu fosse culpada por todas as coisas ruins que já aconteceram na vida dela.

Homens não são problema para uma *trooper* mulher.

São as mulheres que vão tentar derrubar você, na primeira chance que tiverem.

Meu advogado estava tagarelando do lado da minha cama fazia 20 minutos quando a sargento detetive D.D. Warren subitamente puxou a cortina de privacidade. O oficial de ligação da polícia estadual, o detetive Bobby Dodge, estava atrás dela. O rosto dele era impossível de ler. A detetive Warren, no entanto, tinha o aspecto faminto de um felino selvagem.

A voz do meu advogado foi diminuindo. Ele pareceu ficar infeliz com a súbita aparição dos dois detetives de homicídio, mas não surpreso. Ele estava tentando explicar minha situação legal. Que não era boa, e o fato de eu ainda ter de fazer uma declaração completa para a polícia, na opinião de especialista dele, tornava as coisas piores.

No momento, a morte do meu marido estava classificada como homicídio questionável. O curso de ação seguinte seria o promotor do condado de Suffolk, trabalhando junto com a polícia de Boston, determinar qual seria a acusação adequada. Se eles pensassem que eu sou uma possível vítima, uma pobre esposa espancada com um histórico de visitas à emergência do hospital para corroborar, eles poderiam ver a morte de Brian como um homicídio justificável. Eu atirei nele, como declarei, para me defender.

Mas assassinato era uma questão complicada. Brian tinha atacado com uma garrafa quebrada; eu retaliei com uma arma de fogo. O promotor poderia argumentar que, apesar de eu estar claramente me defendendo, ainda assim usei força desnecessária. O spray de pimenta, o cassetete e o Taser que eu carregava no cinturão teriam sido escolhas melhores, e, por ter sido apressada demais em atirar, eu seria acusada de homicídio involuntário.

Ou talvez eles não acreditassem que eu achava que minha vida estava em perigo. Havia, é claro, outro cenário. Um em que a polícia determinava que meu marido não era um homem violento que batia na esposa, e achava que eu sou uma mestre manipuladora e que atirei no meu marido com malícia premeditada, sabendo muito bem o que fazia. Assassinato em primeiro grau.

Que também era conhecido como o resto da minha vida na prisão. Fim de jogo.

Estas eram as preocupações que tinham trazido meu advogado para o lado da minha cama. Ele não queria que eu lutasse com a polícia pelos restos mortais do meu marido. Ele queria que eu fizesse uma declaração para a imprensa, uma esposa espancada exaltando sua inocência, uma mãe desesperada implorando pelo retorno em segurança da filha pequena. Ele também queria que eu começasse a colaborar com os detetives que cuidavam do caso. Como ele disse, a síndrome da mulher espancada era uma defesa afirmativa, significando que o ônus da prova ficava sobre meus ombros machucados.

Casamento, no final das contas, terminava em "ele disse, ela disse", mesmo depois de um dos esposos estar morto.

Agora os detetives de homicídio estavam de volta e meu advogado se levantou sem jeito para assumir uma postura defensiva perto da minha cama.

— Como vocês podem ver — ele começou —, minha cliente ainda está se recuperando de uma concussão, para não mencionar um osso malar fraturado. O médico dela ordenou que ficasse no hospital esta noite, e que descansasse bastante.

— Sophie? — eu perguntei. Minha voz saiu estrangulada. A detetive Warren parecia áspera demais para estar se aproximando de uma mãe com más notícias. Mas quem sabe...

— Nada — ela disse secamente.

— Que horas são?

— Sete e trinta e dois.

— Já escureceu — murmurei.

A detetive loira olhou para mim. Sem compaixão, sem simpatia. Não fiquei surpresa. Havia tão poucas mulheres de azul[12], que seria de se pensar que nos ajudássemos. Mas as mulheres são engraçadas nisso. Estão sempre prontas para atacar outra mulher, especialmente uma mulher que seja percebida como fraca, como uma que serviu como saco de pancada do marido.

Eu não conseguia imaginar a detetive Warren tolerando abuso doméstico. Se um homem batesse nela, aposto que ela bateria nele de volta com o dobro da força. Ou usaria o Taser nas bolas dele.

O detetive Dodge estava em movimento. Ele pegou duas cadeiras e as colocou perto da cama. Fez um gesto para D.D. se sentar, os dois ficando perto um do outro. Cargill seguiu a deixa e sentou-se na beirada da cadeira dele, ainda parecendo desconfortável.

— Minha cliente não pode responder muitas perguntas, ainda não — ele disse. — Claro, ela quer fazer tudo que puder para ajudar na busca pela filha dela. Vocês precisam de alguma informação que seja relevante para a investigação?

— Quem é o pai biológico de Sophie? — a detetive Warren perguntou. — E onde ele está?

Eu balancei a cabeça, um movimento que me fez imediatamente produzir uma careta.

— Preciso de um nome — Warren disse com impaciência.

---

[12] O termo quer dizer "da polícia", em referência aos uniformes azuis que muitas das forças policiais norte-americanas usam (N. T.).

Molhei os lábios, tentei novamente.

— Ela não tem um pai.

— Impossível.

— Não, se você for uma vaca alcoólatra — eu disse.

Cargill olhou surpreso para mim. Os detetives, no entanto, pareceram intrigados.

— Você é alcoólatra? — Bobby Dodge perguntou de forma direta.

— Sim.

— Quem sabe disso?

— O tenente-coronel Hamilton, alguns dos rapazes. — Eu dei de ombros, tentando não mover o rosto machucado. — Parei de beber faz sete anos, antes de entrar para a Força. Isso nunca foi um problema.

— Sete anos? — D.D. repetiu. — Quando você estava grávida da sua filha?

— Exatamente.

— Que idade você tinha quando ficou grávida da Sophie?

— Vinte e um. Jovem e estúpida. Bebia demais, gostava demais de festas. Daí um dia eu estava grávida e descobri que as pessoas que eu achava que eram minhas amigas só ficavam comigo porque eu era parte do circo. No minuto que deixei o show, nunca mais os vi.

— Algum homem fazia parte do grupo? — D.D. perguntou.

— Isso não vai ajudá-la. Eu não dormia com homens que conhecia. Eu dormia com homens que não conhecia. Geralmente homens mais velhos que estavam interessados em pagar muita bebida para uma garota mais jovem e estúpida. Eu ficava bêbada. Eles conseguiam uma transa. Daí cada um ia para o seu lado.

— Tessa — meu advogado começou.

Eu ergui a mão.

— Isso é assunto velho, e não importa. Eu não sei quem é o pai de Sophie. Eu não conseguiria acertar as coisas se tentasse, e eu não queria tentar. Fiquei grávida. Daí cresci, fiquei mais esperta, e parei de beber. É isso o que importa.

— Sophie alguma vez perguntou? — Bobby quis saber.

— Não. Ela estava com três anos quando conheci Brian. Ela começou a chamá-lo de papai em questão de semanas. Acho que ela não lembra que antes vivíamos sem ele.

— Quando foi a primeira vez que ele bateu em você? — D.D. perguntou. — Um mês depois do casamento? Seis? Talvez um ano depois?

Eu não disse nada, só fiquei olhando para o teto. Minha mão direita estava por baixo do lençol verde do hospital, apertando o botão azul que a enfermeira havia recuperado para mim.

— Vamos precisar de seus registros médicos — D.D. declarou. Ela estava olhando para meu advogado, desafiando-o.

— Eu caí da escada — eu disse, meus lábios se torcendo em um sorriso estranho, porque era verdade, mas eles, claro, interpretariam isso como uma mentira adequada. Irônico. Deus me salve da ironia.

— Como?

— O machucado nas minhas costelas... Eu devia ter tirado o gelo dos degraus da frente. Ops.

A detetive Warren olhou para mim sem acreditar.

— Claro. Você caiu. Quantas vezes? Três, quatro?

— Acho que foram apenas duas vezes.

Ela não apreciou meu senso de humor.

— Você alguma vez deu parte do seu marido por agressão? — ela pressionou.

Fiz que não com a cabeça. O que fez a parte de trás do meu crânio doer tanto que encheu meu olho bom de lágrimas.

— Você não contou para um colega *trooper*? Digamos o *trooper* Lyons. Parece que ele é bom em ajudar na casa.

Eu não disse nada.

— Alguma amiga? — Bobby disse. — E o pastor da igreja, ou uma ligação anônima? Estamos fazendo essas perguntas para ajudar você, Tessa.

As lágrimas ficaram mais fortes. Eu pisquei para afastá-las.

— Não foi assim ruim — eu disse por fim, olhando para os ladrilhos brancos do teto. — Não no começo. Eu pensei... pensei que podia controlá-lo. Fazer as coisas voltarem ao normal.

— Quando seu marido começou a levantar pesos? — Bobby perguntou.

— Faz nove meses.

— Parece que ele ganhou alguns quilos. Quinze quilos em nove meses. Ele estava usando suplementos?

— Ele não quis dizer.

— Mas ele estava ficando mais forte. Estava trabalhando ativamente para ganhar músculos?

Abatida, eu fiz que sim. Todas as vezes que eu disse para ele que não precisava fazer tanta ginástica. Que ele já estava ótimo, já era muito forte. Eu devia saber, com a obsessão dele por limpeza, com o impulso compulsivo para organizar até mesmo as latas de sopa. Eu devia ter percebido os sinais. Mas não percebi. Como diz o ditado, a esposa é sempre a última a saber.

— Quando foi a primeira vez que ele bateu na Sophie? — D.D. perguntou.

— Ele não batia nela! — eu bradei com toda a força.

— Mesmo? Você vai me dizer, com esse crânio rachado e o osso do rosto quebrado que o seu marido brutal e morto batia em você e só em você, durante todo o tempo em que ficaram juntos?

— Ele amava a Sophie!

— Mas ele não amava você. Era esse o problema.

— Talvez ele estivesse tomando esteroides. — Era alguma coisa. Olhei para Bobby.

— A raiva causada por esteroides não discrimina — D.D. comentou. — Daí ele ia mesmo bater em vocês duas.

— Eu só estou dizendo... Ele estava em casa fazia só duas semanas desde que voltou da última viagem, e dessa vez... dessa vez alguma coisa tinha mesmo mudado. — Isso não era mentira. De fato, eu esperava que eles fossem atrás dessa pista. Não seria ruim ter dois bons detetives me ajudando. Certamente, Sophie merecia investigadores mais espertos que eu para ajudá-la.

— Ele ficou mais violento — Bobby disse com cuidado.

— Bravo. O tempo todo. Eu estava tentando entender, esperando que ele se acostumasse de novo com nossa vida em casa. Mas não estava dando certo. — Eu torci o lençol com uma das mãos, apertei o botão na outra mão embaixo das cobertas. — Eu só... não sei como isso aconteceu. E isso é verdade. Nós nos amávamos. Ele era um bom marido e um bom pai. Daí... — Mais lágrimas. Lágrimas honestas dessa vez. Deixei uma delas escorrer pelo rosto. — Não sei como isso aconteceu.

Os detetives ficaram em silêncio. Meu advogado havia relaxado. Acho que ele gostou das lágrimas, e provavelmente também da menção do possível abuso de esteroides. Aquele era um bom ângulo.

— Onde está Sophie? — D.D. perguntou, menos hostil agora, mais intensa.

— Eu não sei. — Outra resposta honesta.

— As botas dela sumiram. O casaco também. É como se alguém a tivesse vestido e a levado.

— A Sra. Ennis? — eu disse cheia de esperança. — Ela é a babá da Sophie que...

— Sabemos quem ela é — D.D. interrompeu. — Ela não está com sua filha.

— Oh.

— Brian tem uma segunda casa? Uma velha cabana de esqui, ou de pesca, algo assim? — Bobby perguntou.

Eu fiz que não. Estava ficando cansada, sentindo a fadiga apesar de tudo. Precisava continuar resistindo. Construir a força para os dias e noites que viriam.

— Quem mais poderia conhecer Sophie, tirá-la de casa? — D.D. insistiu, sem abandonar o assunto.

— Eu não sei...

— A família de Brian? — ela persistiu.

— Tem a mãe dele e quatro irmãs. As irmãs estão espalhadas, a mãe vive em New Hampshire. Você teria de perguntar, mas nunca as vimos muito. Os horários dele e os meus.

— Sua família?

— Eu não tenho família — eu disse automaticamente.

— Não é isso que diz o arquivo da polícia.

— O quê?

— O quê? — meu advogado ecoou.

Nenhum dos detetives olhou para ele.

— Dez anos atrás. Quando você foi interrogada pela polícia pela morte de Thomas Howe, de dezenove anos. De acordo com o arquivo, foi seu próprio pai quem forneceu a arma.

Eu olhei para D.D. Warren. Apenas olhei e olhei e olhei.

— Esses registros estão selados — eu disse suavemente.

— Tessa... — meu advogado começou novamente, não parecendo nem um pouco feliz.

— Mas eu contei para o tenente-coronel Hamilton sobre o incidente quando comecei na Força — declarei em bom-tom. — Eu não queria que houvesse mal-entendidos.

— Quer dizer, como um dos seus colegas policiais descobrir que você atirou em um garoto e o matou?

— Atirou em um garoto e o matou? — imitei. — Eu tinha dezesseis anos. *Eu* era a criança ali! Por que é que você acha que eles selaram o registro? De qualquer forma, o promotor nunca fez nenhuma acusação, declarando que foi um homicídio justificável. Thomas me atacou. Eu só estava tentando me safar.

— Você atirou com uma vinte e dois — a detetive Warren continuou como se eu não tivesse dito nada. — Que só por acaso estava com você. E também não havia nenhum sinal de agressão física...

— Você esteve falando com meu pai — eu disse com amargura. Não consegui evitar.

D.D. inclinou a cabeça, fitando-me com expressão fria.

— Ele nunca acreditou em você.

Eu não disse nada. O que foi uma resposta mais que suficiente.

— O que aconteceu naquela noite, Tessa? Ajude-nos a entender, porque isso não fica nada bem para você.

Apertei o botão com mais força. Dez anos era muito tempo. E ainda assim, não era tempo suficiente.

— Eu estava passando a noite na casa da minha melhor amiga — eu disse por fim. — Juliana Howe. Thomas era o irmão mais velho dela. Nas últimas vezes que eu tinha ido lá, ele havia feito alguns comentários. Se estivéssemos sozinhos, ele ficava perto demais, me deixava desconfortável. Mas eu tinha dezesseis anos. Garotos, especialmente garotos mais velhos, me deixavam desconfortável.

— Então por que você foi passar a noite lá? — D.D. quis saber.

— Juliana era minha melhor amiga — eu disse calmamente, e naquele momento senti aquilo de novo. O terror. As lágrimas dela. Minha perda.

— Você levou uma arma — a detetive prosseguiu.

— Meu pai me deu a arma — corrigi. — Eu tinha conseguido um emprego na área de alimentação do shopping. Era comum eu trabalhar até depois das onze, e daí tinha de andar até o carro no escuro. Ele queria que eu tivesse alguma proteção.

— Então ele deu uma arma para você? — D.D. parecia incrédula.

Eu sorri.

— Você não conhece meu pai. Ir me buscar pessoalmente significaria se envolver. Dar uma semiautomática vinte e dois que eu não tinha ideia de como usar, por outro lado, o livraria da responsabilidade. Então foi isso que ele fez.

— Descreva aquela noite — Bobby pediu calmamente.

— Fui para a casa da Juliana. O irmão dela não estava; o que me deixou feliz. Fizemos pipoca e assistimos a uma maratona de filmes da Molly Ringwald... *Gatinhas e Gatões,* seguido por *Clube dos Cinco.* Eu dormi no sofá. Quando acordei, todas as luzes estavam apagadas e alguém tinha colocado um cobertor em cima de mim. Calculei que Juliana tinha ido para a cama. Estava indo para o quarto quando o irmão dela chegou. Thomas estava bêbado. Ele me viu. Ele...

Os dois detetives e meu advogado aguardaram.

— Eu tentei passar por ele — eu disse por fim. — Ele me encurralou no sofá, fez com que eu me deitasse nele. Ele era maior, mais forte. Eu tinha dezesseis anos. Ele tinha dezenove. O que eu poderia fazer?

Minha voz sumiu novamente. Engoli em seco.

— Posso beber um pouco de água? — pedi.

O advogado pegou a garrafa na mesa de cabeceira e serviu um copo. Minha mão estava trêmula quando ergui o copo de plástico. Calculei que eles não poderiam me acusar por demonstrar nervosismo. Bebi o copo inteiro, então o baixei. Considerando o longo tempo que fazia desde que respondera a um interrogatório pela última vez, eu precisava pensar no que dizer. A consistência era tudo, e eu não podia me permitir errar em um momento assim adiantado do jogo.

Três pares de olhos esperavam por mim.

Respirei fundo outra vez. Apertei o botão azul e pensei na vida, nos padrões que criamos, nos ciclos dos quais não podemos escapar.

Sacrifique judiciosamente.

— Bem na hora em que... Thomas ia fazer o que ele queria fazer, senti a bolsa contra meu quadril. Ele me segurava com o peso do corpo enquanto abria o zíper do jeans. Então deslizei a mão direita e encontrei a bolsa. Peguei a arma. E como ele não saiu de cima de mim, eu apertei o gatilho.

— Na sala de estar da casa da sua melhor amiga? — a detetive Warren disse.

— Sim.

— Deve ter feito uma sujeira e tanto.

— Uma vinte e dois não é uma arma grande — eu disse.

— E quanto a sua melhor amiga? Como ela encarou aquilo?

Fiquei olhando para o teto.

— Ele era irmão dela. Claro que ela o amava.

— Então... o promotor inocentou você. A Corte selou os registros. Mas seu pai, sua melhor amiga. Eles nunca a perdoaram.

Ela fez uma declaração, não uma pergunta, por isso não respondi.

— Foi aí que você começou a beber? — o detetive Dodge perguntou.

Eu assenti sem dizer nada.

— Saiu de casa, largou a escola... — ele prosseguiu.

— Eu não sou a primeira policial com uma juventude problemática — retorqui em tom duro.

— Você ficou grávida — a detetive Warren disse. — Cresceu, ficou mais madura e parou de beber. Foi um sacrifício e tanto para uma garota jovem — ela comentou.

— Não. Isso foi amor pela minha filha.

— A melhor coisa que já lhe aconteceu. A única família que lhe restou.

D.D. ainda soava cética, o que creio que foi um aviso mais que suficiente.

— Você já ouviu falar de análise de odor de decomposição? — a detetive continuou, elevando a voz. — Arpad Vass, um pesquisador químico e antropólogo forense, desenvolveu uma técnica para identificar os mais de quatrocentos vapores que emanam da carne de um corpo em decomposição. Acontece que esses vapores ficam presos no solo, nos tecidos, até mesmo, por exemplo, no carpete na parte de trás de um veículo. Com o uso de um nariz eletrônico, o doutor Vass pode identificar a assinatura molecular da decomposição que um corpo deixa para trás. Por exemplo, ele pode examinar o carpete tirado de um veículo e ver os vapores produzindo a forma do corpo de uma criança.

Eu emiti um som. Pode ter sido um arquejo. Pode ter sido um gemido. Por baixo das cobertas, minha mão apertou mais forte.

— Mandamos o carpete da SUV do seu marido para o doutor Vass. O que ele vai encontrar, Tessa? Vai ser a última imagem do corpo da sua filha?

— Pare. Isso é insensível e inapropriado! — Meu advogado já estava de pé.

Eu não o ouvi realmente. Estava lembrando de puxar as cobertas, olhando, horrorizada, para a cama vazia de Sophie.

*Tudo que eu quero de Natal são meus dois dentes da frente...*

— O que aconteceu com sua filha? — a detetive Warren exigiu saber.

— Ele não quis me dizer.

— Você chegou em casa e ela já não estava lá?

— Eu procurei pela casa toda — sussurrei. — A garagem, o solário, o sótão, o quintal. Procurei e procurei e procurei. Exigi que ele me dissesse o que tinha feito.

— O que aconteceu, Tessa? O que seu marido fez com Sophie?

— Eu não sei! Ela sumiu. Desapareceu! Fui trabalhar e quando voltei para casa... — Olhei para D.D. e Bobby, sentindo o coração bater selvagemente outra vez. Sophie. Sumida. Simples assim.

*Tudo que quero de Natal são meus dois dentes da frente, meus dois dentes da frente...*

— O que ele fez, *trooper* Leoni? Conte-nos o que Brian fez.

— Ele arruinou nossa família. Ele mentiu para mim. Nos traiu. Ele destruiu... tudo.

Mais uma respiração profunda. Procurei os olhos dos dois detetives.

— E foi então que eu soube que ele tinha de morrer.

# 13

O que você acha de Tessa Leoni? — Bobby perguntou cinco minutos depois, quando voltavam para o Q.G.

— Mentirosa — D.D. disse zangada.

— Ela parece cuidadosa com o que diz.

— Por favor. Se eu não tivesse experiência, diria que ela não confia em policiais.

— Bem, pondo de lado níveis avançados de alcoolismo, suicídio e violência doméstica, o que há nela que não mereça ser amado?

D.D. fez uma careta, mas entendeu o que ele queria dizer. Policiais não são exatamente anúncios ambulantes de seres humanos bem ajustados. Muitos policiais vieram de situações violentas. E muitos juravam que é isso o que se precisa para trabalhar nas ruas.

— Ela mudou a história — D.D. disse.

— Também reparei.

— Começamos com ela atirando no marido, daí descobrimos que a filha estava desaparecida e fomos para ela descobrir que Sophie havia sumido e depois atirar no marido.

— Linhas do tempo diferentes, mesmo resultado. De qualquer forma

# 13

— O que você acha de Tessa Leoni? — Bobby perguntou cinco minutos depois, quando voltavam para o Q.G.

— Mentirosa — D.D. disse zangada.

— Ela parece cuidadosa com o que diz.

— Por favor. Se eu não tivesse experiência, diria que ela não confia em policiais.

— Bem, pondo de lado níveis avançados de alcoolismo, suicídio e violência doméstica, o que há nela que não mereça ser amado?

D.D. fez uma careta, mas entendeu o que ele queria dizer. Policiais não são exatamente anúncios ambulantes de seres humanos bem ajustados. Muitos policiais vieram de situações violentas. E muitos juravam que é isso o que se precisa para trabalhar nas ruas.

— Ela mudou a história — D.D. disse.

— Também reparei.

— Começamos com ela atirando no marido, daí descobrimos que a filha estava desaparecida e fomos para ela descobrir que Sophie havia sumido e depois atirar no marido.

— Linhas do tempo diferentes, mesmo resultado. De qualquer forma a *trooper* Leoni foi espancada, e de qualquer forma a menina de seis anos está desaparecida.

D.D. balançou a cabeça.

— A inconsistência em um detalhe faz com que você tenha de questionar todos os detalhes. Se ela mentiu sobre a sequência dos acontecimentos, que outras peças da história dela são falsas?

— Um mentiroso é um mentiroso sempre — Bobby disse suavemente.

Ela olhou para ele, em seguida comprimiu as mãos na direção. A história chorosa de Tessa havia funcionado com ele. Bobby sempre teve um fraco por donzelas em perigo. Enquanto D.D. estava absolutamente certa em sua primeira impressão sobre Tessa Leoni: bela e vulnerável, o que estava lhe dando nos nervos.

D.D. estava cansada. Já passava das 23 horas e, ela sabia, seu corpo que requeria alta manutenção estava implorando para dormir. Mas em vez disso ela e Bobby estavam voltando para Roxbury para a primeira reunião da força-tarefa. O relógio continuava marcando as horas. A imprensa precisava de uma declaração. O promotor exigia uma atualização. Os chefes queriam apenas o caso de homicídio concluído e a criança desaparecida encontrada, e agora mesmo.

Nos velhos tempos, D.D. estaria preparando seis bules de café e comendo meia dúzia de donuts para atravessar a noite. Agora ela estava armada com uma garrafa de água e um pacote de biscoitos salgados. Que não seriam o suficiente.

Ela passou um torpedo para Alex quando saíam do hospital: *Não vou ver você esta noite, desculpe sobre amanhã.* Ele respondeu com outro torpedo: *Vi as notícias. Boa sorte.*

Sem culpa, sem reclamações, sem recriminações. Apenas um apoio genuíno.

A mensagem dele a deixou chorosa, o que ela teve certeza de ser por causa de sua condição, porque nenhum homem fizera D.D. Warren chorar em pelo menos 20 anos e certamente não ia começar agora.

Bobby continuava olhando para a garrafa de água, daí para ela, daí para a garrafa de água. Se ele fizesse isso de novo, D.D. jogaria o conteúdo da garrafa na cabeça dele. A ideia a animou, e ela estava quase recomposta quando encontraram uma vaga para estacionar.

Bobby tomou um café, depois eles subiram para a unidade de homicídio. D.D. e os colegas detetives tinham sorte. O quartel-general do DPB tinha sido construído fazia apenas 15 anos, e enquanto a localização ainda era assunto de debate, o prédio em si era moderno e bem cuidado. A unidade de homicídio parecia menos com algo do seriado *Nova York Contra o Crime* e mais com a Companhia de Seguro MetLife. Divisórias bem colocadas criavam áreas de trabalho iluminadas. Grandes arquivos de metal cinza eram cobertos por plantas verdes, fotos de família e objetos pessoais. Um dedo de espuma do Red Sox estava montado aqui, uma flâmula do Go Pats ali.

A secretária tinha uma coisa por *pot-pourri* de canela, enquanto os detetives tinham fetiche por café, assim o local tinha um odor agradável — uma mistura de café com canela que fizera um dos membros mais novos dar para o lugar o apelido de Starbucks. No típico estilo policial, o apelido pegou e agora a secretária mantinha adesivos, guardanapos e copinhos de papel da Starbucks no balcão da frente, o que confundira mais de uma testemunha que fora ali prestar depoimento.

D.D. encontrou seu esquadrão e um líder de cada grupo de investigação já na sala de conferência. Ela foi até a cabeceira da mesa, perto do grande painel branco que seria a bíblia do caso nos dias seguintes. Colocou a água na mesa, pegou um marcador preto e começou o trabalho.

A busca por Sophie Leoni era a principal prioridade. A linha especial tocava sem parar e havia produzido duas dúzias de pistas que os policiais investigavam naquele momento. Ainda não haviam encontrado nada de significativo. Passar a pente fino os bairros, negócios locais e centros médicos comunitários estava seguindo adiante na mesma base — algumas pistas, mas nada de significativo até ali.

Phil tinha pesquisado o passado da babá de Sophie, Brandi Ennis, o que não dera em nada. Isso junto com a entrevista pessoal feita por D.D. e Bobby, e eles achavam que podiam descartá-la como suspeita. A investigação primária da administração da escola e da professora de Sophie não fizera acender nenhuma luz de alarme. Em seguida eles começariam com os pais.

A equipe do vídeo havia estudado 75% das gravações de várias câmeras em um raio de três quilômetros ao redor da residência Leoni. Ainda não haviam encontrado nenhum sinal de Sophie, Brian Darby ou Tessa Leoni. A busca deles havia sido ampliada para incluir qualquer imagem da GMC Denali branca de Brian Darby.

Considerando a descoberta do laboratório criminal de que muito provavelmente um cadáver havia sido colocado na traseira do carro de Darby, retraçar as últimas 24 horas da Denali era a melhor pista que tinham. D.D. designou dois detetives para examinar os registros dos cartões de crédito para ver se conseguiam determinar quando tinha sido a última vez que a Denali fora abastecida. Baseada nesse dado e em quantos litros ainda havia no tanque, eles teriam como calcular qual seria a maior distância possível que Brian Darby poderia ter percorrido com um corpo na traseira do veículo. Além disso, os mesmos dois detetives iriam verificar qualquer multa por estacionamento proibido ou excesso de velocidade, ou qualquer outra infração, que pudesse ajudar a determinar a localização da Denali de sexta-feira à noite até domingo de manhã.

Por fim, D.D. vazaria detalhes sobre a Denali para a imprensa, encorajando testemunhas oculares a telefonar para dar novas informações.

Phil concordou em procurar por qualquer propriedade que pudesse pertencer a Brian Darby ou alguém da família. A pesquisa inicial que ele fez sobre a família não acendeu nenhum alarme vermelho. Brian Darby não havia sido preso sob esse nome. Havia algumas multas de trânsito ao longo dos últimos 15 anos, mas além disso ele parecia ser um cidadão cumpridor da lei. Ele trabalhara para a mesma companhia fazia 15 anos, a ASSC, como marinheiro mercante. Tinha uma hipoteca de 200 mil dólares na casa, um empréstimo de 34 mil dólares para comprar a Denali, quatro mil em débitos e mais de 50 mil no banco, portanto não era uma imagem financeira ruim.

Phil também realizara o contato inicial com o patrão de Darby, que concordou em fazer uma entrevista por telefone na manhã seguinte às 11.

Por telefone, Scott Hale ficou chocado ao saber da morte de Darby, e não podia acreditar que ele havia batido na mulher. Hale também ficou abatido com o desaparecimento de Sophie e ia pedir à ASSC que aumentasse o valor da recompensa.

D.D., que havia escrito no alto do painel, *Brian Darby batia na esposa?*, acrescentou um X na coluna do Não.

O que fez o outro colega de esquadrão, Neil, erguer a mão para a coluna Sim. Neil havia passado o dia no hospital, e entregara os mandados judiciais para pegar os registros médicos de Tessa Leoni. Apesar de não haver um longo histórico de "acidentes", o exame realizado nela naquele dia havia revelado múltiplos ferimentos de vários momentos do passado. Tessa Leoni tinha uma mancha roxa nas costelas, provavelmente de um incidente pelo menos uma semana atrás (a "queda da escada", D.D. comentou, girando os olhos para cima). O médico também havia feito uma anotação dizendo que estava preocupado que a costela quebrada tivesse solidificado de forma errada devido a "tratamento médico inadequado", o que parecia sustentar a afirmação de Tessa de que não procurara ajuda e lidara sozinha com as consequências de cada espancamento.

Além da concussão e do osso malar fraturado, a ficha médica listava uma série de contusões, incluindo uma mancha roxa no formato da ponta arredondada de uma bota de trabalho.

— Brian Darby tem botas de trabalho com ponta de aço? — D.D. perguntou agitada.

— Fui de volta até a casa e encontrei um par — Neil disse. — Perguntei ao advogado se podíamos comparar as botas ao machucado no quadril de Leoni. Ele considerou que seria uma invasão de privacidade e pediu que conseguíssemos um mandado.

— Invasão de privacidade! — D.D. bufou. — Esse é o tipo de descoberta que a ajudaria. Estabelece um padrão de abuso, significando que ela não ia passar vinte anos na cadeia.

— Ele não contestou isso. Só disse que ela está sob ordens do médico para descansar, então quer esperar até ela se recuperar da concussão.

— Por favor! Até lá a mancha roxa vai ter sumido e vamos perder a prova e ela vai ficar sem a corroboração. Que se dane o advogado. Arrume um mandado. Faça essa comparação.

Neil concordou, apesar de isso ter de esperar até o meio da manhã, já que ele começaria o dia no necrotério acompanhando a autópsia de Brian Darby. A autópsia estava marcada para as sete da manhã, considerando que Tessa Leoni estava requerendo a devolução dos restos mortais do marido o mais depressa possível, para realizar um funeral adequado.

— O quê? — D.D. exclamou.

— Não estou brincando — Neil disse. — O advogado dela ligou para o legista esta tarde, perguntando se sabíamos quando o corpo seria devolvido. Não me pergunte por quê.

Mas D.D. ficou olhando para o ruivo esguio assim mesmo.

— A morte de Brian Darby é questionável. Claro que o corpo dele deve ser autopsiado, o que Tessa sabe tão bem quanto todo mundo. — Ela olhou para Bobby. — *Troopers* estaduais aprendem homicídio um-zero--um[13], certo?

Bobby fez um show do ato de coçar a cabeça.

— O quê? Eles enfiam noventa aulas em vinte e cinco semanas no treinamento da Academia, e você quer que nos graduemos conhecendo os passos básicos de investigação?

— Então por que ela estaria pedindo o corpo de volta? — D.D. perguntou para ele. — Por que fizeram essa ligação?

Bobby deu de ombros.

— Talvez ela tenha pensado que já tinham feito a autópsia.

— Talvez ela tenha pensado que ia ter sorte — Neil falou. — Ela é uma colega policial. Talvez tenha pensado que o legista fosse atender seu pedido e devolver o corpo do marido sem realizar o *post mortem* básico.

D.D. mordeu o lábio inferior. Não estava gostando daquilo. Deixando de lado a beleza e a vulnerabilidade, Tessa Leoni era uma mulher fria,

---

13 Nos Estados Unidos, as aulas universitárias de cada matéria são iniciadas com o curso 101, e o número passou a ser usado para designar qualquer aprendizado desde o zero (N. T.).

incrivelmente lúcida quando precisava ser. Se Tessa havia feito essa ligação, tinha de haver um motivo.

D.D. voltou-se para Neil.

— O que o legista disse para ela?

— Nada. O legista falou com o advogado, não com a *trooper* Leoni. Ben lembrou ao advogado que uma autópsia tinha de ser realizada, o que Cargill não contestou. Pelo que entendi eles chegaram a um acordo, Ben realizaria a autópsia logo pela manhã, para acelerar a devolução do corpo de Darby para a família.

— Então a autópsia vai ocorrer mais cedo do que o planejado — D.D. meditou — e o corpo vai ser devolvido mais cedo. Quando o corpo do Darby será liberado?

Neil deu de ombros.

— Depois da autópsia, um assistente terá de costurar e limpar o corpo. Talvez no final da segunda, ou na terça pela manhã.

D.D. assentiu, ainda revirando o assunto na mente, mas sem entender o motivo. Por alguma razão, Tessa Leoni queria o corpo do marido de volta o mais depressa possível. Eles teriam de pensar nisso, porque tinha de haver um motivo. Sempre havia um motivo.

D.D. olhou para sua força-tarefa. Ela exigiu alguma boa notícia. Ninguém tinha nenhuma. Ela queria alguma pista nova. Ninguém tinha nenhuma.

Ela e Bobby contaram o que tinham descoberto sobre a juventude de Tessa Leoni. Ter de atirar para se defender uma vez era azar. Duas vezes parecia estar perigosamente perto de um padrão de comportamento, se bem que, do ponto de vista legal, seria preciso três vezes para comprovar isso.

D.D. queria descobrir mais sobre a morte de Thomas Howe. Logo pela manhã, ela e Bobby iriam atrás do policial responsável pela investigação. Se possível, também entrariam em contato com a família Howe e com o pai de Tessa. E, por fim, queriam descobrir qual academia Brian Darby frequentava para conferir que tipo de ginástica praticava e possivelmente se tomava esteroides. Ele havia ganhado músculos relativamente depressa, o Sr. Sensibilidade tornando-se o Sr. Temperamental. Valia a pena conferir.

Com isso, D.D. explicitou os próximos passos e passou lição de casa. A equipe do vídeo precisava terminar a maratona assistindo às câmeras de Boston. Phil precisava completar as pesquisas sobre o passado da família, fazer as buscas por propriedades e entrevistar o chefe de Brian Darby. Neil ia acompanhar a autópsia e conseguir um mandato para comparar a bota de Brian Darby com a mancha roxa no quadril de Tessa Leoni.

A equipe da gasolina tinha de lidar com o consumo de combustível e os mapas de Boston, determinando uma área máxima de busca por Sophie Leoni, enquanto os policiais da linha de emergência continuariam a verificar pistas antigas e procurar por novas.

D.D. precisava dos relatórios dos interrogatórios daquele dia em uma hora. Façam a documentação, ela ordenou para a equipe, e voltem para o trabalho às 0h30. Sophie Leoni continuava desaparecida, o que significava que não haveria descanso para os cansados.

Os detetives saíram.

D.D. e Bobby ficaram para falar com o superintendente de homicídios, e depois com o promotor do condado de Suffolk. Nenhum dos dois estava interessado em detalhes, o que eles queriam eram resultados. Era um trabalho cheio de alegria que D.D. tinha de fazer, sendo a chefe dos detetives, o de informá-los que não havia determinado os eventos que levaram à morte de Brian Darby, nem tinha localizado a menina de seis anos. Mas, ei, praticamente todos os policiais de Boston estavam trabalhando no caso, então a força-tarefa ia conseguir algum resultado... em algum momento.

O promotor, que ficou realmente surpreso ao ouvir a revelação de que Tessa Leoni já havia usado o argumento da defesa pessoal uma vez, concordou com o pedido de D.D. por mais tempo antes de determinar as acusações criminais. Dadas as diferenças entre construir um caso de homicídio involuntário e outro de assassinato em primeiro grau, informações adicionais seriam ideais e um bom mergulho na problemática juventude de Tessa Leoni era uma necessidade.

Eles manteriam a imprensa focada na busca por Sophie, e longe dos detalhes sobre a morte de Brian Darby.

À meia-noite e meia, D.D. finalmente voltou para seu próprio escritório. Seu chefe estava satisfeito, o promotor apaziguado, a força-tarefa preparada para seguir adiante. E assim foi mais um dia em outro caso de alto perfil. As engrenagens do sistema de justiça criminal girando e girando.

Bobby ocupou a cadeira ao lado da dela. Sem uma palavra, ele pegou o primeiro relatório da pilha sobre a mesa e começou a ler.

Depois de um momento, D.D. fez o mesmo.

---

# 14

Quando Sophie estava com quase três anos, ela se trancou no porta-malas da minha viatura de polícia. Isso aconteceu antes de eu conhecer Brian, assim eu só tinha a mim mesma para culpar.

Estávamos morando do outro lado do corredor do apartamento da Sra. Ennis naquela época. Era final do outono, quando o sol se põe mais cedo e as noites começavam a ficar mais frias. Sophie e eu tínhamos saído, andamos no parque e voltamos. Agora era hora do jantar, e eu estava na cozinha pensando que ela estava brincando na sala, onde a televisão emitia os sons do programa *Curious George*.

Eu havia feito uma pequena salada, parte do meu programa de introduzir mais legumes e folhas na dieta da minha filha. Depois grelhei dois peitos de frango e assei batatas fritas Ore-Ida — era o acordo, Sophie podia comer suas adoradas batatinhas fritas se antes comesse a salada.

Esse projeto consumiu 20, 25 minutos. Mas foram 25 minutos muito atribulados. Fiquei ocupada e aparentemente não prestei atenção na minha filha porque, quando entrei na sala para anunciar que o jantar estava pronto, ela não estava lá.

Não entrei em pânico imediatamente. Gostaria de dizer que foi porque eu era uma policial treinada, mas na verdade teve mais a ver com ser mãe da Sophie. Ela havia começado a correr com 13 meses e não parara a partir de então. Era aquela criança que desaparecia nas mercearias, saía voando de balanços, e conseguia correr em linha reta no meio de um mar de pernas em um shopping lotado, quer eu a estivesse seguindo ou não. Nos últimos seis meses, havia perdido Sophie várias vezes. Mas sempre levava apenas alguns minutos para nos encontrarmos.

Comecei com o básico — uma rápida passada pelo nosso quarto minúsculo. Chamei o nome dela, depois não esqueci de olhar nos armários do banheiro, nos dois armários de roupas e debaixo da cama. Ela não estava no apartamento.

Verifiquei a porta da frente que, claro, eu tinha esquecido de trancar, o que queria dizer que ela poderia estar em qualquer lugar do prédio inteiro. Cruzei o corredor, xingando a mim mesma em silêncio e sentindo a frustração crescente que vem de ser uma mãe solteira sobrecarregada, responsável por tudo o tempo todo, quer fosse capaz disso ou não.

Bati na porta da Sra. Ennis. Não, Sophie não estava lá, mas ela podia jurar que tinha acabado de ver Sophie brincando lá fora.

Então fui para fora. O sol tinha desaparecido. As luzes da rua estavam acesas, assim como as luzes na frente do prédio. Nunca ficava realmente escuro em uma cidade como Boston. Fiquei pensando nisso enquanto contornava o prédio de tijolos, chamando o nome da minha filha. Quando nenhuma criança risonha veio na minha direção, nem ouvi nenhuma risadinha aguda nos arbustos, fiquei mais preocupada.

Comecei a tremer. Estava frio, eu estava sem casaco, e, como lembrava de ter visto o casaco framboesa da Sophie pendurado perto da porta em nosso apartamento, ela também estava sem casaco.

Meu coração acelerou. Respirei fundo para me controlar, tentando combater a crescente sensação de desgraça iminente. Durante todo o período da gravidez vivi em um estado de medo. Eu não tinha sentido o milagre da vida crescendo em meu corpo. Em vez disso, via a foto do meu irmãozinho morto, um recém-nascido branco como mármore com lábios vermelhos brilhantes.

Quando entrei em trabalho de parto, pensei que não conseguiria respirar por causa do terror que apertava minha garganta. Eu ia falhar, meu bebê morreria, não havia esperança, nenhuma esperança, nenhuma esperança.

Só que então ali estava Sophie. Perfeita, vermelha e gritando. Sophie quente e escorregadia e linda de doer em meus braços.

Minha filha era forte. E destemida e impulsiva.

Você não fica em pânico com uma criança como Sophie. Você tem de usar estratégia: o que Sophie faria?

Voltei para o prédio, fiz uma rápida busca de porta em porta. Muitos dos vizinhos não tinham voltado do trabalho ainda; os poucos que atenderam não tinham visto Sophie. Movia-me mais depressa agora, passos com propósito.

Sophie gostava do parque e poderia ter ido para lá, mas nós tínhamos passado a tarde brincando nos balanços e até ela ficou com vontade de voltar para casa no final. Ela gostava da loja da esquina e estava positivamente fascinada com a lavanderia — ela adorava ver as roupas girando.

Decidi subir a escada. Dar mais uma olhada em nosso apartamento para ver se algo estava faltando — um brinquedo especial, a bolsa favorita dela. Daí pegaria as chaves do carro e daria a volta no quarteirão.

Entrei no apartamento e logo descobri o que ela tinha pego: as chaves da minha viatura de polícia não estavam mais no pratinho de trocados.

Dessa vez, saí correndo do apartamento e desci a escada. Crianças pequenas não combinam com viaturas de polícia. Esqueça o rádio, as luzes e sirenes na frente. Eu tinha uma espingarda no porta-malas.

Corri até o lado do passageiro, olhando dentro do carro. O interior parecia estar vazio. Tentei a porta, mas estava trancada. Dei a volta com mais cuidado, o coração acelerado, respirando depressa enquanto inspecionava cada porta e janela. Nenhum sinal de atividade. Trancado, trancado, trancado.

Mas ela tinha pego as chaves. Pense como Sophie. Que botão ela poderia ter apertado no chaveiro? O que ela poderia ter feito?

Então a ouvi. Um *bam, bam, bam* vindo do porta-malas. Ela estava lá dentro, batendo na tampa.

— Sophie? — chamei.

As batidas pararam.

— Mamãe?

— Sim, Sophie. Mamãe está aqui. Querida — a voz estava aguda, apesar das minhas intenções. — Você está bem?

— Mamãe — minha filha respondeu calmamente de dentro do porta-malas trancado. — Presa, mamãe, presa.

Fechei os olhos, soltando o ar contido nos pulmões.

— Sophie, querida — eu disse com toda a firmeza que consegui reunir. — Você tem de ouvir a mamãe. Não toque em nada.

— Chave.

— Você está com as chaves?

— Mmm-hummm.

— Estão na sua mão?

— Não tocar!

— Bem, você pode tocar nas chaves, meu bem. Segure as chaves, só não toque em mais nada.

— Presa, mamãe, presa.

— Eu sei, meu bem. Você quer sair?

— Sim!

— Certo. Segure as chaves. Encontre o botão com seu dedinho. Aperte o botão.

Ouvi um clique quando Sophie fez o que eu disse. Corri até a porta da frente para verificar. Claro, ela tinha apertado o botão da trava da porta.

— Sophie, querida — falei novamente. — O outro botão, do lado desse! Aperte!

Outro clique, e a porta da frente destravou. Respirando apressada, abri a porta, encontrei a alavanca do porta-malas e a puxei. Segundos depois estava parada ali acima da minha filha enrodilhada como um montinho rosado no meio da caixa de metal onde estava minha espingarda de reserva e uma sacola preta com munição e mais equipamento de polícia.

— Você está bem? — eu quis saber.

Minha filha bocejou, estendendo os bracinhos para mim.

— Fome!

Eu a tirei dali, coloquei-a em pé na calçada, onde ela começou a tremer de frio.

— Mamãe — ela começou a reclamar.

— Sophie! — interrompi com firmeza, sentindo o começo da raiva agora que minha filha não estava mais em perigo. — Escute. — Eu tirei as chaves dela, as ergui no ar e as balancei. — Isso *não* é seu. Você não pode *nunca* tocar nessas chaves, está entendendo? Não pode tocar!

Os lábios de Sophie se projetaram.

— Não tocar — ela gorjeou. A extensão completa do que havia feito pareceu ficar clara. Ela ficou abatida, olhou para o chão.

— Você não pode sair do apartamento sem me dizer! Olhe para mim. Repita. Diga para a mamãe.

Ela olhou para mim com seus líquidos olhos azuis.

— Não sair. Dizer mamãe — ela sussurrou.

Com a bronca concluída, cedi aos dez minutos de terror, peguei-a no colo e a abracei com força.

— Não assuste a mamãe assim — eu sussurrei contra a cabeça dela. — Sério, Sophie. Eu te amo. Não quero nunca perder você. Você é minha Sophie.

Em resposta os dedinhos dela apertaram meus ombros, agarrando--se a mim.

Depois de mais um momento, eu a coloquei no chão. Eu devia ter colocado a trava, lembrei a mim mesma. E teria de colocar as chaves do carro no alto do armário, ou talvez deixá-las no cofre da arma. Mais coisas para lembrar. Mais gerenciamento em uma vida já sobrecarregada.

Meus olhos arderam um pouco, mas não chorei. Ela era minha Sophie. E eu a amava.

— Você não ficou com medo? — perguntei quando segurei a mão dela e a levei de volta para o apartamento para o jantar agora frio.

— Não, mamãe.

— Nem mesma trancada no escuro?

— Não, mamãe.

— Mesmo? Você é uma menina corajosa, Sophie Leoni.

Ela apertou minha mão.

— Mamãe vem — ela disse simplesmente. — Mamãe vem me buscar.

Lembrei agora daquela noite, estando ali presa num quarto de hospital, rodeada por monitores que emitiam bipes e o ruído constante de um centro médico em atividade. Sophie era forte. Sophie era corajosa. Minha filha não tinha medo do escuro, como eu tinha feito os detetives acreditarem. Eu queria que eles sentissem medo por ela, e queria que sentissem o que ela estava sentindo. Qualquer coisa que os fizesse trabalhar com mais empenho, para trazerem-na para casa o mais depressa possível.

Eu precisava de Bobby e D.D., quer eles acreditassem em mim ou não. Minha filha precisava deles, especialmente agora que a mãe super-heroína dela não podia levantar sem vomitar.

Era terrível de admitir, mas era verdade: minha filha estava em perigo, perdida no escuro. E eu não podia fazer absolutamente nada para ajudar.

Uma da manhã.

Apertei o botão azul na minha mão, com força.

— Sophie, tenha coragem — sussurrei no quarto meio escuro, desejando que meu corpo sarasse mais depressa. — Mamãe está indo. Mamãe vai sempre buscar você.

Em seguida, forcei-me a repassar as últimas 36 horas. Pensei na imensa tragédia dos dias anteriores. E contemplei o imenso perigo dos dias à frente.

Trabalhe nos ângulos, antecipe obstáculos, esteja um passo adiante.

A autópsia de Brian tinha sido transferida para o início da manhã. Uma vitória de Pirro — consegui o que queria e, ao fazê-lo, certamente havia enfiado meu pescoço no laço.

Mas isso também acelerava as coisas, tirava um pouco do controle deles e o devolvia para mim.

Nove horas, calculei. Nove horas para me recuperar fisicamente e então, pronta ou não, o jogo vai começar.

Pensei em Brian, morrendo no chão da cozinha. Pensei em Sophie, arrancada de casa.

Daí me permiti um último momento para lamentar a morte do meu marido. Porque uma vez, no passado, nós tínhamos sido felizes.

Uma vez, no passado, tínhamos sido uma família.

---

# 15

Às 2h30, D.D. voltou para o condomínio em North End onde morava. Desabou na cama, ainda vestida, e colocou o despertador para tocar dali a quatro horas. Acordou seis horas depois, olhou para o relógio e imediatamente entrou em pânico.

Oito e meia da manhã! Ela nunca perdia a hora. Nunca.

Saltou da cama, olhou apressada ao redor, então pegou o celular e ligou. Bobby atendeu depois do segundo toque, e ela falou sem respirar:

— Estou indo, estou indo. Só preciso de quarenta minutos.

— Está bem.

— Devo ter colocado o despertador errado. Preciso só tomar banho e me vestir, comer alguma coisa e vou para aí.

— Está bem.

— Mercado! O trânsito!

— D.D. — Bobby disse, com mais firmeza. — Está tudo bem.

— São oito e meia! — ela gritou, e para seu horror percebeu que estava a ponto de chorar. Sentou-se na beirada da cama. Meu Deus, ela estava um caco. O que estava acontecendo?

— Eu ainda estou em casa — Bobby disse. — Annabelle está dormindo.

# 15

Às 2h30, D.D. voltou para o condomínio em North End onde morava. Desabou na cama, ainda vestida, e colocou o despertador para tocar dali a quatro horas. Acordou seis horas depois, olhou para o relógio e imediatamente entrou em pânico.

Oito e meia da manhã? Ela nunca perdia a hora. Nunca!

Saltou da cama, olhou apressada ao redor, então pegou o celular e ligou. Bobby atendeu depois do segundo toque, e ela falou sem respirar:

— Estou indo, estou indo. Só preciso de quarenta minutos.

— Está bem.

— Devo ter colocado o despertador errado. Preciso só tomar banho e me vestir, comer alguma coisa e vou para aí.

— Está bem.

— Merda! O trânsito!

— D.D. — Bobby disse, com mais firmeza. — Está tudo bem.

— São oito e meia! — ela gritou, e para seu horror percebeu que estava a ponto de chorar. Sentou-se na beirada da cama. Meu Deus, ela estava um caco. O que estava acontecendo?

— Eu ainda estou em casa — Bobby disse. — Annabelle está dormindo, estou dando comida para o bebê. E te digo uma coisa. Vou ligar para o detetive que cuidou do caso Thomas Howe. Com alguma sorte, podemos nos encontrar em Framingham em duas horas. Que tal esse plano?

D.D., soando dócil:

— Está bem.

— Ligo de volta em meia hora. Aproveite o banho.

D.D. devia dizer alguma coisa. Nos velhos tempos, ela definitivamente diria alguma coisa. Mas, em vez disso, desligou o celular e ficou ali sentada, sentindo-se como um balão que tinha subitamente desinflado.

Depois de mais um minuto, ela marchou para o banheiro, onde tirou as roupas do dia anterior e ficou ali em um mar de ladrilhos brancos, olhando o corpo nu no espelho.

Tocou a barriga com os dedos, passando as palmas pela pele esticada, tentando sentir algum sinal do que estava lhe acontecendo. Com cinco semanas, não percebeu nenhum movimento do bebê nem qualquer saliência, por mais delicada que fosse. Parecia até que sua barriga estava menor, o corpo mais magro. Mas também, ir de bufês de "coma quanto puder" para caldos com bolachas podia fazer isso com uma garota.

Ela passou a inspeção para o rosto, onde os cachos loiros desarranjados emolduravam o rosto magro e olhos inchados. Ainda não havia feito um teste de gravidez. Considerando o período perdido, a fadiga intensa que alternava com uma náusea muito forte, a condição parecia óbvia. Era bem a sua sorte terminar um período de três anos sem sexo conseguindo ficar grávida logo de cara.

Talvez não estivesse grávida, ela pensou agora. Talvez estivesse é morrendo.

— Você não tem tanta sorte assim — ela murmurou sombriamente.

Mas as palavras a chocaram. Ela não queria dizer isso. Não podia querer isso.

Tocou a barriga novamente. Talvez a cintura estivesse mais larga. Talvez, bem ali, dava para sentir um indício de aumento... Os dedos pararam, acariciando o local gentilmente. E, por um segundo, ela imaginou um recém-nascido, o rosto vermelho inchado, os olhos como dois riscos escuros, os lábios, botões rosados. Menino? Menina? Não importava. Era simplesmente um bebê. Um simples e maravilhoso bebê.

— Eu não vou machucar você — ela sussurrou no silêncio do banheiro. — Eu não sou material materno. Vou ser terrível nisso. Mas não vou machucar você. Eu nunca machucaria você intencionalmente.

Ela parou, suspirou profundamente, sentiu sua negação dar o primeiro passo delicado na direção da aceitação.

— Mas você vai ter de me ajudar nisso. Está bem? Você não está ganhando a loteria materna aqui. Então vai ser preciso nos ajudar. Por exemplo, você pode me deixar voltar a comer e, em troca, vou tentar ir para a cama antes da meia-noite. É o melhor que posso fazer. Se quiser uma oferta melhor, você vai ter de voltar para o jarro da procriação e começar de novo... Sua mamãe está tentando achar uma menininha. E talvez você não ligue para isso, mas eu ligo. Não dá para evitar. Esse trabalho está no meu sangue.

Mais uma pausa. Ela suspirou profundamente outra vez, os dedos ainda acariciando a barriga.

— Então eu tenho de fazer o que preciso fazer — sussurrou. — Porque o mundo está uma sujeira, e alguém tem de limpá-lo. Ou meninas como Sophie Leoni nunca vão ter uma chance. Não quero viver em um mundo assim. E não quero que você cresça em um mundo assim. Então vamos fazer isso juntos. Eu vou tomar banho, depois vou comer. Que tal cereais?

O estômago não se retorceu imediatamente, o que ela interpretou como um sim.

— Então vão ser cereais. Depois voltamos ao trabalho. Quanto mais depressa encontrarmos Sophie, mais depressa vou poder levar você para casa para ver o papai. Que, pelo menos uma vez, faz algum tempo, disse que queria ter filhos. Espero que isso ainda seja verdade. Ah, droga. Vamos precisar de um pouco de fé aqui. Certo, então vamos em frente.

D.D. abriu o chuveiro.

Mais tarde ela comeu Cheerios, e saiu do apartamento sem vomitar. Está muito bom, ela decidiu. Muito bom.

O detetive Butch Walthers merecia o apelido. Rosto duro, ombros imensos, corpo em forma de barril de um ex-defesa de futebol americano que agora envelhecera. Ele concordara em encontrar com Bobby e D.D. em uma pequena lanchonete na esquina da casa dele, porque era seu dia de folga e, se ia ter de falar de trabalho, preferia fazer isso comendo.

D.D. entrou, deu de cara com uma sólida parede de ovos cozidos e bacon frito e quase voltou para a rua. Ela sempre adorara lugares assim. Sempre amara ovos com bacon. Estar reduzida a náusea instantânea agora ia além de crueldade.

Respirou várias vezes pela boca para se recompor. Daí, tendo uma inspiração, pegou uma goma de mascar de hortelã na bolsa. Um velho truque aprendido depois de trabalhar em incontáveis cenas de homicídio — mascar chiclete de menta satura o sentido do olfato. Ela colocou três gomas na boca, sentiu o gosto forte do hortelã preencher a garganta e conseguiu ir até o fundo da lanchonete, onde Bobby já estava sentado diante do detetive Walthers a uma mesa lateral.

Os dois homens se levantaram quando ela se aproximou. Ela se apresentou para Walthers, acenou para Bobby com um gesto de cabeça, em seguida foi a primeira a se sentar, assim conseguiu ficar perto da janela. Estava com sorte, parecia que aquela janela podia ser aberta. Começou imediatamente a lutar com o trinco.

— Está um pouco quente — comentou. — Espero que vocês não se importem.

Os dois homens a olharam com ar de curiosidade, mas não disseram nada. A lanchonete estava mesmo quente, D.D. pensou de forma defensiva, e o jorro de ar frio de março cheirava a neve e mais nada. Ela se inclinou para mais perto da abertura estreita.

— Café? — Bobby perguntou.

— Água — D.D. disse.

Ele ergueu uma sobrancelha.

— Já tomei um café — ela mentiu. — Não quero ficar toda elétrica.

Bobby não estava engolindo aquilo. Ela devia ter imaginado. Virou-se para Walthers antes de Bobby poder perguntar o que queria comer. D.D. recusando uma refeição provavelmente anunciava o fim do universo.

— Obrigada por falar conosco — D.D. disse. — Especialmente no seu dia de folga.

Walthers assentiu obsequioso. Seu nariz bulboso era coberto por capilares vermelhos rompidos. Um bebedor, D.D. deduziu. Um dos veteranos dos velhos tempos chegando ao final da carreira policial. Se ele achava que a vida era dura agora, ela pensou com um pouco de simpatia, espere até experimentar a aposentadoria. Tantas horas vazias para preencher com lembranças dos bons e velhos dias, e arrependimentos por aqueles que escaparam.

— Fiquei surpreso por vocês quererem falar sobre o caso Howe — Walthers disse agora. — Trabalhei em muitos casos no meu período. Nunca imaginei que aquela investigação fosse interessante.

— Pareceu fácil demais?

Walthers deu de ombros.

— Sim e não. As evidências físicas estavam completamente fodidas, mas a pesquisa sobre Tommy Howe foi bem direta. Tessa Leoni não foi a primeira garota que ele atacou; foi apenas a primeira que reagiu.

— Mesmo? — D.D. ficou intrigada.

A garçonete apareceu, olhando para eles com expectativa. Walthers pediu o Trailblazer Special com quatro fios de salsichas, dois ovos fritos e meio prato de batatas fritas. Bobby quis o mesmo. D.D., sentindo-se corajosa, pediu um suco de laranja.

Agora Bobby estava definitivamente olhando surpreso para ela.

— Então repasse o caso para nós — D.D. disse para Walthers no momento em que a garçonete se afastou.

— O chamado veio pelo 911. A mãe, pelo que lembro, completamente histérica. O primeiro policial na cena encontrou Tommy Howe na sala de estar morto com um único tiro, os pais e a irmã ao lado vestindo robe. A mãe soluçava, o pai tentando consolá-la, a irmã mais nova em estado de choque. Os pais não sabiam nada de nada. Eles acordaram com um barulho, o pai desceu, encontrou o corpo de Tommy e foi isso.

— A irmã, Juliana, era quem tinha respostas, mas levou um tempo até ela falar. Tinha uma amiga dela dormindo lá...

— Tessa Leoni — D.D. completou.

— Exatamente. Tessa tinha dormido no sofá enquanto elas assistiam a filmes. Juliana foi para cima dormir. Pouco depois da uma da manhã, ela também escutou um barulho. Desceu e encontrou o irmão e Tessa no sofá. Nas palavras dela, não sabia o que estava acontecendo, mas então ouviu um tiro e Tommy se contorceu. Ele caiu no chão, e Tessa levantou do sofá, ainda com a arma na mão.

— Juliana viu Tessa atirar no irmão? — D.D. perguntou.

— É. Juliana estava muito abalada. Ela disse que Tessa falou que Tommy a atacou. Juliana não sabia o que fazer. Tommy estava sangrando muito, ela ouviu o pai descendo a escada. Ela entrou em pânico, disse para Tessa ir para casa, e Tessa foi.

— Tessa correu para casa no meio da noite? — Bobby falou com a testa franzida.

— Tessa morava na mesma rua, a cinco casas dali. Não era uma grande distância. Quando o pai desceu, ele gritou para Juliana fazer a mãe ligar para o 911. Foi essa a cena que encontrei. Sangue na sala, um adolescente morto, a atiradora sumida.

— Onde foi o tiro no Tommy?

— Na parte de cima da coxa. A bala cortou a artéria femoral e ele sangrou até a morte. Teve azar. Se pensar nisso, é muito azar morrer por causa de um único tiro na perna.

— Só um tiro?

— Foi o que deu cabo dele.

Interessante, D.D. pensou. Pelo menos Brian Darby tinha levado três tiros no peito. Que diferença 25 semanas de treinamento intensivo com armas de fogo faziam.

— Então onde estava a Tessa? — D.D. perguntou.

— Depois da declaração da Juliana, eu fui até a casa dos Leoni, onde Tessa atendeu assim que batemos. Ela tinha tomado banho...

— Não acredito!

— Eu disse que as evidências físicas estavam todas fodidas. Mas, também — Walthers ergueu e baixou os ombros imensos —, ela tinha dezesseis anos. Ela admitiu que tinha sido assediada sexualmente antes de atirar nele. E foi direto para o chuveiro. Você pode condená-la por isso?

Mesmo assim, D.D. não gostava daquilo.

— Que evidências físicas foram recolhidas?

— A vinte e dois. Tessa a entregou imediatamente. As impressões dela estavam no cabo e a balística confirmou que a bala que matou Tommy Howe saiu daquela arma. Nós ensacamos e rotulamos as roupas que ela estava usando antes. Não havia sêmen nas roupas de baixo, ela disse que ele não... bem, não terminou o que começou. Mas havia algum sangue na roupa dela, do mesmo tipo do sangue do Tommy Howe.

— Vocês testaram as mãos dela para ver se tinham pólvora?

— Não. Ela tinha tomado banho.

— Kit de estupro?

— Ela não quis fazer.

— Ela não quis fazer?

— Ela disse que já tinha passado por coisas demais. Tentei convencê-la a deixar a enfermeira examiná-la em busca de ferimentos, tentei explicar que seria do interesse dela, mas ela não quis. A menina estava tremendo feito vara verde. Dava para ver que ela estava acabada.

— E onde estava o pai dela nessa hora? — Bobby quis saber.

— Ele acordou quando entramos na casa. Aparentemente só percebeu naquela hora que a filha havia voltado mais cedo da noite em que fora dormir na casa da amiga e que tinha acontecido alguma coisa. Ele parecia um tanto... fora do ar. Ficou na cozinha de cueca e uma camiseta de espancador de esposa, os braços cruzados, sem dizer uma palavra. Quer dizer, ali está a filha dele de dezesseis anos falando sobre ter sido atacada por um rapaz e ele só fica lá feito uma maldita estátua. Donnie — Walthers falou estalando os dedos quando lembrou do nome. — Donnie Leoni. Ele tinha uma oficina. Nunca consegui entender aquele sujeito. Achei que fosse bebida, mas nunca confirmei isso.

— E a mãe? — D.D. perguntou.

— Morta. Fazia seis meses, ataque cardíaco. Não era um lar feliz, mas... — Mais uma vez, Walthers deu de ombros. — A maioria dos lares não é.

— Então — D.D. repassou os eventos em sua mente —, Tommy Howe está morto por causa de um único disparo na sala de casa. Tessa confessa o crime, completamente limpa e declarando que não quer passar por um exame físico. Eu não entendi. O promotor simplesmente aceitou a palavra dela? Uma pobre e traumatizada menina de dezesseis anos tinha de estar dizendo a verdade?

Walthers balançou a cabeça.

— Cá entre nós?

— Claro — D.D. assegurou. — Entre amigos.

— Eu não podia decidir no cara ou coroa a respeito de Tessa Leoni. Quer dizer, de um lado, ela estava sentada na cozinha tremendo sem parar. Do outro lado... ela contou com precisão cada minuto da noite. Em todos meus anos, nunca tive uma vítima que lembrasse de tantos detalhes com tanta clareza, especialmente uma vítima de ataque sexual. Isso me incomodou, mas o que eu podia dizer: *Querida, sua memória é boa demais para eu levar você a sério?* — Walthers balançou a cabeça. — Naquela época, dizer algo assim poderia custar o distintivo de um detetive, e, acredite, eu tenho duas ex-esposas para sustentar, preciso da minha pensão.

— Então por que a deixaram escapar com essa teoria de se defender? Por que não apresentar uma acusação?

— Porque Tessa Leoni podia ser uma vítima questionável, mas Tommy Howe era o perfeito perpetrador. Em vinte e quatro horas, três garotas diferentes ligaram relatando ataques sexuais que sofreram. Nenhuma delas quis fazer uma declaração formal, imagine, mas quanto mais cavamos, mais descobrimos que Tommy tinha uma reputação muito clara com as damas: ele não aceitava não como resposta. Ele não usava necessariamente a força bruta, e foi por isso que tantas meninas relutaram em testemunhar. Parece que ele as enchia de álcool, talvez até colocasse alguma coisa nas bebidas delas. Mas algumas das meninas lembravam claramente que *não* estavam interessadas em Tommy Howe e acordaram na cama dele assim mesmo.

— Rohypnol — D.D. disse.

— Provavelmente. Nunca encontramos nada no dormitório dele, mas até os amigos dele admitiam que o que o Tommy queria, o Tommy conseguia, e o que as meninas pensavam a respeito não era de grande interesse para ele.

— Ótimo sujeito — Bobby murmurou sombriamente.

— Os pais certamente achavam isso — Walthers lembrou. — Quando o promotor declarou que não ia fazer acusação, e tentou explicar as circunstâncias atenuantes... Ficou parecendo que estávamos dizendo que o papa era ateu. O pai, James, James Howe, subiu pelas paredes. Gritou com o promotor, ligou para meu tenente para reclamar como meu trabalho de merda estava deixando uma assassina a sangue frio escapar livre. Jim tinha contatos, ele ia nos pegar todos no final.

— E ele pegou? — D.D. perguntou com curiosidade.

Walthers revirou os olhos.

— Por favor, ele era um gerente de nível médio da Polaroid. Contatos? Ele vivia bem, e certamente os filhos o temiam. Mas ele só era rei dentro de casa. Pais... — Walthers balançou a cabeça outra vez.

— O senhor e a Sra. Howe nunca acreditaram que Tommy atacou Tessa Leoni?

— Não. Eles não conseguiam ver a culpa do filho, o que era interessante porque Donnie Leoni não conseguia ver a inocência da filha. Ouvi dizer que ele a pôs para fora de casa. Aparentemente, ele era um desses sujeitos que acredita que uma garota tinha de estar pedindo para acontecer. — Walthers balançou a cabeça mais uma vez. — O que eu poderia fazer?

A garçonete apareceu, trazendo as bandejas de comida. Colocou os pratos na frente de Walthers e Bobby, e passou o copo de suco para D.D.

— Mais alguma coisa? — a garçonete perguntou.

Eles fizeram que não; ela se afastou.

Os homens começaram a comer. D.D. inclinou-se para mais perto da janela aberta para escapar do cheiro gorduroso das salsichas. Tirou a goma de mascar da boca e experimentou um gole do suco de laranja.

Então Tessa Leoni havia atirado em Tommy Howe uma vez só na perna. Se D.D. imaginasse a cena em sua cabeça, a coreografia faria sentido. Tessa, com 16 anos, aterrorizada, presa no sofá pelo peso de um homem maior e mais forte. A mão direita procurando ao lado, sentindo o volume da bolsa contra o quadril. Procurando o 22 do pai, por fim conseguindo empunhar a arma, enfiando-a entre os corpos dos dois...

Walthers estava certo — Tommy tinha tido muito azar por ter morrido de um ferimento desses. Considerando tudo, Tessa também tivera azar, pois com isso perdera o pai e a melhor amiga.

Parecia um homicídio justificável, considerando o número de outras mulheres dispostas a corroborar o histórico de Tommy como agressor sexual. Mas, mesmo assim, uma mulher envolvida em dois casos fatais com tiros... Primeiro um envolvendo um rapaz adolescente muito agressivo. Depois um envolvendo um marido abusivo. No primeiro incidente um único disparo na perna que por acaso foi fatal. No segundo incidente três disparos no peito, bem no meio da área mortal.

Dois casos com tiros. Dois incidentes de autodefesa. Má sorte, D.D. imaginou, tomando um segundo golinho do suco de laranja. Ou teria sido uma curva de aprendizado?

Walthers e Bobby terminaram seus pratos. Bobby pegou a conta, Walthers grunhiu um agradecimento. Eles trocaram cartões, em seguida Walthers foi embora, deixando D.D. e Bobby parados na calçada.

Bobby virou-se para ela assim que Walthers virou a esquina.

— Tem algo que você quer me dizer, D.D.?

— Não.

Ele contraiu as mandíbulas, parecendo que queria insistir no assunto, mas não o fez. Virou-se, analisando o toldo na frente da lanchonete. Se D.D. não o conhecesse bem, diria que estava magoado.

— Tenho uma pergunta para você — D.D. disse, para mudar de assunto e aliviar a tensão. — Eu fico voltando para Tessa Leoni, forçada a matar dois homens em dois incidentes separados de autodefesa. Fico imaginando, ela é assim azarada ou é assim esperta?

Isso atraiu a atenção de Bobby. Ele se virou para ela, a expressão intensa.

— Pense nisso — D.D. continuou. — Tessa abandonada aos dezesseis, termina grávida aos vinte e um. Mas então, nas palavras dela mesma, reconstrói a vida. Para de beber. Dá a luz uma linda filha, torna-se uma policial respeitável, até encontra um grande sujeito. Até a primeira vez que ele bebe demais e bate nela. Agora o que ela faz?

— Policiais não confiam em outros policiais — Bobby disse em tom duro.

— Exatamente — D.D. concorda. — Violaria o código do policial em patrulha, de quem se espera que resolva tudo sozinho. Agora, Tessa poderia deixar o marido. Na vez seguinte que Brian partiu no navio, Tessa e Sophie teriam um período de sessenta dias para arrumar outro lugar. Só que, depois de viver numa linda casinha, Tessa não quer voltar para um apartamento de um quarto. Talvez ela goste da casa, do quintal, da SUV cara, dos cinquenta mil no banco.

— Talvez ela pense que se mudar não vai resolver o problema — Bobby disse, equilibrando o cenário. — Nem todos os maridos abusivos aceitam uma deixa.

— Certo — D.D. concedeu. — Isso também. Tessa decide que precisa de uma solução mais permanente. Uma que remova Brian Darby de uma vez por todas da vida dela e de Sophie, e ao mesmo tempo preserve uma ótima casa em Boston. Então o que ela faz?

Bobby olhou para ela.

— Você está dizendo que baseada na experiência que teve com Tommy Howe, Tessa decidiu simular um ataque em que pudesse matar o marido ao se defender?

— Estou dizendo que essa ideia pode ter passado pela cabeça dela.

— Sim. Só que os ferimentos de Tessa não são simulados. Concussão, o rosto fraturado, contusões múltiplas. A mulher nem consegue ficar em pé.

— Talvez Tessa tenha feito o marido a atacar. Não é algo muito difícil de fazer. Ela sabia que ele ia beber. Tudo que precisava fazer era incitá-lo a bater nela algumas vezes, e ela poderia abrir fogo. Brian cede ao demônio interno, Tessa tira vantagem disso.

Bobby franziu a testa, balançando a cabeça.

— Isso é frio. E ainda assim não encaixa.

— Por que não?

— Por causa de Sophie. Então ela faz o marido bater nela. E Tessa atira no marido. Como você disse ontem, isso explica o corpo dele na cozinha, e a visita que ela recebeu dos socorristas no solário. Mas e quanto a Sophie? Onde está Sophie?

D.D. fez cara feia. Seus braços se apoiaram no ventre.

— Talvez ela quisesse que Sophie estivesse fora de casa para não testemunhar o evento.

— Daí ela teria arranjado para Sophie ficar com a Sra. Ennis.

— Espere, talvez seja esse o problema. Ela não fez um arranjo para Sophie ficar com a Sra. Ennis. Sophie viu demais, daí Tessa teve de tirá-la do caminho para nós não podermos interrogar a menina.

— Tessa escondeu Sophie?

D.D. pensou a respeito.

— Isso explicaria por que ela demorou tanto para cooperar. Ela não está preocupada com a filha, ela sabe que Sophie está bem.

Mas Bobby já estava fazendo que não com a cabeça.

— Vamos lá, Tessa é uma policial treinada. Ela sabia que no minuto em que dissesse que a filha está desaparecida o estado inteiro entraria em Alerta Âmbar. Quais são as chances de conseguir esconder uma criança cuja foto aparece em todos os meios de comunicação do mundo livre? A quem ela pediria algo assim? *São nove da manhã, eu acabo de atirar no meu marido, você poderia esconder minha filha de seis anos durante algum tempo?* Essa é uma mulher que já estabelecemos que não tem familiares nem amigos próximos. As opções dela seriam a Sra. Ennis ou a Sra. Ennis, e a Sra. Ennis não está com Sophie. Além disso — Bobby continuou incansável —, não há fim de jogo nisso. Cedo ou tarde nós encontraríamos Sophie. E quando isso acontecesse, nós iríamos perguntar a ela o que viu naquela manhã. Se Sophie testemunhou mesmo o confronto entre Tessa e Brian, um atraso de alguns dias não vai mudar nada. Então por que assumir esse risco todo com a própria filha?

D.D. franziu os lábios.

— Bem, quando se vê a coisa dessa forma... — Ela ficou quieta.

— Por que isso é tão difícil para você? — Bobby perguntou subitamente. — Uma colega policial está hospitalizada. A filha pequena dela está desaparecida. A maioria dos detetives está feliz em ajudá-la, enquanto você parece determinada a encontrar um motivo para acabar com ela.

— Eu não...

— É porque ela é jovem e bonita? Você é mesmo assim tão mesquinha?

— Bobby Dodge! — D.D. explodiu.

— Precisamos achar Sophie Leoni! — Bobby gritou de volta para ela. Em todos os anos que se conheciam, D.D. não lembrava de jamais ter ouvido Bobby gritar, mas estava tudo bem, porque ela também estava gritando.

— Eu sei!

— Já faz mais de vinte e quatro horas. Minha filha estava chorando às três da manhã e tudo que fiz foi imaginar se a pequena Sophie não estaria fazendo o mesmo.

— Eu sei!

— Eu detesto esse caso, D.D.!

— Eu também!

Bobby parou de gritar. Ele respirou fundo. D.D. aproveitou o momento para soltar o ar de uma forma exasperada. Bobby passou a mão pelo cabelo curto. D.D. puxou seus cachos loiros para trás.

— Precisamos falar com o chefe do Brian Darby — Bobby declarou depois de mais um minuto. — Precisamos de uma lista de quaisquer amigos e associados que possam saber o que ele fez com a filha adotiva.

D.D. olhou para o relógio. Dez da manhã. Phil havia marcado a entrevista com Scott Hale para as 11.

— Temos de esperar uma hora.

— Certo. Vamos começar a ligar para as academias de ginástica. Talvez Brian tenha um personal trainer. As pessoas confessam tudo para seus personais, e precisamos de uma confissão agora mesmo.

— Você liga para as academias — ela disse.

Bobby a olhou com ar cansado.

— Por quê? O que você vai fazer?

— Localizar Juliana Howe.

— D.D...

— Dividir e conquistar — ela exclamou em tom vivo. — Cobrir o dobro do terreno, conseguir resultados duas vezes mais depressa.

— Jesus. Você é mesmo cabeça-dura.

— Era isso que você amava em mim.

D.D. foi para seu carro. Bobby não foi atrás dela.

# 16

Brian e eu tivemos nossa primeira grande briga quatro meses depois de nos casarmos. Na segunda semana de abril, uma nevasca inesperada havia coberto a Nova Inglaterra. Eu trabalhei na noite anterior, e às sete da manhã a Mass Pike era uma grande confusão de múltiplos acidentes com carros, veículos abandonados e pedestres em pânico. Estávamos até o pescoço naquilo, o turno da noite virando turno da manhã apesar de mais policiais terem sido chamados e o pessoal de emergência ter sido ativado. Bem-vindo a um dia na vida de um policial durante um noroeste invernal.

Às 11 da manhã, quatro horas depois do horário normal de terminar meu turno, consegui ligar para casa. Ninguém atendeu. Não me preocupei. Calculei que Brian e Sophie estavam lá fora brincando na neve. Talvez com um trenó, ou fazendo um boneco de neve ou cavando em busca de açafrões roxos gigantes na neve azul e cristalina de abril.

À uma hora, meus colegas policiais e eu tínhamos conseguido liberar os piores acidentes, recolocado em movimento cerca de três dúzias de veículos e pelo menos duas dúzias de motoristas perdidos. Liberar a Pike permitiu que os limpadores de neve e os caminhões com areia e pedrisco pudessem finalmente realizar o trabalho deles, que por sua vez facilitou o nosso.

Finalmente retornei para minha viatura com tempo suficiente para tomar um gole de café frio e verificar o celular, que havia tocado várias vezes na minha cintura. Mal havia notado a longa lista de ligações da Sra. Ennis quando o pager começou a tocar no meu ombro. Era um chamado da expedição, que tentava me localizar. Havia uma ligação de emergência para mim que estavam tentando me passar.

Meu coração disparou. Segurei por reflexo a direção da viatura, como se isso pudesse me equilibrar. Tenho uma vaga lembrança de concordar com receber o chamado, de pegar o rádio e ouvir a voz em pânico da Sra. Ennis. Ela estava esperando já fazia cinco horas. Onde estava Sophie? Onde estava Brian?

A princípio não entendi, mas aí as partes da história foram emergindo. Brian havia ligado para a Sra. Ennis às seis da manhã quando a neve começou a cair. Ele estava prestando atenção no tempo e, em seu modo de viciado em adrenalina, havia determinado que aquele seria um dia perfeito para esquiar. A creche da Sophie provavelmente ficaria fechada. A Sra. Ennis poderia cuidar dela?

A Sra. Ennis concordou, mas precisaria de uma ou duas horas para conseguir chegar em casa. Brian não ficou muito contente com a ideia. As estradas estariam ficando piores etc. Então ele disse que ia deixar Sophie no apartamento da Sra. Ennis a caminho das montanhas. A Sra. Ennis gostou da ideia, pois não precisaria pegar o ônibus. Brian chegaria às oito. Ela disse que teria o café da manhã pronto esperando por Sophie.

Mas já era uma e meia. Nada de Brian. Nada de Sophie. E ninguém atendia o telefone em casa. O que tinha acontecido?

Eu não sabia. Não tinha como saber. Recusava a aceitar as possibilidades que começaram a surgir em minha mente. O modo como o corpo de um adolescente pode ser ejetado de um carro e se enrolar em um poste de telefone. Ou como a coluna de direção de um carro mais antigo, daqueles de antes dos air bags, podia afundar o peito de um adulto, deixando um homem sentado completamente imóvel, parecendo quase dormindo no assento do motorista até você notar o fio de sangue no canto da boca. Ou a menina de oito anos que há apenas três meses precisaram cortar toda a frente do carro de quatro portas para a tirarem dali, a mãe com poucos ferimentos ao lado chorando e dizendo que o bebê começou a chorar, ela só virou para ver o bebê...

Essas eram as coisas que eu sabia. Essas eram as cenas que lembrava quando engatei a marcha do carro, acionei as luzes e sirenes e saí com a traseira da viatura indo de um lado para o outro a caminho de casa, que ficava a meia hora dali.

Minhas mãos tremiam quando finalmente parei diante de nossa garagem, a parte da frente da viatura em cima da calçada; a outra metade na rua. Deixei as luzes acesas, saí correndo e subi os degraus cobertos de neve na direção da casa escura em cima. A bota pegou a primeira superfície de gelo que se formara e agarrei o corrimão de metal bem a tempo de evitar desabar na rua embaixo. Consegui subir e estava puxando a porta, pegando a chave com uma das mãos e batendo na porta com a outra, apesar de as janelas escuras estarem dizendo tudo que eu não queria saber.

Por fim, com um movimento rápido da mão, virei a chave na fechadura, empurrei a porta...

Nada. Cozinha vazia, sala vazia. Corri para cima; ambos os quartos vazios.

Meu cinturão balançava fazendo barulho em minha cintura quando desci correndo e entrei na cozinha. Ali finalmente parei, respirando fundo várias vezes, e lembrei a mim mesma que era uma policial treinada. Menos adrenalina, mais inteligência. É assim que se permanece no controle.

— Mamãe? Mamãe, você está em casa!

Meu coração praticamente saltou para fora da boca. Virei bem a tempo de pegar Sophie que se lançou nos meus braços, me abraçou meia dúzia de vezes e começou a falar sobre o quanto tinha se divertido na neve sem nem parar para respirar, me deixando tonta e confusa novamente.

Daí reparei que Sophie não tinha voltado sozinha, mas que uma menina estava parada na porta. Ela ergueu a mão me cumprimentando.

— Sra. Leoni? — ela perguntou, imediatamente ficando vermelha. — Quer dizer, policial Leoni.

Demorou um pouco, mas consegui entender tudo. Brian tinha mesmo ido esquiar. Mas não levou Sophie para a casa da Sra. Ennis. Em vez disso, enquanto colocava o equipamento no carro, ele havia encontrado Sarah Clemons, nossa vizinha que morava no prédio ao lado. Ela estava limpando a entrada com uma pá, eles começaram a conversar e logo ela estava concordando em cuidar da Sophie até eu chegar, assim Brian poderia sair da cidade mais depressa.

Sophie, que adorava meninas adolescentes, achou que a mudança de plano era excitante. Aparentemente, ela e Sarah passaram a manhã descendo a rua de trenó, fazendo guerra de neve e assistindo a episódios de *Gossip Girl,* que Sarah tinha no TiVo.

Brian não havia dito quando voltava, mas informou Sarah que eu apareceria em casa cedo ou tarde. Sophie viu minha viatura chegando na rua e foi isso.

Eu estava em casa. Sophie estava feliz, e Sarah aliviada por se livrar da responsabilidade inesperada. Eu consegui juntar 50 dólares. Daí liguei para a Sra. Ennis, chamei a expedição e mandei minha filha, que estava saturada com chocolate e programas de televisão para adolescentes, lá para fora para fazer um boneco de neve. Fiquei na varanda dos fundos supervisionando, ainda de uniforme, enquanto ligava pela primeira vez para o celular do Brian.

Ele não respondeu.

Depois disso, forcei-me a colocar o cinturão no cofre da arma no nosso quarto, e tive o cuidado de girar o mecanismo da combinação. Tem outras coisas que lembro. Outras coisas que sei.

Sophie e eu atravessamos a tarde. Descobri que você pode ter vontade de matar seu marido e ainda assim cuidar direito da sua filha. Comemos macarrão com queijo no jantar, fizemos vários jogos na Candy Land[14], depois coloquei Sophie na banheira.

Às oito e meia, ela estava na cama dormindo profundamente. Eu andava de um lado para o outro na cozinha, na sala, no solário congelante.

---

[14] Jogo de tabuleiro simples para crianças (N. T.).

Depois fui para fora, desejando queimar toda a raiva puxando a neve do telhado e limpando os degraus e varanda de trás com a pá.

Às dez da noite, tomei um banho quente e vesti um uniforme limpo. Não tirei o cinturão do cofre. Eu não confiava em mim mesma com a Sig Sauer.

Às 22h15, meu marido por fim passou pela porta da frente, carregando uma sacola gigantesca e os esquis dele. Estava assobiando, com o tipo de movimento leve e gracioso que vem de passar o dia inteiro em atividade física intensa.

Ele apoiou os esquis na parede. Baixou a sacola. Jogou as chaves na mesa da cozinha, daí começou a tirar as botas quando me viu. Ele pareceu notar primeiro meu uniforme, seus olhos indo automaticamente para o relógio na parede.

— Está assim tarde? Droga, me desculpe, eu perdi a noção do tempo.

Olhei para ele, as mãos no quadril, a epítome da esposa chata. Mas eu não dava a mínima para isso.

— Onde. Você. Estava?

As palavras saíram em tom duro, bem separadas. Brian ergueu os olhos, parecendo realmente surpreso.

— Esquiando. Sarah não disse? A garota aqui do lado. Ela trouxe Sophie para casa, certo?

— Pergunta engraçada de se fazer agora, não é?

Ele hesitou, menos confiante.

— Sophie está em casa?

— Sim.

— Sarah fez tudo certo? Quer dizer, Sophie está bem?

— Ela está muito bem.

Brian assentiu, parecendo pensativo.

— Então... por que essa bronca toda?

— A Sra. Ennis... — eu comecei.

— Merda! — ele explodiu, imediatamente se pondo de pé. — Eu devia ter ligado para ela. Enquanto estava no carro. Mas as ruas estavam realmente ruins, e eu tinha de ficar com as duas mãos na direção, e quando cheguei na estrada, que estava bem melhor... ah, não... — ele gemeu e se deixou cair de volta na cadeira. — Dessa vez eu realmente pisei na bola.

— *Você deixou minha filha com uma estranha! Você saiu para brincar, quando eu precisava de você aqui. Você deixou uma senhora maravilhosa em estado de pânico e ela provavelmente vai precisar dobrar o remédio para o coração durante uma semana!*

— Sim — meu marido concordou, balbuciando. — Pisei mesmo. Eu devia ter ligado para ela. Desculpe.

— Como você pôde fazer isso? — me escutei dizendo.

Ele voltou a trabalhar nos cadarços da bota.

— Eu esqueci. Ia deixar Sophie na casa da Sra. Ennis, mas daí encontrei a Sarah e ela mora aqui do lado...

— Você deixou Sophie com uma estranha durante o dia todo...

— Calma, calma aí. Já eram oito horas. Calculei que você estava para chegar.

— Eu trabalhei até depois da uma. E teria continuado lá, se a Sra. Ennis não tivesse ligado para a expedição e pedido para eles me comunicarem uma emergência.

Brian ficou pálido e parou de mexer nas botas.

— O-oh.

— Não diga!

— Está bem, está bem. Sim. Definitivamente. Não ligar para a Sra. Ennis foi uma pisada na bola daquelas. Eu lamento, Tessa. Vou ligar para ela de manhã para me desculpar.

— Você não imagina o medo que senti — eu tive de dizer.

Ele não falou nada.

— O tempo todo... dirigindo até aqui. Você já teve o crânio de uma criança nas suas mãos, Brian?

Ele não falou nada.

— É como segurar pétalas de rosas. Os segmentos ainda não fundidos são finos como papel, tão finos que dá para ver através deles, tão leves que, se você exalar, eles saem voando da sua mão. Essas são as coisas que eu sei, Brian. Essas são as coisas que não posso esquecer. O que quer dizer, você *não* pode pisar na bola com uma mulher como eu, Brian. Você *não* pode deixar minha filha com uma estranha, você *não* pode largar minha filha em qualquer lugar para poder ir brincar. Você protege a Sophie. Ou dá o fora da nossa vida. Está bem claro?

— Eu pisei na bola — ele respondeu no mesmo tom. — Eu entendi isso. Sophie está bem?

— Sim...

— Ela gostou da Sarah?

— Parece que sim...

— E você ligou para a Sra. Ennis?

— É claro!

— Então pelo menos tudo deu certo no final. — Ele voltou para as botas.

Eu cruzei a cozinha tão depressa que quase levantei voo.

— Você *casou* comigo! — gritei para meu novo marido. — Você me *escolheu.* Você *escolheu* Sophie. Como você pode *falhar* com a gente?

— Foi um telefonema, Tessa. E, sim, eu vou fazer força para agir melhor da próxima vez.

— Eu pensei que você tinha morrido! Pensei que Sophie tinha morrido!

— Bem, sim, então não é bom que eu finalmente esteja em casa?

— Brian!

— Eu sei que pisei na bola! — Ele finalmente desistiu das botas, lançando as mãos para cima. — Eu sou novo nisso! Nunca tive uma mulher e uma filha antes, e só porque eu te amo não quer dizer que não possa ser estúpido às vezes. Pelo amor de Deus, Tessa... logo eu vou embarcar novamente. Eu só queria um último dia de diversão. Neve fresca. Esquiar no pó da neve... — Ele inalou. Exalou. Ficou em pé. — Tessa — continuou, com mais calma —, eu nunca machucaria você ou a Sophie de propósito. Eu amo vocês duas. E prometo que vou agir melhor da próxima vez. Tenha um pouco de fé, está bem? Somos os dois novos nisso e vamos cometer alguns erros, então por favor... tenha um pouco de fé.

Meus ombros caíram. Perdi a vontade de brigar. Deixei a raiva diminuir o suficiente para sentir o alívio de minha filha estar bem, de meu marido estar em segurança, e de que tudo tinha terminado da melhor forma possível.

Brian me puxou para o peito dele. Eu permiti que me abraçasse. Até passei os braços pela cintura dele.

— Tenha cuidado, Brian — sussurrei contra o ombro dele. — Lembre-se, eu não sou como as outras mulheres.

Para variar, ele não contestou.

Recordei esse momento do meu casamento, e outros, enquanto a enfermeira se afastava e fazia gestos de incentivo para eu dar meu primeiro passo inseguro. Eu tinha conseguido comer torrada seca às seis da manhã sem vomitar. Às sete e meia, eles me colocaram na cadeira do lado da cama para ver como eu ficaria.

A dor dentro do crânio ficou mais forte por alguns minutos, depois diminuiu, ficando no nível de um rugido abafado. Metade do meu rosto permanecia inchado e sensível, as pernas estavam trêmulas, mas, no geral, eu havia progredido nas últimas 12 horas. Conseguia levantar, sentar e comer torrada seca. Cuidado, mundo.

Eu queria correr, louca, desesperadamente, para fora do hospital, para onde por milagre pudesse encontrar Sophie parada na calçada esperando por mim. Eu a tomaria nos braços. *Mamãe,* ela choraria com alegria. E eu a abraçaria e a beijaria e diria como lamentava tudo e que nunca a deixaria.

— Certo — a enfermeira disse em tom claro. — Primeiro passo, vamos fazer uma tentativa.

Ela ofereceu o braço para eu me apoiar. Os joelhos tremeram violentamente, e apoiei a mão no braço dela com gratidão.

O primeiro passo arrastando os pés fez minha cabeça girar. Pisquei várias vezes e a desorientação passou. O lado de cima estava em cima, e o de baixo, embaixo. Progresso.

Avancei alguns centímetros, pequenos movimentos dos pés que lentamente me levaram através do linóleo cinza, mais e mais perto do banheiro. Daí estava lá dentro, fechando gentilmente a porta. A enfermeira havia trazido toalha e sabonete para o banho. Segundo teste do dia

— ver se eu conseguia fazer xixi e tomar banho sozinha. Depois o médico faria outro exame.

E depois, talvez, apenas talvez, eu poderia ir para casa.

Sophie. Sentada no chão do quarto dela, rodeada de coelhinhos pintados e flores cor de laranja brilhante, brincando com sua boneca favorita toda descabelada. *Mamãe, você chegou! Mamãe, eu te amo!*

Fiquei junto da pia e olhei meu reflexo no espelho.

A carne ao redor do olho estava tão preta e cheia de sangue que parecia uma berinjela. Eu mal conseguia distinguir a ponta do nariz, ou a linha superior da sobrancelha. Pensei naquelas cenas dos primeiros filmes do Rocky, onde eles cortam com uma lâmina a carne inchada para ele conseguir enxergar. Eu bem poderia tentar algo assim. O dia mal estava começando.

Meus dedos foram até o olho roxo, até a laceração cinco centímetros acima, a casca começando a formar, puxando as raízes do cabelo. Daí toquei o inchaço na parte de trás da cabeça. Estava quente e sensível ao toque. Deixei as mãos baixarem, segurando na beirada da pia.

Oito horas. Segunda de manhã.

A autópsia devia ter começado fazia uma hora. A incisão em Y no peito do meu marido. Separando as costelas. Procurando os três projéteis disparados pela Sig Sauer nove milímetros que tinha minhas impressões digitais. Depois o som da serra quando começassem a remover o alto do crânio dele.

Oito horas. Segunda de manhã...

Pensei novamente em todos os momentos que queria ter de novo. Quando deveria ter dito sim, outros em que deveria ter dito não. Aí Brian estaria vivo, talvez passando cera nos esquis para sua próxima grande aventura. E Sophie estaria em casa, brincando no chão do quarto dela, Gertrude ao seu lado, esperando por mim.

Oito horas. Segunda de manhã...

— Corram D.D. e Bobby — murmurei. — Minha filha precisa de vocês.

# 17

Graças à maravilha que é o GPS, Bobby identificou a academia de Brian Darby na segunda tentativa. Ele simplesmente digitou o endereço de Darby, daí procurou as academias próximas. Apareceu meia dúzia. Bobby começou com a localização mais próxima da casa de Brian e seguiu pela lista. Uma rede nacional acabou sendo a vencedora. Bobby foi até lá em 30 minutos, e estava falando com a personal trainer de Brian oito minutos depois disso.

— Eu vi as notícias — disse a mulher pequena de cabelo escuro, já parecendo preocupada. Bobby estava tentando avaliá-la. Ela parecia ter 1,53 metro e 45 quilos, parecia mais uma ginasta que uma treinadora. Então ela torceu as mãos em um gesto de ansiedade, e meia dúzia de tendões ganharam vida nos seus antebraços.

Ele revisou a opinião inicial que fizera de Jessica Ryan — pequena, mas perigosa. Uma mini-hulk.

Ela estava trabalhando com um homem de meia-idade que vestia uma camisa para esportes de cem dólares e um corte de cabelo de 400 dólares no momento que Bobby chegou. Quando Bobby se aproximou, ela o ignorou intencionalmente, concentrando-se de forma óbvia no cliente que pagava bem. Bobby mostrou suas credenciais, e em um instante Jessica, com a camiseta rosa justa e unhas roxas brilhantes, passou a ser só sua.

O cliente desapontado foi terminar a ginástica com um rapaz cujo pescoço era maior que a coxa de Bobby. Bobby e Jessica foram para a sala de estar dos funcionários, onde Jessica rapidamente fechou a porta.

— Ele está mesmo morto? — Jessica perguntou, mordendo o lábio inferior.

— Estou aqui por causa da morte de Brian Darby — Bobby declarou.

— E a filhinha dele? Eles estão mostrando a foto dela em todos os noticiários. Sophie, não é isso? Vocês já a encontraram?

— Não, senhora.

Os grandes olhos castanhos de Jessica marejaram. Pela segunda vez na última hora, Bobby ficou feliz por ter deixado D.D. e ido trabalhar sozinho. Da primeira vez, porque era uma questão de se afastar ou estrangulá-la. Agora porque não havia jeito de D.D. lidar bem com uma garota de grandes olhos emotivos predisposta a chorar e usando um mini-short rosa-choque.

Sendo um homem feliz no casamento, Bobby estava determinado a não olhar para o micro-short ou para a camiseta justa. Até ali, isso o deixava fixando o bíceps extremamente bem torneado da personal trainer.

— Quanto você levanta nos halteres? — ele se ouviu perguntando.

— Sessenta e sete — Jessica respondeu com facilidade, ainda enxugando os cantos dos olhos.

— E quanto é isso? O dobro do seu peso?

Ela ruborizou.

Bobby percebeu que basicamente estava flertando e parou por aí. Talvez não tivesse sido melhor vir sem D.D. Talvez nenhum homem, bem casado ou não, devesse ficar sozinho com uma mulher como Jessica Ryan. O que o fez pensar se Tessa Leoni conhecia Jessica Ryan. O que o fez pensar como Brian Darby havia sobrevivido à primeira semana de treinamento.

Bobby limpou a garganta, pegou o bloco espiral e um minigravador. Ligou o gravador e o colocou no balcão ao lado do micro-ondas.

— Você conheceu a Sophie? — ele perguntou para a entrevistada.

— Eu a vi uma vez. A escola suspendeu as aulas e o Brian a trouxe para cá. Ela parecia muito doce; encontrou um conjunto de pesos para as mãos de meio quilo e os levou até onde Brian estava e ficou ali imitando os exercícios dele.

— Brian só treinava com você?

— Eu sou a principal personal trainer dele — Jessica disse com um toque de orgulho. — Às vezes, porém, nossas agendas não batem e outro personal trabalha com ele no meu lugar.

— E quanto tempo faz que Brian está treinando com você?

— Oh, perto de um ano. Bem, talvez mais perto de nove meses.

— Nove meses? — Bobby tomou nota.

— Ele estava indo muito bem! — Jessica explicou. — É um dos meus melhores clientes. O objetivo dele era ganhar massa muscular. Então nos primeiros três meses eu o coloquei nessa dieta realmente dura. Eliminei gorduras e sais e carboidratos, e ele era um desses sujeitos que gostava mesmo de carboidratos refinados. Torradas no café da manhã, sanduíche no almoço, purê de batata no jantar, e um pacote de biscoito de sobremesa. Eu lhe digo que achei que ele não ia conseguir aguentar as duas primeiras semanas. Mas, depois que ele limpou o sistema e se recondicionou, começamos o estágio seguinte: nos últimos seis meses, ele estava seguindo esse programa que desenvolvi nas minhas competições de condicionamento físico...

— Competição de condicionamento físico?

— Sim. Fui a Miss Fit da Nova Inglaterra quatro anos seguidos. — Jessica lançou para ele um sorriso muito branco. — É minha paixão.

Bobby desviou os olhos do bíceps forte e bronzeado dela e voltou a atenção para seu bloco de notas.

— Então passei para o Brian uma dieta de semana em semana de seis refeições de alta proteína por dia — Jessica prosseguiu animada. — Estamos falando de trinta gramas de proteína por refeição, consumidas a cada duas ou três horas. É um grande comprometimento de tempo e recursos, mas ele se saiu incrivelmente bem! Daí acrescentei um regime de treinamento de sessenta minutos de exercícios cardiovasculares seguidos por sessenta minutos com muito peso.

— Todo dia? — Bobby corria. No passado, antes de Carina nascer. Ele baixou o bloco de notas um pouquinho, colocando-o na frente da cintura que, só agora ele tomava consciência, estava um tanto apertada na calça nessa manhã.

— Cárdio cinco ou seis vezes por semana, o treinamento de força cinco vezes por semana. E eu o apresentei às centenas. Ele era ótimo com as centenas!

— Centenas?

— Peso baixo, mas alta repetição, para ver se você consegue chegar aos cem. Se fizermos direito, você não consegue no começo, mas continua com o treinamento e tenta de novo quatro semanas depois. Brian conseguiu todas as centenas nos primeiros dois meses, o que me forçou a subir os pesos. Realmente, foram resultados impressionantes. Quer dizer, a maioria dos meus clientes só sabe falar. Mas o Brian estava realmente avançando.

— Ele parece ter ganhado bastante peso no último ano — Bobby comentou.

— Ele ganhou bastante *músculo* — Jessica corrigiu imediatamente. — Quinze centímetros só no braço. Tirávamos as medidas a cada duas semanas. Claro, o esquema de trabalho dele fazia com que perdêssemos meses a cada vez, mas ele se mantinha na linha.

— Você quer dizer quando ele embarcava como marinheiro mercante?

— Sim. Ele desaparecia por dois meses a cada vez. A primeira viagem acabou completamente com ele. Perdeu praticamente tudo que tínhamos feito. Na segunda vez, preparei um programa inteiro para ele seguir, incluindo dieta, cárdio e pesos. Peguei uma lista de todo o equipamento disponível no navio e acertei tudo perfeitamente, para ele não ter desculpa. Ele se saiu muito melhor.

— Então Brian estava trabalhando duro com você quando estava aqui e também treinava duro no navio quando estava embarcado. Tinha algum motivo para ele treinar tanto assim?

Jessica deu de ombros.

— Para ficar com uma aparência melhor. Ele era um sujeito ativo. Quando começamos, ele queria melhorar o condicionamento físico para conseguir se sair melhor em esquiar, pedalar, esse tipo de coisa. Ele era ativo, mas achou que devia ficar mais forte. Nós partimos daí.

Bobby baixou o bloco de notas e a fitou por um momento.

— Então Brian quer melhorar a performance no esqui e bicicleta. E para isso, ele estava gastando quanto por semana...? — Ele indicou com a mão a sala bem cuidada em uma academia obviamente bem equipada.

— Uns duzentos — Jessica disse. — Mas não tem etiqueta de preço para se ter boa saúde!

— Duzentos por semana. E quantas horas de treinamento, compras no supermercado, preparação das refeições...

— Você precisa se comprometer se quiser resultados — Jessica informou para ele.

— Brian se comprometeu. Brian conseguiu resultados. Brian ainda estava seguindo o programa. Por quê? O que ele queria? Vinte quilos de músculos depois, de que ele ainda precisava?

Jessica olhou para ele com ar de curiosidade.

— Ele não estava mais tentando ganhar peso. Mas era naturalmente um sujeito grandalhão. Quando um... homem menor...

Em nome de todos os homens do mundo, Bobby estremeceu.

— Quando um homem menor quer manter resultados maiores, ele tem de continuar treinando. Essa é a verdade. Alta proteína, muito peso, dia após dia. Se não o corpo vai voltar ao tamanho preferido, que no caso do Brian era perto dos noventa, e não dos cento e dez.

Bobby pensou na informação que, sendo ele um dos homens menores, não era das melhores de se ouvir.

— Parece muito trabalho — ele disse por fim. — Não é fácil para ninguém fazer essa manutenção, quanto mais um pai que trabalha. De vez em quando, aposto que a agenda do Brian ficava um pouco cheia demais, sem tempo. Ele alguma vez... pediu assistência adicional?

Jessica franziu a testa.

— O que você quer dizer?

— Produtos para ajudar na velocidade e habilidade de ganhar músculos?

Jessica franziu a testa ainda mais; aí ela entendeu.

— Você está falando de esteroides.

— Estou curioso.

Ela fez que não com a cabeça imediatamente.

— Não gosto dessas coisas. Se eu achasse que ele estava tomando alguma coisa, pararia na mesma hora. Que se danem os duzentos por semana, eu saía com um cara que tomava esteroides. Não vou seguir por esse caminho outra vez.

— Você estava saindo com o Brian?

— Não! Eu não quis dizer *isso.* Estou falando em me associar com alguém que abuse dos esteroides. Isso deixa as pessoas malucas. As coisas que saem nos jornais não são mentira.

Bobby a encarou diretamente.

— E no seu próprio treinamento?

Ela o encarou de volta.

— Suor e lágrimas, baby. Suor e lágrimas.

Bobby assentiu.

— Então você não gosta de esteroides...

— Não!

— Mas e quanto aos outros profissionais da academia? Ou mesmo fora daqui? Brian conseguiu ótimos resultados muito depressa. Você tem certeza de que foi só na base do suor e lágrimas?

Jessica não respondeu imediatamente. Ela mordeu o lábio inferior outra vez, cruzando os braços.

— Acho que não — ela disse por fim. — Mas não posso jurar. Tinha algo acontecendo com ele. Ele tinha voltado para a cidade fazia três semanas, e dessa vez... ele estava taciturno. Sombrio. Estava com algo na cabeça.

— Você conheceu a esposa dele?

— A *trooper* estadual? Não.

— Mas ele falava sobre ela?

Jessica deu de ombros.

— Eles todos falam.

— Eles?

— Os clientes. Eu não sei, ser uma personal é um pouco como ser uma cabeleireira. As sacerdotisas do setor de serviços de beleza. Os clientes falam. Nós ouvimos. Isso é metade do trabalho.

— Então o que Brian dizia?

Jessica deu de ombros, obviamente desconfortável outra vez.

— Ele está morto, Jessica. Foi morto dentro de casa. Ajude-me a entender por que Brian Darby embarcou em um treinamento para se desenvolver e ainda assim isso não bastou para salvá-lo.

— Ele a amava — Jessica sussurrou.

— Quem?

— Brian amava a esposa. De verdade, profundamente, com toda a alma. Eu poderia matar para ter um homem me amando daquele jeito.

— Brian amava Tessa.

— Sim. E ele queria ser mais forte para ela. Para ela e para Sophie. Ele precisava ser maior, ele dizia rindo, porque proteger duas mulheres era quatro vezes mais trabalho.

— Proteger? — Bobby perguntou franzindo a testa.

— Sim. Era a palavra que ele usava. Acho que ele fez algo errado uma vez e Tessa o pressionou. Sophie tinha de ser protegida. Ele levava isso a sério.

— Você dormiu com ele alguma vez? — Bobby perguntou subitamente.

— Não. Eu não fico com meus clientes. — Ela olhou direto para ele. — Imbecil — ela murmurou.

Bobby mostrou as credenciais novamente.

— É "Detetive Imbecil" para você.

Jessica apenas deu de ombros.

— Tessa enganava o Brian? Talvez ele tenha descoberto alguma coisa, o que o ajudou a querer se tornar um homem maior.

— Não que eu saiba. Mas... — Ela fez uma pausa. — Nenhum homem admitiria isso para uma garota. Especialmente uma bonita como eu. Vamos, isso seria como dizer *eu sou um perdedor infeliz*, assim de cara. Os homens preferem que você descubra isso sozinha.

Bobby não tinha como contestar essa lógica.

— Mas Brian não achava que a esposa o amava.

A hesitação novamente.

— Eu não sei. Fiquei com a impressão... Tessa é uma *trooper* estadual, certo? Uma policial. Parece que ela é durona. As coisas tinham de ser sempre do jeito dela. Brian tinha de dançar conforme a música. Mas isso não quer dizer que ela pensasse que ele fosse o melhor homem da Terra. Quer dizer apenas que ela esperava que ele dançasse conforme a música, especialmente quando o assunto era Sophie.

— Ela tinha muitas regras em relação à filha?

— Brian trabalhava duro. Quando estava em casa, ele queria relaxar, se divertir. Tessa, no entanto, queria que ele ficasse cuidando da menina. Parece que eles se desentendiam de vez em quando. Mas ele nunca disse nada de ruim sobre ela — Jessica acrescentou depressa. — Ele não era esse tipo de sujeito.

— Que tipo de sujeito?

— Desses que ficam falando mal da esposa. Acredite — ela girou os olhos para cima —, temos muitos desses por aqui.

— Então por que Brian estava taciturno? — Bobby voltou a esse assunto. — O que aconteceu da última vez que ele estava fora?

— Eu não sei. Ele não disse. Ele só parecia... abatido.

— Você acha que ele batia na esposa?

— Não! — Jessica pareceu ficar horrorizada.

— Ela tem um histórico médico de abusos constantes — Bobby acrescentou, só para dar motivo para a pergunta.

Mas Jessica, no entanto, não cedeu um milímetro.

— De jeito nenhum!

— Mesmo?

— Mesmo.

— Como você sabe?

— Porque ele era doce. E homens doces não batem na esposa.

— Mais uma vez, como você sabe disso?

Ela o fitou.

— Porque eu consegui encontrar sozinha um que batia na esposa.

Fiquei casada com ele por cinco longos anos. Até ficar esperta, entrar em forma, e o chutar para a rua.

Ela flexionou os braços em demonstração. Miss Fit Nova Inglaterra por quatro vezes seguidas, realmente.

— Brian amava a esposa. Ele não batia nela, e ele não merecia morrer. Já acabamos?

Bobby pôs a mão no bolso e tirou um cartão.

— Pense em por que Brian estava "taciturno" desde que voltou da última vez. Se chegar a alguma conclusão, me ligue.

Jessica pegou o cartão enquanto olhava o braço dele, que não estava nem perto da condição física em que estava o dela.

— Eu poderia ajudar você com isso — ela disse.

— Não.

— Por que não? Preço? Você é um detetive, poderíamos dar um desconto.

— Você não conhece minha esposa — Bobby disse.

— Ela também é policial?

— Não, mas ela é realmente boa com uma arma.

Bobby pegou o gravador, seu bloco de notas e saiu dali.

# 18

D.D. não teve nenhum problema para encontrar Juliana Howe, a amiga de infância de Tessa, agora chamada MacDougall, casada fazia três anos, com um filho, morando em um terreno de 600 metros quadrados no cabo em Arlington. D.D. tinha mentido um pouco. Dissera que era da escola onde elas estudaram, procurando alunos para uma reunião que fariam.

Bem, nem todo mundo queria ser visitado pelos detetives da cidade, e menos ainda provavelmente gostaria de responder a ainda mais perguntas sobre o disparo que matara o irmão fazia dez anos.

D.D. pegou o endereço de Juliana, descobriu que ela estava em casa e foi até lá. A caminho, verificou as mensagens gravadas, que incluíam uma animada de Alex pela manhã lhe desejando boa sorte com o caso das pessoas desaparecidas e dizendo que estava com vontade de preparar o molho alfredo, caso ela estivesse com vontade de comer.

O estômago dela grunhiu. Depois entrou em espasmos. Daí grunhiu novamente. Era bem algo que só podia acontecer com ela estando grávida.

Devia ligar para Alex. Devia reservar algum tempo naquela noite, nem que fosse meia hora, para sentarem e conversarem. Tentou imaginar a conversa, mas ainda não tinha ideia de como ia transcorrer.

ELA: Lembra que você disse que você e sua primeira esposa tentaram ter um filho faz alguns anos, mas não deu certo? Então, *você* não era o problema na equação.

ELE:

ELA:

ELE:

ELA:

Isso não era bem uma conversa. Talvez porque ela não tinha muita imaginação, ou experiência com essas coisas. Pessoalmente, ela era mais adepta das conversas do tipo "não me ligue, eu ligo para você".

Ele iria pedi-la em casamento? E ela devia aceitar algo assim, se não por sua causa, mas por causa do bebê? Será que isso importava nessa época em que estavam? Estava apenas assumindo que ele a ajudaria? Ou ele assumiria que ela nunca o deixaria ajudar?

O estômago doeu outra vez. Ela não queria mais estar grávida. Era confuso demais e ela não era boa com as grandes questões da vida. Preferia debates mais elementares, tais como por que Tessa Leoni matou o marido, e o que isso tinha a ver com ela ter matado Thomas Howe dez anos antes?

Bem, aí estava uma pergunta importante.

D.D. seguiu o sistema de direcionamento através de um labirinto de ruas secundárias e pequenas em Arlington. Esquerda aqui, duas direitas ali, e chegou a uma alegre casa pintada de vermelho com detalhes em branco e um jardim coberto com neve da altura do carro de D.D. Ela estacionou na frente, pegou o casaco e foi até a porta.

Juliana MacDougall atendeu ao primeiro toque. Ela tinha cabelo loiro comprido preso atrás num rabo de cavalo confuso e um bebê gordo todo babado equilibrado no quadril coberto por jeans. Ela olhou para D.D. com curiosidade, daí fechou o rosto quando D.D. mostrou as credenciais.

— Sargento detetive D.D. Warren, da Polícia de Boston. Eu posso entrar?

— Sobre o que é?

— Por favor. — D.D. fez um gesto indicando o interior da casa cheia de brinquedos. — Está frio aqui fora. Acho que vamos ficar mais confortáveis se conversarmos lá dentro.

Juliana estreitou os lábios, então em silêncio abriu mais a porta para D.D. passar. A casa tinha uma minúscula entrada de ladrilhos que dava para uma pequena sala de estar com boas janelas e assoalho de tábuas recém-reformado. Cheirava a tinta fresca e talco para bebê, uma nova e pequena família se assentando em uma nova e pequena casa.

Uma cesta de lavanderia ocupava o único sofá, que era verde-escuro. Juliana ficou vermelha, pegou a cesta de plástico e a colocou no chão sem largar o bebê. Quando finalmente se sentou, foi na beirada do assento, a criança mantida no meio do colo como sua primeira linha de defesa.

D.D. sentou-se no outro extremo do sofá. Olhou para o bebê que babava. O bebê que babava olhou para ela, daí enfiou o punho inteiro na boca e fez um som que poderia ter sido "Gaaa".

— Lindo — D.D. disse, numa voz que era claramente cética. — Qual a idade dele?

— Nathaniel está com nove meses.

— Menino.

— Sim.

— Já anda?

— Acabou de aprender a engatinhar — Juliana declarou cheia de orgulho.

— Bom garoto — D.D. disse, e isso esgotou seu repertório do que dizer para um bebê. Meu Deus, como ela poderia ser mãe, se nem conseguia falar com um bebê?

— Você tem um trabalho? — D.D. perguntou.

— Sim — Juliana disse com orgulho —, eu crio meu filho.

D.D. aceitou a resposta e seguiu adiante.

— Então — ela anunciou brevemente —, imagino que tenha visto as notícias. A menina que desapareceu em Allston-Brighton.

Juliana a fitou sem expressão.

— O quê?

— O Alerta Âmbar? Sophie Leoni de seis anos, que desapareceu de casa em Allston-Brighton?

Juliana franziu a testa, puxando o bebê para mais perto.

— O que isso tem a ver comigo? Não conheço nenhuma criança de Allston-Brighton. Eu moro em Arlington.

— Quando foi a última vez que viu Tessa Leoni? — D.D. perguntou.

A reação de Juliana foi imediata. Ela enrijeceu e desviou a vista de D.D., os olhos azuis baixando para o assoalho. Havia um bloco quadrado com a letra E e a imagem de um elefante perto de seu chinelo. Ela recolheu o bloco e o deu para o bebê, que o pegou e tentou enfiar inteiro na boca.

— Os dentes dele estão nascendo — ela murmurou distraída, acariciando o rosto corado da criança. — O coitadinho não dorme há várias noites, e choraminga para ficar no colo o tempo todo. Sei que todos os bebês passam por isso, mas eu não achava que fosse tão duro. Ver meu próprio filho sentir dor. Saber que não há nada que eu possa fazer.

D.D. não disse nada.

— Às vezes, de noite, quando ele está chorando, eu o embalo e choro com ele. Sei que parece besteira, mas parece que ajuda. Talvez ninguém, nem mesmo bebês, gostem de chorar sozinhos.

D.D. não disse nada.

— Oh meu Deus — Juliana MacDougall exclamou abruptamente. — Sophia Leoni. *Sophia* Leoni. Ela é filha da Tessa. Tessa teve uma filhinha. Oh. Meu. Deus.

Então Juliana Howe calou-se completamente, só ficou ali sentada com seu bebê, que continuava a mastigar o bloco de madeira.

— O que você viu naquela noite? — D.D. perguntou com gentileza para a jovem mãe. Não precisava dizer que noite. Era bem provável que a vida inteira de Juliana girasse em torno daquele momento no tempo.

— Eu não vi nada. Não de verdade. Estava meio dormindo, ouvi um barulho, desci. Tessa e Tommy... eles estavam no sofá. Daí teve esse barulho e Tommy levantou, meio que deu um passo para trás, daí caiu no chão. Daí Tessa levantou, me viu e começou a chorar. Ela estendeu a mão, ela estava segurando uma arma. Essa foi a primeira coisa que eu reparei de verdade. A arma na mão da Tessa. Depois disso tudo afundou.

— O que você fez?

Juliana ficou em silêncio.

— Faz muito tempo.

D.D. esperou.

— Não entendo. Por que essas perguntas agora? Eu disse tudo para a polícia. Pelo que sei, é um caso encerrado. Tommy tinha essa reputação... O detetive disse que Tessa não foi a primeira garota que ele machucou.

— O que você acha?

Juliana deu de ombros.

— Ele era meu irmão — ela sussurrou. — Honestamente, eu tento não pensar nisso.

— Você acreditou em Tessa naquela noite? Que ela estava se defendendo?

— Eu não sei.

— Ela alguma vez demonstrou interesse pelo Tommy antes? Perguntou sobre os horários dele? Piscava para ele?

Juliana fez que não com a cabeça, ainda sem olhar para D.D.

— Mas você nunca mais falou com ela depois disso. Você se afastou dela. Como o pai dela.

Agora Juliana ruborizou. Ela agarrou o bebê com mais força. Ele reclamou e ela o soltou imediatamente.

— Tinha algo errado com o Tommy — ela disse abruptamente.

D.D. esperou.

— Meus pais não conseguiam ver isso. Mas ele era... mau. Se queria alguma coisa, ele pegava. Mesmo quando éramos pequenos, se eu tinha um brinquedo e ele queria esse brinquedo... — Ela deu de ombros outra vez. — Ele preferia quebrar o brinquedo a me deixar ficar com ele. Meu pai dizia que meninos são meninos, e não se importava. Mas eu aprendi. Tommy queria o que queria e você não ficava no caminho dele.

— Você acha que ele atacou Tessa.

— Acho que quando o detetive Walthers nos contou que outras garotas tinham ligado para falar sobre o Tommy, isso não me surpreendeu.

Meus pais ficaram horrorizados. Meu pai... ele ainda não acredita. Mas eu acredito. Tommy queria o que queria e você não ficava no caminho dele.

— Você alguma vez disse isso para Tessa?

— Não falo com a Tessa faz dez anos.

— Por que não?

— Porque... — Aquele dar de ombros indistinto novamente. — Tommy não era apenas meu irmão, ele era o filho dos meus pais. E quando ele morreu... meus pais gastaram todas as economias no funeral dele. Depois, quando meu pai não conseguiu voltar a trabalhar, nós perdemos a casa. Meus pais tiveram de declarar falência. Eles acabaram se divorciando. Minha mãe e eu fomos morar com minha tia. Meu pai teve um colapso nervoso. Ele vive numa instituição, onde passa os dias olhando o caderno de recortes do Tommy. Ele não consegue superar aquilo. Apenas não consegue. O mundo é um lugar terrível, onde seu filho pode ser assassinado e a polícia encobre tudo.

Juliana acariciou o rosto do filho.

— É engraçado — ela murmurou. — Eu costumava pensar que minha família era perfeita. E era exatamente isso que Tessa mais amava em mim. Eu vinha dessa grande família, que não tinha nada em comum com a família dela. Daí, em uma noite, nós nos transformamos neles. Não foi só que perdi meu irmão, mas meus pais perderam o filho.

— Ela tentou falar com você alguma vez?

— As últimas palavras que eu disse para Tessa Leoni foram "Você precisa ir para casa agora mesmo!". E foi o que ela fez. Ela pegou a arma dela e correu para fora da minha casa.

— E você não a viu pelo bairro?

— O pai a colocou para fora. Daí ela não estava mais no bairro.

— Você nunca pensou nela? Nunca se preocupou com sua melhor amiga em todo o mundo, que teve de enfrentar o seu irmão? Você a convidou para dormir lá naquela noite. De acordo com a declaração dela, Tessa tinha perguntado se Tommy estaria em casa naquela noite.

— Eu não lembro.

— Você disse para Tommy que ela ia dormir lá?

Os lábios de Juliana se estreitaram. Abruptamente, ela colocou o bebê no chão e levantou.

— Você precisa ir agora, detetive. Eu não falo com Tessa faz dez anos. Eu não sabia que ela tinha uma filha, e eu certamente não sei onde ela está.

Mas D.D. permaneceu onde estava, sentada na beirada do sofá, olhando para a ex-melhor amiga de Tessa.

— Por que você deixou Tessa dormindo no sofá da sala naquela noite? — D.D. insistiu. — Se ela ia dormir com você, por que não a acordou para ir para o quarto? O que Tommy disse para você fazer?

— *Pare com isso!*

— Você desconfiou, não foi? Você sabia o que ele queria fazer, e foi por isso que desceu. Você tinha medo do seu irmão, e estava preocupada com sua amiga. Você avisou a Tessa, Juliana? Foi por isso que ela levou a arma?

— Não!

— Você sabia que seu pai não ia escutar. Meninos são meninos. Parece que sua mãe já havia internalizado a mensagem. Isso deixava você e Tessa. Duas meninas de dezesseis anos, tentando enfrentar um irmão mais velho brutal. Ela achou que ia apenas assustá-lo? Mostrar a arma e isso terminaria tudo?

Juliana não respondeu. O rosto dela estava branco.

— Só que a arma disparou — D.D. continuou em tom de conversa. — E Tommy foi atingido. Tommy *morreu.* Sua família inteira desmontou. Tudo porque você e Tessa não sabiam direito o que estavam fazendo. De quem foi a ideia de levar a arma naquela noite?

— Vá embora.

— Sua? Dela? O que vocês duas estavam *pensando*?

— Vá embora!

— Eu vou verificar o registro dos seus telefonemas. Uma ligação. É só o que precisa. Uma ligação apenas de Tessa para você e sua nova pequena família vai desmontar também, Juliana. Eu vou acabar com ela se souber que você está escondendo isso de mim.

— *Vá embora!* — Juliana gritou. No chão, o bebê reagiu ao tom de voz da mãe e começou a chorar.

D.D. levantou do sofá. Manteve os olhos em Juliana MacDougall, o rosto pálido da mulher, os ombros caídos, o olhar selvagem. Ela parecia uma corça pega pelos faróis de um carro. Parecia uma mulher presa em uma mentira de dez anos.

D.D. tentou mais uma vez:

— O que aconteceu naquela noite, Juliana? O que você não está me dizendo?

— Eu a amava — a mulher disse subitamente. — Tessa era minha melhor amiga em todo o mundo, e eu a amava. Daí meu irmão morreu, minha família foi estremecida e meu mundo foi para a merda. Eu não vou voltar. Nem por ela, nem por você, nem por ninguém. O que quer que tenha acontecido com Tessa agora, eu não quero saber nem me importo. Agora saia da minha casa, detetive, e não incomode a mim ou minha família novamente.

Juliana abriu a porta. O bebê ainda soluçava no chão. D.D. por fim aceitou a deixa e saiu. A porta foi batida atrás dela, e a tranca passada por segurança.

Quando D.D. se virou, no entanto, viu Juliana pela janela da frente. A mulher havia pegado o bebê no colo, e o embalava. Acalmando a criança ou deixando que a criança a acalmasse?

Talvez não importasse. Talvez fosse assim que essas coisas funcionavam.

Juliana MacDougall amava o filho. Assim como os pais dela tinham amado o filho. Como Tessa Leoni amava a filha.

Ciclos, D.D. pensou. Pedaços de um padrão maior. Só que não conseguia desmontá-lo, nem montá-lo outra vez.

Pais amavam os filhos. Alguns pais fariam qualquer coisa para protegê-los. E outros pais...

D.D. começou a ter uma sensação ruim.

Então o celular tocou.

---

# 19

A sargento detetive D.D. Warren e o detetive Bobby Dodge vieram me ver às 11h43. Ouvi os passos deles no corredor, rápidos e focados. Eu tinha uma fração de segundo; usei-a para esconder o botão azul na parte de trás da gaveta de baixo do criado-mudo do hospital.

Minha única conexão com Sophie.

Meu único e desnecessário lembrete para jogar segundo as regras.

Talvez, um dia, eu pudesse voltar e recuperar o botão. Se eu tivesse sorte, talvez Sophie e eu pudéssemos fazer isso juntas, recuperando o olho perdido da Gertrude e o recosturando no rosto de boneca desapaixonada dela.

Se eu tivesse sorte.

Tinha acabado de sentar na beirada da cama de hospital quando a cortina de privacidade foi puxada e D.D. entrou no quarto. Eu sabia o que viria a seguir e mesmo assim tive de morder o lábio de baixo para me impedir de gritar em protesto.

— *Tudo que quero de Natal são meus dois dentes da frente, meus dois dentes da frente...*

Percebi tardiamente que estava murmurando a música. Felizmente, pelo jeito, nenhum dos detetives percebeu.

— Tessa Marie Leoni — D.D. começou e enrijeci a espinha. — Você está presa pelo assassinato de Brian Anthony Darby. Por favor, levante-se.

Mais passos no corredor. Provavelmente o promotor e o assistente, que não queriam perder o grande momento. Ou talvez fosse algum dos canalhas do DPB, sempre à procura de uma boa foto que lhes renderia alguns trocados. E também provavelmente algum chefão da polícia estadual. Eles não iam me abandonar ainda, uma jovem policial que sofreu abusos. Eles não podiam passar uma imagem de falta de sensibilidade.

A imprensa estaria reunida no estacionamento, percebi, impressionada pela forma como eu parecia distante ao ser levada. Shane logo chegaria, no papel de representante do sindicato. E também meu advogado. Ou talvez eles fossem me encontrar no tribunal, onde eu ouviria oficialmente a acusação de matar meu próprio marido.

Tive a visão de outro momento no tempo, sentada numa mesa de cozinha, meu cabelo ainda molhado do banho pingando nas minhas costas enquanto o detetive repetia e repetia "*Onde você colocou a arma, por que trouxe a arma, o que fez você atirar...*".

Meu pai, parado impassível junto da porta, os braços cruzados por cima da camiseta branca suja. E eu, compreendendo naquele momento que o tinha perdido. Que minhas respostas não importavam mais. Eu era culpada, eu sempre seria culpada.

Às vezes, esse é o preço que se paga por amor.

A detetive Warren leu meus direitos. Eu não disse nada; o que restava para dizer? Ela colocou as algemas nos meus pulsos, preparou-se para me levar, daí defrontou o primeiro problema logístico. Eu não tinha roupas. Meu uniforme tinha sido ensacado e rotulado como evidência quando fui admitida no hospital, e levado para o laboratório criminalístico na tarde anterior. Isso me deixava com a camisola do hospital, e até mesmo D.D. compreendia os problemas políticos de uma policial da cidade de Boston carregando uma *trooper* estadual agredida vestindo nada além de uma camisola de hospital.

Ela e o detetive Dodge conferenciaram por um momento, em um canto do quarto. Eu me sentei na beirada da cama. Uma enfermeira tinha entrado e observava tudo com preocupação. Agora ela veio até mim.

— A cabeça? — ela perguntou de forma direta.

— Está doendo.

Ela tomou meu pulso, fez com que seguisse a ponta do dedo com os olhos, e assentiu satisfeita. Aparentemente eu só tinha dores, e não estava em crise. Assegurando-se de que a paciente não estava em perigo imediato, a enfermeira recuou e saiu.

— Não podemos usar um macacão da prisão — D.D. argumentava em tom baixo com Bobby. — O advogado dela vai dizer que estamos induzindo o juiz, levando-a até lá no macacão laranja da prisão. A camisola do hospital representa o mesmo problema, só que nos fazendo parecer canalhas insensíveis. Precisamos de roupas. Um jeans simples, uma malha. Esse tipo de coisa.

— Mande um policial até a casa dela — Bobby murmurou de volta.

D.D. o fitou por um segundo, daí virou-se para me analisar.

— Você tem uma roupa predileta? — perguntou.

— Walmart — eu disse, levantando.

— O quê?

— A dois quarteirões daqui. Jeans tamanho 6, malha tamanho médio. Eu gostaria de alguma roupa de baixo também, além de meias e sapatos.

— Eu não vou comprar roupas para você — D.D. declarou desagradada. — Vamos pegar roupas na sua casa.

— Não — eu disse, e sentei outra vez.

D.D. olhou feio para mim. Eu não disse nada. Ela estava me prendendo, afinal de contas, por que estava assim tão brava? Eu não queria roupas de casa, artigos pessoais que a Prisão do Condado de Suffolk tiraria de mim e guardaria enquanto eu estivesse presa. Preferia chegar na camisola do hospital. Por que não? A aparência faria com que eu ganhasse alguma simpatia, e eu aceitaria toda ajuda que pudesse conseguir.

Aparentemente, D.D. também imaginou isso. Um policial de uniforme foi chamado e recebeu instruções. O policial nem mesmo pestanejou com as ordens de ir comprar roupas de mulher. Ele saiu imediatamente, o que me deixou apenas com D.D. e Bobby novamente.

Outros deviam estar parados ali do lado de fora. Os quartos de hospital não eram assim tão grandes. Eles poderiam esperar pelo show no corredor.

Eu estava fazendo uma contagem regressiva, apesar de não saber para o quê.

— O que você usou? — D.D. perguntou abruptamente. — Sacos de gelo? Neve? Gozado, sabe. Notei aquele lugar molhado no chão do porão, ontem. Fiquei pensando naquilo.

Eu não disse nada.

Ela veio até mim, estreitando os olhos, como se estudando algum tipo de espécime da vida selvagem. Notei que quando andou ela manteve uma das mãos sobre a barriga, a outra no quadril. Também notei que o rosto dela estava pálido com grandes manchas escuras sob os olhos. Aparentemente, eu estava mantendo uma boa detetive acordada a noite toda. Ponto para mim.

Eu a fitei com meu olho bom. Ela ousava olhar para a carne inchada e roxa do meu rosto e me julgar.

— Você conheceu o legista? — ela perguntou agora, mudando de marcha, assumindo um tom mais de conversa. Parou na minha frente. De onde eu estava, sentada na beirada da cama do hospital, eu tinha de erguer o rosto para vê-la.

Eu não disse nada.

— O Ben é muito bom. Um dos melhores que já tivemos — ela continuou. — Talvez outro legista não tivesse notado. Mas o Ben adora detalhes. Aparentemente, o corpo humano é como qualquer outra carne. Você pode congelá-lo e degelá-lo, mas não sem causar mudanças... como ele falou? Consistência. A carne nas extremidades do seu marido pareceu errada para ele. Então ele pegou algumas amostras, colocou-as no microscópio e eu não entendo nada de ciências, mas basicamente ele determinou danos no nível celular consistente com congelamento do tecido humano. Você matou seu marido, Tessa. Daí você o colocou no gelo.

Eu não disse nada.

D.D. se inclinou, chegando mais perto.

— Mas é isso que não entendo. Obviamente, você estava ganhando tempo. Precisava fazer alguma coisa. O que era, Tessa? O que você estava fazendo enquanto o corpo do seu marido permanecia congelado no porão?

Eu não disse nada. Em vez disso fiquei ouvindo uma música, tocando em minha mente. *Tudo que quero de Natal são meus dois dentes da frente, meus dois dentes da frente, meus dois dentes da frente...*

— Onde ela está? — D.D. sussurrou, como que lendo minha mente. — Tessa, o que você fez com sua menininha? Onde está Sophie?

— Quando vai nascer? — perguntei, e D.D. recuou como se tivesse levado um tiro, e a um metro e meio dali, Bobby inalou com força.

Ele não sabia, percebi. Ou talvez soubesse, mas sem saber, daquela forma que às vezes os homens fazem. Achei isso interessante.

— Ele é o pai? — perguntei.

— Cale a boca — D.D. disse secamente.

Daí lembrei.

— Não — corrigi, como se não tivesse dito nada. Olhei para Bobby. — Você casou com outra mulher, do caso do Instituto Estadual de Saúde Mental, faz alguns anos. E vocês têm um bebê agora, não é? Não faz muito tempo. Ouvi falar sobre isso.

Ele não disse nada. Só ficou me olhando com olhos cinzentos frios. Ele estaria pensando que eu estava ameaçando a família dele? E eu estava?

Talvez eu só precisasse conversar um pouco, porque senão diria as coisas erradas. Por exemplo, usei neve, porque era mais fácil de pegar com a pá e não deixava restos tais como uma dúzia de sacos vazios de gelo. E Brian era pesado, mais pesado do que eu imaginava. Toda aquela malhação, todo aquele tempo puxando ferro, só para que eu e um matador de aluguel tivéssemos de carregar 20 quilos a mais escada abaixo até a preciosa garagem "nenhuma-ferramenta-fora-do-lugar" dele.

Chorei quando coloquei a neve em cima do corpo morto do meu marido. As lágrimas quentes formaram pequenos buracos na neve branca, daí tive de pegar mais neve e o tempo todo minhas mãos tremiam de forma incontrolável. Mantive o foco. Uma pá de neve, daí uma segunda, daí uma terceira. Precisei de 23.

Eu tinha avisado o Brian. Eu disse para ele desde o começo que eu era uma mulher que sabia demais. Você não mexe com uma mulher que sabe as coisas que eu sei.

Três tampões para fechar os buracos das balas. Vinte e três pás de neve para esconder o corpo.

*Tudo que quero de Natal são meus dois dentes da frente, meus dois dentes da frente, meus dois dentes da frente...*

Amo mais você, ele disse para mim enquanto morria.

Estúpido, filho da puta idiota.

Eu não disse mais nada, D.D. e Bobby também ficaram sentados em silêncio por uns bons dez ou 15 minutos. Três membros da força da lei sem se olharem. Por fim a porta foi aberta e Ken Cargill entrou, o casaco preto de lã ondulando atrás dele, o cabelo castanho que rareava cheio de musse. Ele parou, notou as algemas nos meus pulsos e virou-se para D.D. com toda a fúria de um bom advogado de defesa.

— O que é isso? — ele gritou.

— Sua cliente, Tessa Marie Leoni, foi acusada pela morte do marido dela, Brian Anthony Darby. Nós lemos os direitos dela, e estamos aguardando o transporte para o tribunal.

— E quais são as acusações? — Cargill exigiu saber, parecendo adequadamente indignado.

— Assassinato em primeiro grau.

Os olhos dele se abriram mais.

— Assassinato com malícia premeditada e planejamento? Você está maluca? Quem autorizou essas acusações? Você sequer *olhou* para minha cliente recentemente? O olho roxo, o rosto fraturado e, ah, sim, a *concussão?*

D.D. apenas olhou para ele, daí virou-se para mim.

— Gelo ou neve, Tessa? Vamos, se não por nós, diga para o seu advogado como foi que você congelou o corpo.

— *O quê?*

Fiquei imaginando se todos os advogados iam para a escola de teatro, ou se isso era algo natural neles, assim como é com os policiais.

O primeiro policial de uniforme voltou, ofegante; aparentemente ele correu o caminho todo até o hospital carregando a grande sacola do Wal-mart. Ele a entregou para D.D., que fez as honras de explicar meu novo guarda-roupa para Cargill.

D.D. tirou as algemas. Recebi a pilha de roupas novas, cabides e outros objetos pontudos removidos, e permitiram que eu fosse ao banheiro me trocar. O policial de Boston tinha feito um bom trabalho. Jeans com as pernas largas, duro como pedra de tão novo. Uma malha com gola em vê. Um sutiã esportivo, calcinha simples, meias simples, tênis brancos.

Fiz movimentos lentos, passando o sutiã, depois a malha, pela minha cabeça machucada. O jeans foi mais fácil, mas amarrar os cadarços foi impossível. Meus dedos tremiam demais.

Você sabe qual foi a parte mais difícil de enterrar meu marido?

Esperar ele parar de sangrar. Esperar o coração dele parar e os últimos mililitros de sangue pararem e esfriarem no peito dele, porque senão ele ia pingar. Ele deixaria uma trilha, e, mesmo se fosse pequena e eu a limpasse com água sanitária, o luminol a tornaria visível.

Então sentei, em uma cadeira dura na cozinha, em uma vigília que nunca imaginei que faria. E o tempo todo eu simplesmente não conseguia decidir, o que era pior? Matar um garoto, e correr com o sangue dele ainda fresco em minhas mãos? Ou matar um homem e ficar ali sentada, esperando que o sangue dele secasse para poder limpar tudo adequadamente?

Coloquei três tampões nos buracos no peito de Brian, como medida de segurança.

*— O que você está fazendo? — o homem perguntou.*

*— Não posso deixar uma trilha de sangue — eu disse calmamente.*

*— Oh — ele disse, e não falou mais nada.*

Três tampões cheios de sangue. Dois dentes da frente. É gozado, os talismãs que lhe dão força.

Murmurei a música. Amarrei os sapatos. Aí levantei e passei um último minuto me observando no espelho. Não reconheci meu próprio reflexo. Aquele rosto distorcido, as faces encovadas, o cabelo castanho liso.

Pensei que estava bom, sentir que era uma estranha para mim mesma. Era adequado para tudo que ia acontecer a seguir.

— Sophie — murmurei, porque precisava escutar o nome da minha filha. — Sophie, amo mais você.

Então abri a porta do banheiro e mais uma vez apresentei meus pulsos.

As algemas estavam frias; elas deslizaram com um clique.

Estava na hora. D.D. de um lado. Bobby do outro. Meu advogado vindo atrás.

Avançamos pelo corredor branco brilhante, o promotor se afastando da parede, pronto para liderar a parada em glória triunfante. Vi o tenente-coronel, o olhar firme ao observar sua oficial algemada, o rosto impossível de decifrar. Vi os outros homens de uniforme, nomes que conhecia, mãos que havia cumprimentado.

Eles não olharam para mim, por isso retribui o favor.

Seguimos pelo corredor, na direção das grandes portas de vidro e a multidão de repórteres gritando lá do outro lado.

Transmita segurança. Nunca os deixe verem você suar.

As portas de vidro deslizaram para os lados e o mundo explodiu em flashes de luz branca.

# 20

— Temos de começar de novo — D.D. estava dizendo uma hora e meia mais tarde.

Eles tinham entregue Tessa para o Departamento do Xerife do Condado de Suffolk no tribunal. O promotor apresentaria as acusações. O advogado dela entraria com um apelo, a fiança seria fixada, e uma ordem de prisão seria preparada pela Corte, dando legalmente ao condado permissão para manter Tessa Leoni presa até os requerimentos da fiança dela serem cumpridos. Nessa altura, Tessa ou seria solta ou transportada para a Prisão do Condado de Suffolk. Considerando que o promotor ia dizer que Tessa poderia tentar fugir e ia requerer que não houvesse fiança, havia uma boa chance de ela já estar a caminho da unidade de detenção feminina enquanto conversavam.

O que não resolvia os problemas deles.

— Nossa linha do tempo foi baseada na declaração inicial de Tessa para a polícia — D.D. estava dizendo agora, de volta ao quartel-general da DPB, onde havia chamado apressadamente todos os membros da força-tarefa. — Nós assumimos, baseados na declaração dela sobre os eventos, que Brian Darby levou os tiros e morreu na manhã de domingo, depois de uma altercação física com ela. De acordo com o legista, no entanto, o corpo de Darby foi congelado antes da manhã de domingo e, muito provavelmente, *degelado* para a atuação digna de uma estrela de Tessa.

— Ele tem como dizer por quanto tempo o corpo ficou congelado? — Phil perguntou da fileira da frente.

D.D. deixou o terceiro membro do esquadrão, Neil, responder a pergunta, já que fora ele quem acompanhara a autópsia.

— Provavelmente menos de vinte e quatro horas — Neil explicou para a sala. — Ben disse que conseguiu ver danos celulares consistentes com congelamento nas extremidades, mas não nos órgãos internos. O que quer dizer que o corpo ficou no gelo, mas não o suficiente para congelar por inteiro. Membros, rosto, dedos sim. A parte interna do torso não. Então ele provavelmente ficou no gelo de doze a vinte e quatro horas. A estimativa é assim vaga porque a linha do tempo seria afetada pela temperatura do lugar... ele está supondo, e é realmente apenas uma suposição, que Brian Darby foi morto na sexta à noite ou no sábado de manhã.

— Então — D.D. declarou, redirecionando a atenção de volta para ela. — Vamos ter de repassar todos os vizinhos, amigos e família. Quando foi a última vez que alguém viu ou falou com Brian Darby? Estamos falando de sexta à noite ou sábado de manhã?

— Ele recebeu uma chamada no celular na noite da sexta — comentou Jake Owens, outro detetive. — Eu vi isso quando estava passando pelos registros ontem.

— Foi um chamado longo? Como se ele tivesse conversado com alguém?

— Oito ou nove minutos, então não foi só o tempo de deixar uma mensagem. Vou recuperar o número e falar com quem ligou.

— Assegure-se de que a pessoa falou com o Brian — D.D. comandou rispidamente — e que não era Tessa, usando o telefone dele.

— Eu não estou entendendo. — Phil estava fazendo as verificações gerais e em vários aspectos sabia mais sobre os detalhes do caso do que todos eles. — Estamos pensando que Tessa atirou no marido, daí congelou o corpo, depois encenou tudo na manhã de domingo. Por quê?

D.D. deu de ombros.

— Curiosamente, ela não quis nos dizer por quê.

— Estava ganhando tempo — Bobby disse, do seu lugar, apoiado na parede da frente. — Não há outro motivo possível. Ela estava ganhando tempo.

— Para o quê? — Phil perguntou.

— Provavelmente para lidar com a filha.

Isso fez todos na sala ficarem imóveis. D.D. olhou feio para ele. Obviamente, ela não ficou contente com a conjetura dele. O que estava bem. Ele não ficara feliz em saber que ela estava grávida por intermédio de uma suspeita em uma investigação de assassinato. Podiam dizer que ele era antiquado, mas isso transparecia no que dizia e ele estava bravo com isso.

— Você acha que ela machucou a filha? — Phil perguntou agora, a voz hesitante. Ele tinha quatro filhos.

— Uma vizinha viu a Denali de Brian sair da casa na tarde do sábado — Bobby disse. — A princípio, achamos que era Brian dirigindo a SUV. Considerando que os técnicos do laboratório acreditavam que um cadáver foi carregado na traseira do veículo, deduzimos que Brian tinha matado a enteada, e estava se livrando da evidência. Mas Brian Darby provavelmente já estava morto na tarde de sábado. O que quer dizer que não foi ele quem transportou o cadáver.

D.D. contraiu os lábios, mas assentiu levemente.

— Acho que temos de considerar a noção de que Tessa Leoni matou a família toda. Considerando que Sophie foi à escola na sexta, suponho que ou na sexta à noite, antes do turno de patrulha da Tessa, ou no sábado de manhã depois do turno de patrulha dela, algo terrível aconteceu naquela casa. O corpo de Brian foi colocado no gelo na garagem, e o corpo de Sophie foi levado para um local desconhecido e deixado lá. Tessa foi trabalhar novamente na noite de sábado. Daí, no domingo de manhã, era hora do show.

— Ela encenou tudo — Phil murmurou. — Fez parecer que o marido tinha feito alguma coisa com Sophie. Daí ela e Brian brigaram e ela o matou para se defender.

D.D. assentiu. Bobby também.

— E quanto aos ferimentos no rosto? — Neil perguntou do fundo. — Ela não foi fazer a patrulha sábado à noite com uma concussão e rosto fraturado. Ela não conseguia ficar em pé ontem, quanto mais operar um veículo.

— Bem lembrado — D.D. concordou. Ela foi até o quadro branco, onde havia escrito: *Linha do tempo.* Agora, ela acrescentou uma bolinha: *Ferimentos de Tessa Leoni: manhã de domingo.* — Os ferimentos tinham de ser recentes. Um médico pode confirmar isso? — ela perguntou para Neil, um ex-socorrista e o especialista local em tudo ligado à medicina.

— É difícil com contusões — Neil respondeu. — Cada pessoa sara em um ritmo diferente. Mas eu acho que pela seriedade dos ferimentos eles devem ter ocorrido perto do horário do chamado e não muito antes disso. Ela não poderia fazer praticamente nada com tantos ferimentos na cabeça.

— E quem bateu nela? — outro policial perguntou.

— Um cúmplice — Phil murmurou da frente.

D.D. assentiu.

— Além de mudar nossa linha do tempo, essa nova informação também quer dizer que precisamos reconsiderar a abrangência do caso. Se Brian Darby não bateu na esposa, então quem foi e por quê?

— Amante — Bobby disse calmamente. — É a explicação mais lógica. Por que Tessa Leoni matou o marido e a filha? Porque não queria mais ficar com eles. Por que ela não queria mais ficar com eles? Porque encontrou alguém novo.

— Alguém ouviu falar alguma coisa? — D.D. perguntou para ele. — Algum rumor no alojamento, esse tipo de coisa.

Bobby fez que não.

— Não. Eu sou um detetive, não um *trooper.* Vamos ter de falar com o tenente.

— Vai ser a primeira coisa esta tarde — D.D. garantiu para ele.

— É bom lembrar — Phil falou novamente — que essa teoria se encaixa melhor com o que o chefe do Darby, Scott Hale, relatou. Falei com ele às onze, e ele jurou que Darby não tinha nada de violento. A tripulação de um petroleiro é bem pequena e está sempre junta. Você vê pessoas dormindo pouco, com saudade de casa e estressadas por manter um ritmo de trabalho de vinte e quatro horas nos sete dias da semana. Como engenheiro, Darby tinha de lidar com todas as crises técnicas, e aparentemente coisas grandes dão errado em navios grandes, como água no combustível, sistemas elétricos fritando, problemas nos softwares de controle. Ainda assim, Hale nunca viu Darby perder a compostura. De fato, quanto maior fosse o problema, mais Darby se empenhava para achar uma solução. Hale certamente não acredita que um sujeito assim vai para casa e bate na esposa.

— Darby era um empregado modelo — D.D. disse.

— Darby era o engenheiro favorito de todos. E, aparentemente, muito bom no Guitar Hero. Ele tem uma sala de recreação a bordo.

D.D. suspirou, cruzando os braços. Olhou para Bobby, sem procurar os olhos dele, mas olhando na direção geral onde ele estava.

— O que você descobriu na academia? — ela perguntou.

— Brian passou os últimos nove meses seguindo um regime muito vigoroso de exercícios para ganhar massa. A personal trainer jurou que ele não tomava esteroides, estava apenas na base do sangue, suor e lágrimas. Ela só ouvia ele dizer coisas boas sobre a mulher, mas acha que ter uma *trooper* estadual como esposa era difícil para ele. Ah, e, nas últimas três semanas, desde que voltou para casa da última viagem, definitivamente havia algo de errado com ele, mas Darby não falou a respeito.

— O que você quer dizer com "algo de errado"?

— A personal trainer disse que ele parecia mais sombrio, temperamental. Ela perguntou algumas vezes, imaginando que fosse algo em casa, mas ele não fez comentários. Pelo que parece, isso o torna algo de especial. Aparentemente a maioria dos clientes fala sobre as coisas mais íntimas enquanto fazem ginástica. Entre numa academia, entre em um confessionário.

D.D. ficou mais alerta.

— Então ele estava com alguma coisa na cabeça, mas não falou a respeito.

— Ele pode ter descoberto que a esposa estava tendo um caso — Neil comentou do fundo. — Você disse quando ele voltou, o que quer dizer que ele tinha deixado a esposa sozinha por sessenta dias...

— Além da sala de recreação no navio — Phil disse —, tem uma sala de computadores para a tripulação. Estou trabalhando no mandato para pegar cópias de todos os e-mails do Darby. Pode ter alguma coisa lá.

— Então Tessa conheceu outro homem — D.D. conjeturou — e decide acabar com o marido. Mas por que homicídio? Por que não divórcio?

Ela colocou a pergunta de forma geral, um desafio para a sala toda.

— Seguro de vida — um policial sugeriu.

— Conveniência — disse outro. — Talvez ele tenha ameaçado lutar se ela se divorciasse dele.

D.D. anotou os comentários, parecendo especialmente interessada na terceira linha no quadro branco.

— Por admissão dela mesma, Tessa Leoni é uma alcoólatra, que já matou uma vez quando tinha dezesseis anos. Se isso é o que ela quis admitir, o que é que ela *não* quis dizer? — D.D. virou-se para o grupo. — Certo, então por que matar a filha? Brian é um pai adotivo, então não teria como lutar pela custódia da menina. Terminar o casamento é uma coisa. Mas por que matar a própria filha?

A sala foi mais lenta com essa pergunta. Entre todos eles, foi Phil quem finalmente se aventurou a dar uma resposta:

— Porque o amante não quer filhos. Não é assim que essas coisas acontecem? Diane Downs etc. etc. As mulheres matam seus filhos quando os filhos são inconvenientes para elas. Tessa estava querendo começar uma vida nova. Sophie não poderia ser parte dessa vida, então ela tinha de morrer.

Ninguém tinha nada a acrescentar.

— Temos de identificar o amante — Bobby murmurou.

— Temos de encontrar o corpo da Sophie. — D.D. suspirou de forma mais pesada. — Provar de uma vez por todas do que Tessa Leoni é capaz.

Ela baixou o marcador, olhando para o quadro branco.

— Muito bem, pessoal. Isso é o que estamos assumindo: Tessa Leoni matou o marido e a filha, provavelmente na noite de sexta ou manhã de sábado. Ela congelou o corpo do marido na garagem. Ela deu um fim ao corpo da filha quando saiu com a SUV na tarde de sábado. Depois foi trabalhar, provavelmente enquanto degelava o corpo do marido na cozinha, antes de voltar para casa, deixar o amante bater para valer nela, e chamar os colegas *troopers* estaduais. É uma história e tanto. Agora saiam lá fora e me arrumem alguns *fatos.* Quero e-mails e mensagens telefônicas entre ela e o amante. Quero um vizinho que a tenha visto descarregando gelo ou pegando neve com uma pá. Quero saber exatamente para onde a Denali branca de Brian Darby foi na tarde de sábado. Quero o corpo de Sophie. E, se foi realmente isso que aconteceu, eu quero Tessa Leoni presa pelo resto da vida. Alguma pergunta?

— Alerta Âmbar? — Phil perguntou, enquanto levantava.

— Vamos mantê-lo ativo até achar Sophie Leoni, de um jeito ou de outro.

A força-tarefa compreendeu o que ela estava dizendo: até encontrarem a criança, ou até recuperarem o corpo da criança. Os detetives saíram da sala. Daí eram apenas Bobby e D.D. parados juntos, sozinhos.

Ele se afastou da parede primeiro e caminhou para a porta.

— Bobby.

Havia apenas o suficiente de incerteza na voz dela para fazê-lo se voltar.

— Eu não contei para o Alex — ela disse. — Está bem? Eu não contei nem mesmo para o Alex.

— Por que não?

— Porque... — Ela deu de ombros. — Porquê.

— Você vai ficar com o bebê?

Os olhos dela se alargaram. Ela se moveu apressada para abrir a porta, por isso ele a fechou.

— Está vendo, é por isso que eu não disse nada — ela explodiu. — É exatamente esse tipo de conversa que eu não queria ter!

Ele permaneceu parado ali, olhando para ela. Ela estava com uma das mãos abertas sobre a parte de baixo do abdômen. Como ele não havia notado isso antes, ele, o ex-atirador de elite? O modo como ela segurava a barriga, de forma quase protetora. Ele se sentiu estúpido, e percebeu agora que não precisava ter feito a pergunta. Sabia a resposta só de olhar a postura dela ali em pé: ela ia ficar com o bebê. Era isso o que a aterrorizava tanto.

A sargento detetive D.D. Warren ia ser mamãe.

— Vai dar tudo certo — ele disse.

— Ah, Deus!

— D.D., você foi ótima em tudo que sempre quis fazer. Por que seria diferente com isso?

— Ah, Deus — ela disse novamente, os olhos ainda mais arregalados.

— Quer que eu pegue alguma coisa para você? Água? Pickles? Que tal pedaços de gengibre? Annabelle vivia à base de pedaços de gengibre. Dizia que melhorava o estômago.

— Pedaços de gengibre? — Ela fez uma pausa. Pareceu um pouco menos assustada, um pouco mais curiosa. — Mesmo?

Bobby sorriu para ela, cruzou a sala e, porque parecia a coisa certa a fazer, deu um abraço nela.

— Parabéns — sussurrou no ouvido dela. — Sério, D.D. Bem-vinda à maior aventura da sua vida.

— Você acha? — Os olhos dela pareciam um pouco marejados, daí surpreendeu a eles dois abraçando-o também. — Obrigada, Bobby.

Ele deu tapinhas no ombro dela. Ela apoiou a cabeça no peito dele. Depois os dois se separaram, viraram para o quadro branco e voltaram a trabalhar.

# 21

Fiquei ali em pé, as mãos algemadas diante da cintura, enquanto o promotor lia minhas acusações. De acordo com ele, eu havia deliberada e intencionalmente atirado em meu marido. Além disso, tinham razões para acreditar que eu havia também matado minha própria filha. A essa altura, estavam entrando com uma acusação de Assassinato I, e requerendo que eu fosse presa sem fiança, considerando a severidade das acusações.

Meu advogado, Cargill, vociferou seu protesto. Eu era uma impecável *trooper* da polícia do estado, com uma carreira longa e distinta (quatro anos?). O promotor tinha evidências insuficientes contra mim e acreditar que tal policial renomada e mãe dedicada poderia matar a família inteira era contrário à razão.

O promotor declarou que a balística já havia confirmado que as balas no peito do meu marido tinham saído da minha Sig Sauer.

Cargill usou como argumento meu olho roxo, rosto fraturado e cérebro com concussão. Obviamente, eu havia sido levada àquilo.

O promotor declarou que isso poderia fazer sentido se o corpo do meu marido não tivesse sido congelado depois da morte.

Tal afirmação claramente deixou perplexo o juiz, que me lançou um olhar de surpresa.

Bem-vindo ao meu mundo, eu quis dizer para ele. Mas não disse nada, não demonstrei nada, porque até mesmo o menor dos gestos, alegre, bravo ou triste, levaria ao mesmo lugar: histeria.

Sophie, Sophie, Sophie.

*Tudo que quero de Natal são meus dois dentes da frente, meus dois dentes da frente, meus dois dentes da frente, meus dois dentes da frente.*

Eu ia começar a cantar. Daí eu simplesmente gritaria porque era isso que uma mãe queria fazer quando puxava as cobertas da cama vazia da sua filha. Ela queria gritar, mas eu não tive a oportunidade.

Ouvi barulhos lá embaixo. Sophie, pensei novamente. E corri para fora do quarto dela, desci a escada, voando direto para a cozinha, e lá estava meu marido, e lá estava um homem segurando uma arma apontada para a têmpora do meu marido.

— Quem você ama? — ele dissera, e, assim rapidamente, as escolhas foram colocadas para mim. Eu podia fazer o que ele mandava e salvar minha filha. Ou podia lutar, e perder a família inteira.

Brian, olhando para mim, usando o olhar para me dizer o que eu precisava fazer. Porque, apesar de ele ser um canalha miserável, ainda assim era meu marido e, mais importante, era o pai da Sophie. O único homem que ela já havia chamado de papai.

Ele a amava. Apesar de todas as falhas, ele amava a nós duas.

Engraçado, as coisas que você não aprecia totalmente até ser tarde demais.

Eu coloquei meu cinturão na mesa da cozinha.

E o homem avançou, tirou minha Sig Sauer do coldre e atirou em Brian três vezes no peito.

Bam, bam, bam.

Meu marido morreu. Minha filha estava desaparecida. E eu, a policial treinada, estava ali parada, completamente em choque, o grito preso na garganta.

O martelo bateu.

O som forte fez com que eu voltasse a prestar atenção. Meu olhar foi instintivamente para o relógio. Eram 2h43 da tarde. O tempo ainda importava? Eu esperava que sim.

— A fiança está fixada em um milhão de dólares — o juiz declarou com voz forte.

O promotor sorriu. Cargill fez uma careta.

— Tenha calma — Shane murmurou atrás de mim. — Vai ficar tudo bem. Tenha calma.

Eu não valorizei a resposta dele de palavras vazias. O sindicato dos *troopers* tinha dinheiro guardado para fianças, claro, assim como ajudava na escolha de um advogado para qualquer oficial que precisasse de assistência legal. Infelizmente, o dinheiro guardado certamente não chegava a um milhão. Essa quantia levaria tempo para ser levantada, sem falar que ia requerer uma votação especial. O que queria dizer que eu estava sem sorte.

Nunca que o sindicato iria se envolver ainda mais com uma policial acusada de matar o marido e a filha. Nunca que meus 1.600 colegas homens iriam votar a favor no meu caso.

Eu não disse nada, não demonstrei nada, porque o grito estava borbulhando novamente, um aperto no meu peito que crescia e crescia. Desejei ter o botão azul, desejei que pudesse ficar com ele, porque segurá-lo, de uma forma perversa, havia me mantido sã. O botão significava Sophie. O botão significava que Sophie estava lá fora, e eu só precisava encontrá-la novamente.

O policial do tribunal se aproximou, colocando a mão no meu ombro. Ele me empurrou para frente e comecei a andar, um pé diante do outro, porque era isso que se fazia, era o que eu tinha de fazer.

Cargill estava ao meu lado.

— Família? — ele perguntou calmamente.

Compreendi o que ele queria dizer. Se eu tinha alguém da família que pagaria a fiança. Pensei no meu pai, senti o grito subir do peito para a garganta. Fiz que não com a cabeça.

— Vou falar com o Shane, apresentar seu caso para o sindicato — ele disse, mas eu podia sentir o ceticismo dele.

Lembrei-me de meus oficiais superiores, que não tinham me fitado nos olhos, quando passei pelo corredor do hospital. A caminhada da vergonha. A primeira de muitas.

— Posso pedir tratamento especial na prisão — Cargill disse, falando depressa agora, pois estávamos chegando perto da porta que levava para a cela, de onde eu seria oficialmente levada embora. — Você é uma *trooper* da polícia estadual. Eles vão garantir segregação se você quiser.

Fiz que não com a cabeça. Já tinha estado na Prisão do Condado de Suffolk; a unidade de segregação era a mais deprimente do lugar. Eu teria uma cela só para mim, mas também ficaria presa nela 23 horas do dia. Sem privilégios como um passe para a academia de ginástica ou uma hora na biblioteca, e sem área comum com uma pequena televisão e a bicicleta ergométrica mais velha do mundo para ajudar a passar o tempo. Engraçadas as coisas que eu estava a ponto de considerar itens de luxo.

— Avaliação médica — ele sugeriu com urgência, significando que eu também podia requerer tempo médico, o que me colocaria na enfermaria.

— Com todos os outros malucos — murmurei de volta, porque da última vez que estivera na prisão, todos aqueles que gritavam tinham sido colocados na enfermaria, berrando sem parar consigo mesmos, os guardas, os outros internos. Tudo, imagino, para abafar as vozes na cabeça deles.

Chegamos ao lado de fora da cela e o guarda olhou de forma significativa para Cargill. Por um momento, meu agitado advogado hesitou. Ele olhou para mim com uma expressão que poderia ser simpatia e desejei que não tivesse feito aquilo, porque só fez o grito subir da garganta para o vazio escuro da minha boca. Tive de comprimir os lábios, apertar as mandíbulas para impedir que ele escapasse.

Eu era resistente, eu era forte. Não havia nada ali que não tivesse visto antes. Geralmente era eu do outro lado das barras, mas detalhes, detalhes.

Cargill segurou minhas mãos com as algemas. Apertou meus dedos.

— Peça minha presença, Tessa — ele murmurou. — Você tem o direito legal de falar com seu advogado a qualquer momento. Chame e eu irei.

Em seguida ele se afastou. A porta da cela foi aberta. Eu entrei, unindo-me a cinco outras mulheres com rostos tão pálidos e fechados quanto o meu. Enquanto olhava, uma delas foi até a privada de aço inoxidável, puxou a minissaia preta de spandex e fez xixi.

— O que você tá olhando, vaca? — ela perguntou, bocejando.

A porta da cela se fechou atrás de mim.

Apresentando a coreografia de South Bay: para executar essa tradicional manobra de transporte da prisão, uma prisioneira deve passar cada um dos seus braços pelos braços das pessoas dos seus lados, então juntar as mãos na altura da cintura, onde os pulsos recebem algemas. Depois que cada prisioneira foi "trançada" com as colegas de ambos os lados, os tornozelos também são algemados e uma fila de seis mulheres pode bambolear até a perua do xerife.

As mulheres vão sentadas em um dos lados da perua. Os homens sentam do outro lado. Uma placa de acrílico transparente os separa. A loira oxigenada do meu lado passou a maior parte do trajeto fazendo movimentos sugestivos com a língua. O negro de 125 quilos com muitas tatuagens a ficou incentivando com o quadril.

Mais três minutos e acho que eles poderiam completar a transação. Infelizmente para eles, nós chegamos à Prisão do Condado de Suffolk.

A perua do xerife estacionou na área de descarga. Uma pesada porta de garagem de metal desceu ruidosamente e foi trancada, selando o lugar. Então as portas da perua foram finalmente abertas.

Os homens desceram primeiro, andando com suas algemas e entrando pela porta da transição. Depois de alguns minutos foi a nossa vez.

O mais difícil foi descer da perua. Senti grande pressão das outras para não cair, porque se caísse levaria todas comigo. O fato de eu ser branca e vestir roupas novas fazia com que me destacasse, já que a maioria das minhas colegas prisioneiras pareciam ser integrantes dos negócios com sexo e drogas. As mais limpas provavelmente trabalhavam por dinheiro. As não tão limpas trabalhavam em troca do produto.

A maioria havia passado a noite em claro, e, a julgar pelos vários odores, tinham trabalhado bastante.

Curiosamente, a mulher de cabelo laranja na minha direita torceu o nariz para o meu cheiro de antisséptico de hospital e jeans novo. Enquanto a menina à minha esquerda (18, 19 anos?) olhou para meu rosto ferido e disse:

— Ah, querida, da próxima vez, apenas entregue o dinheiro para ele e ele vai ser mais legal com você.

As portas abriram. Nós entramos na transição. As portas fecharam atrás de nós. As portas à esquerda abriram ruidosamente.

Eu podia ver a central de comando diretamente à frente, com dois carcereiros de uniforme azul-escuro. Mantive a cabeça baixa, com medo de ver um rosto familiar.

Mais passinhos aos saltos, avançando centímetro a centímetro com os ombros se tocando, com os quadris se tocando, avançando pelo corredor, passando pelas paredes de blocos de cimento pintadas com um tom sujo de amarelo, inalando o cheiro adstringente das instituições governamentais de todos os lugares — uma mistura de suor, alvejante e apatia humana.

Chegamos à "contenção suja", outra cela grande, parecida com a do tribunal. Bancos de madeira ao longo de uma parede. Uma única privada e uma pia de metal. Dois telefones públicos. As chamadas tinham de ser feitas a cobrar, fomos instruídas, e uma mensagem automática informaria o receptor de que a chamada vinha da Prisão do Condado de Suffolk.

Tiraram as algemas. Os policiais saíram. A porta de metal foi fechada e pronto.

Esfreguei os pulsos, daí notei que fui a única a fazer isso. As outras tinham formado filas para os telefones. Prontas para ligar para quem quer que pudesse pagar suas fianças.

Eu não fui para as filas. Sentei no banco de madeira e fiquei olhando as prostitutas e vendedoras de drogas que tinham mais pessoas que as amavam do que eu.

O carcereiro chamou primeiro o meu nome. Apesar de saber o que aconteceria, senti um momento de pânico. Minhas mãos seguraram a beirada do banco, eu não sabia se conseguiria largar.

Tinha conseguido lidar com tudo até ali. Não tinha sido fácil, mas conseguira. Mas, agora, o processo. A policial Tessa Leoni deixaria oficialmente de existir. A prisioneira 55669021 tomaria seu lugar.

Eu não conseguia fazer isso. Não ia fazer isso.

O carcereiro chamou meu nome outra vez. Ele estava do lado de fora da porta de metal, olhando direto para mim através da janela. E eu percebi que ele sabia. Claro que ele sabia. Eles estavam recebendo uma policial. Tinha de ser a fofoca mais quente do momento. Uma mulher acusada de matar o marido e suspeita de assassinar a filha de seis anos. Exatamente o tipo de prisioneira que os carcereiros amavam odiar.

Forcei-me a largar o banco. Forcei-me a levantar.

Demonstre presença, pensei, um pouco perturbada. Não os deixe verem você suar.

Fui até a porta. O carcereiro prendeu os braceletes, colocou a mão no meu cotovelo. Segurou com força, o rosto impassível.

— Por aqui — ele disse, e puxou meu braço para a esquerda.

Voltamos para a central de comando, onde exigiram informações básicas: altura, peso, data de nascimento, parente mais próximo, informações de contato, endereços, números de telefone, tatuagens etc. Depois tiraram minha foto parada diante da parede de blocos, segurando uma placa com o número que seria minha nova identidade. O produto final tornou-se meu novo documento de identidade, que eu teria de usar o tempo todo.

Voltamos corredor abaixo. Outra sala, onde tiraram minha roupa, e eu tive de me abaixar nua enquanto uma policial apontava uma lanterna para todos os meus orifícios. Recebi um uniforme de prisão castanho-claro — uma calça, uma blusa —, um par de tênis brancos chamados "Air Cabral" em homenagem ao xerife, Andrea Cabral, e um saco plástico com uma escova de dentes do tamanho do meu dedinho, um desodorante minúsculo, xampu e pasta de dente. Tudo feito de plástico transparente para tornar mais difícil para os presos esconderem drogas neles. A escova de dente era assim pequena para não ser muito eficiente se transformada em um estilete.

Se eu quisesse mais itens de toalete, digamos um condicionador, loção para as mãos ou protetor para os lábios, teria de comprá-los do comissário.

Um protetor labial saía por 1,10 dólar. A loção, 2,21 dólares. Eu também poderia comprar tênis melhores, por preços que iam de 28 a 47 dólares.

Em seguida, a sala da enfermaria. A enfermeira examinou meu olho roxo, rosto inchado e o ferimento na cabeça. Então tive de responder perguntas médicas de rotina, enquanto recebi vacina para tuberculose, sempre um grande problema entre as populações carcerárias. A enfermeira se deteve na avaliação psicológica, talvez tentando determinar se eu era o tipo de mulher que poderia fazer algo radical, como me enforcar com os lençóis lavados com excesso de alvejante.

A enfermeira assinou a avaliação médica. Em seguida o carcereiro me escoltou através do corredor de blocos de cimento até os elevadores. Apertou o botão do nono andar, onde ficavam as mulheres aguardando julgamento. Eu tinha duas opções, a unidade 1-9-1 ou a unidade 1-9-2. Escolhi a 1-9-2.

Havia entre 60 e 80 mulheres aguardando julgamento. Dezesseis celas em cada unidade. Duas ou três mulheres por cela.

Fui levada para uma cela com apenas uma outra mulher. O nome dela era Erica Reed. Ela dormia no beliche de cima e guardava suas coisas no de baixo. Eu poderia me instalar no bloco de açougueiro que também servia como mesa.

A segunda porta de metal fechada atrás de mim, Erica começou a mastigar suas unhas descoloridas, revelando uma fileira de dentes negros. Viciada em metanfetamina. O que explicava o rosto pálido e encovado e o cabelo castanho desgrenhado.

— Você é a policial? — ela perguntou imediatamente, parecendo muito animada. — Todo mundo está dizendo que vamos ter uma policial! Eu *espero* que você seja a policial!

Percebi então que tinha um problema bem maior do que imaginava.

# 22

O tenente-coronel Gerald Hamilton não pareceu animado em falar com D.D. e Bobby; ele ficou mais foi resignado com seu destino. Uma de suas *troopers* estava envolvida em um "incidente desafortunado". É claro que a equipe de investigação tinha de falar com ele.

Como cortesia, D.D. e Bobby foram vê-lo no escritório dele. Ele deu a mão para D.D., depois cumprimentou Bobby com um aperto mais familiar no ombro. Era óbvio que os dois se conheciam, e D.D. sentia-se grata pela presença de Bobby — Hamilton provavelmente não seria tão receptivo de outra forma.

Ela deixou Bobby assumir a liderança enquanto analisava o policial Hamilton. A Polícia Estadual de Massachusetts era famosa por gostar de sua hierarquia no estilo militar. Se D.D. trabalhava em um escritório bem modesto e pequeno, o do tenente-coronel Hamilton parecia o de um candidato político em franca ascensão. As paredes de painéis de madeira tinham fotografias com molduras pretas de Hamilton com todos os principais políticos de Massachusetts, incluindo uma especialmente grande dele com o senador republicano pelo estado, Scott Brown. Ela viu um diploma da Universidade Amherst de Massachusetts, outro certificado da

Academia do FBI. A impressionante coleção de chifres acima da mesa do tenente atestava sua competência como caçador, e, caso isso não realizasse a mágica, outra foto mostrava Hamilton de traje verde com um colete laranja parado ao lado da caça recém-abatida.

D.D. não passou muito tempo olhando as fotos. Estava com a impressão de que o Bebê Warren era vegetariano. Carne vermelha ruim. Cereais secos, por outro lado, começavam a parecer bons.

— Claro que conheço a *trooper* Leoni — Hamilton estava dizendo agora. Ele era um oficial superior de ar distinto. Bem-apessoado, atlético, o cabelo escuro ficando grisalho nas têmporas, o rosto permanentemente bronzeado por causa de anos passados ao ar livre. D.D. apostava que os jovens oficiais homens o admiravam abertamente, e as jovens oficiais mulheres secretamente o consideravam atraente. Tessa Leoni seria uma dessas oficiais? E Hamilton retornava o sentimento?

— Ótima policial — ele continuou no mesmo tom. — Jovem, mas competente. Sem histórico de incidentes ou reclamações.

Hamilton estava com a ficha de Tessa aberta na mesa. Ele confirmou que Tessa havia trabalhado nas noites de sexta e sábado. Depois ele e Bobby revisaram os registros de trabalho, que na maior parte não faziam sentido para D.D. Detetives cuidavam de casos ativos, casos concluídos, mandatos, interrogatórios etc. etc. *Troopers* cuidavam, entre outras coisas, de parar veículos, multas de trânsito, chamados de emergência, cumprimento de mandatos, retomar propriedades e uma grande lista de outras assistências. Aquilo parecia para D.D. menos com trabalho policial e mais com jogo de basquete. Aparentemente, *troopers* ou respondiam chamados ou assistiam outros *troopers* respondendo chamados.

Seja como for, Tessa tinha registros de trabalho especialmente robustos, mesmo nas noites de sexta e sábado. Só na noite de sábado, ela havia passado duas multas por dirigir alcoolizado que, no segundo caso, envolvia não só levar o motorista sob custódia, mas cuidar para que o veículo do suspeito fosse rebocado.

Bobby fez uma careta.

— Já viu a papelada? — ele disse, indicando as duas multas.

— Recebi do capitão faz umas horas. Está tudo em ordem.

Bobby olhou para D.D.

— Então ela definitivamente não tinha uma concussão no sábado à noite. Eu mal consigo completar um desses formulários completamente sóbrio, imagine com um grande trauma na cabeça.

— Ela recebeu algum chamado pessoal na noite de sábado? — D.D. perguntou para o tenente.

Hamilton ergueu e baixou os ombros.

— Os *troopers* patrulham com seus celulares particulares e não só com o equipamento do departamento. É possível que ela tenha recebido todo tipo de chamados pessoais. Mas nada, no entanto, através dos canais oficiais.

D.D. assentiu. Ela estava surpresa que os *troopers* ainda pudessem levar seus celulares. Muitas agências de aplicação da lei os estavam banindo, pois policiais uniformizados, que costumavam ser os primeiros nas cenas de crimes, tinham a tendência de tirar fotos usando seus celulares. Talvez pensassem que o sujeito que estourou a cabeça parecia engraçado. Ou quisessem compartilhar aquela imensa mancha de sangue com um colega de outra área. Do ponto de vista legal, no entanto, todas as fotos de uma cena de crime eram evidências e estavam sujeitas a serem mostradas para a defesa. O que queria dizer que, se alguma dessas fotos aparecesse *depois* de o caso ter sido pronunciado, a simples existência delas daria base para a anulação do julgamento.

O promotor não gostava muito quando algo assim acontecia. Ele tinha a tendência de ficar realmente bravo com isso.

— Leoni já recebeu alguma reprimenda? — D.D. perguntou agora.

Hamilton fez que não.

— Tira muitos dias de folga, ou tempo pessoal? Ela é uma mãe jovem, que passa metade do ano sozinha com a filha.

Hamilton consultou a ficha e fez que não.

— Admirável — ele comentou. — Não é fácil encaixar as demandas do trabalho e as necessidades da família.

— Amém — Bobby murmurou.

Os dois pareciam sinceros. D.D. mordeu o lábio de baixo.

— Você a conhece bem? — perguntou abruptamente para o tenente. — Atividades em grupo, o pessoal se reunindo para uma bebida, esse tipo de coisa?

Hamilton hesitou.

— Eu não a conhecia de verdade — ele disse por fim. — A *trooper* Leoni tinha a reputação de ser distante. Algumas das revisões de atuação dela tocavam nesse assunto. Policial sólida. Muito confiável. Demonstrava bom julgamento. Mas, na área social, ela não era boa. Isso era fonte de alguma preocupação. Mesmo os *troopers*, que basicamente trabalham sozinhos, precisam sentir a coesão do grupo. A certeza de que seu colega policial vai estar sempre ali para ajudá-lo. Os colegas da *trooper* Leoni a respeitavam profissionalmente. Mas ninguém sentia realmente que a conhecia no nível pessoal. E nesse trabalho, no qual as linhas entre os lados profissional e pessoal se misturam com facilidade...

A voz de Hamilton desapareceu no silêncio. D.D. entendeu o que ele queria dizer e ficou intrigada. Fazer respeitar a lei não é um trabalho comum. Você não marca cartão, realiza suas funções e bate um papo com seus colegas. Fazer respeitar a lei é mais como um chamado. Você se entrega ao trabalho, se entrega à sua equipe, renuncia a sua vida.

D.D. tinha imaginado se Tessa seria próxima demais de um colega policial, ou mesmo de um superior, tal como o tenente. Mas na verdade parecia que ela não era próxima de ninguém.

— Posso lhe fazer uma pergunta? — Hamilton inquiriu subitamente.

— Para mim? — Surpresa, D.D. piscou algumas vezes olhando para o tenente-coronel, então assentiu.

— Você confraterniza com seus colegas detetives? Toma uma cerveja, compartilha pizza fria, assiste a algum jogo na casa de um deles?

— Claro. Mas eu não tenho família — D.D. disse. — E sou mais velha. Tessa Leoni... estamos falando de uma mãe jovem e bonita lidando com um alojamento cheio de homens. Ela é sua única *trooper* mulher, não é?

— Em Framingham, sim.

D.D. encolheu os ombros.

— Não são muitas mulheres de azul. Se a *trooper* Leoni não estava sentindo o amor fraternal, não posso culpá-la.

— Nunca tivemos nenhuma queixa sobre assédio sexual — Hamilton declarou imediatamente.

— Nem todas as mulheres se sentem dispostas a preencher a papelada.

Hamilton não gostou do comentário. Sua expressão se fechou, ele assumiu uma postura intimidadora, até mesmo severa.

— No nível do alojamento — ele declarou em tom duro —, encorajamos o comandante da Leoni a criar mais oportunidades para que ela se sentisse incluída no grupo. Vamos dizer que os resultados foram medianos. Sem dúvida é difícil ser a única mulher em uma organização de maioria masculina. Por outro lado, Leoni também não pareceu interessada em se aproximar do grupo. Sendo sincero, ela é vista como uma pessoa solitária. E até mesmo os policiais que fizeram esforço para serem amistosos...

— Como o *trooper* Lyons? — D.D. interrompeu.

— Como o *trooper* Lyons — Hamilton concordou. — Eles tentaram e falharam. Trabalho em grupo significa conquistar o coração e a mente de seus colegas policiais. Nesse aspecto, *trooper* Leoni só faz corretamente metade do trabalho.

— Falando em coração e mente... — Bobby parecia estar se desculpando, como se lamentasse baixar o tenente ao nível de um fofoqueiro. — Existe algum relato de Leoni estar envolvida com outro policial? Ou talvez um policial que estivesse interessado nela, quer ela correspondesse ao interesse ou não?

— Fiz algumas inquirições. O policial mais próximo da *trooper* Leoni parece ser o *trooper* Shane Lyons, mas esse relacionamento é mais por causa do marido do que dela mesma.

— Você o conheceu? — D.D. perguntou com curiosidade. — O marido, Brian Darby. Ou a filha dela, Sophie?

— Conheci os dois — Hamilton respondeu em tom grave, surpreendendo-a. — Em vários churrascos e funções familiares ao longo dos anos. Sophie é uma linda menininha. Muito precoce, pelo que lembro. — Ele estacou, parecendo estar lutando com algo dentro de si. — Dava para ver que a *trooper* Leoni a amava muito — ele disse abruptamente. — Pelo menos, foi o que sempre pensei quando as vi juntas. O modo como Tessa segurava a filha, e ficava sempre atenta a ela. A ideia de... — Hamilton desviou o olhar. Limpou a garganta, então segurou a mesa com as duas mãos. — Que coisa mais triste — murmurou para ninguém em particular.

— E quanto a Brian Darby? — Bobby perguntou.

— Eu o conheço há mais tempo do que Tessa. Brian era um bom amigo do *trooper* Lyons. Começou a aparecer nos churrascos faz uns bons oito, nove anos. Até foi conosco algumas vezes assistir aos Boston Bruins, e ia nas noitadas de pôquer de vez em quando.

— Não sabia que você e o *trooper* Lyons eram assim próximos — D.D. declarou, erguendo uma sobrancelha.

Hamilton a fitou com dureza.

— Se meus *troopers* me convidam para alguma coisa, eu sempre tento ir. A camaradagem é importante, para não dizer que as reuniões informais são valiosas no sentido de manter abertas as linhas de comunicação entre os *troopers* e o comando. Tendo dito isso, eu provavelmente me reúno com o *trooper* Lyons e o "bando" dele, como ele diz, três ou quatro vezes por ano.

— O que você acha do Brian? — Bobby perguntou.

— Acompanhava hóquei, e também gostava do Red Sox. O que o fazia um cara legal para mim.

— Conversou muito com ele?

— Quase nada. A maioria das reuniões era do tipo de amizade masculina, assistir ou participar de algum jogo, ou fazer apostas em jogos. E, sim — ele se virou para D.D. como que antecipando a reclamação dela —, é possível que tais atividades tenham feito a *trooper* Leoni se sentir excluída. Mas, pelo que recordo, ela também gostava do Red Sox e a família inteira ia assistir a muitos dos jogos deles.

D.D. fez uma careta. Detestava quando era assim transparente.

— E o alcoolismo da *trooper* Leoni? — Bobby perguntou calmamente. — Isso alguma vez foi assunto?

— Eu sabia disso — Hamilton respondeu no mesmo tom. — Até onde sei, Leoni conseguiu completar um programa de doze passos e permaneceu na linha. Novamente, não há histórico de incidentes ou reclamações.

— E quanto àquilo de ela atirar e matar alguém quanto tinha dezesseis anos? — D.D. perguntou.

— Isso — Hamilton disse em tom grave — vai nos pegar de jeito.

O modo como ele falou pegou D.D. de surpresa. Ela levou um instante para entender. A imprensa cavoucando sobre a mais nova *femme fatale* de Boston, querendo saber o que a polícia do estado estava pensando ao contratar alguém que já tinha histórico de violência...

Sim, o tenente ia ter de dar muitas explicações.

— Veja — o comandante disse agora. — *Trooper* Leoni nunca foi acusada de nenhum crime. Ela preencheu todos nossos requisitos. Recusar a admissão dela, isso seria discriminação. E só para constar, ela passou na Academia com brilhantismo e tem agido de forma exemplar no trabalho. Não tínhamos como saber, não dava para antecipar...

— Você acha que ela fez isso? — D.D. perguntou. — Você conhecia o marido e a filha. Acha que Tessa matou os dois?

— Acho que, quanto mais fico nesse trabalho, menos me surpreendo com todas as coisas que deviam me surpreender.

— Alguma conversa sobre problemas entre ela e Brian? — Bobby perguntou.

— Eu seria o último a saber — Hamilton garantiu.

— Alguma mudança notável de comportamento, especialmente nas últimas três semanas?

Hamilton inclinou a cabeça para o lado.

— Por que nas últimas três semanas?

Bobby apenas observou o rosto do seu superior. Mas D.D. compreendeu. Porque Brian Darby só estava em casa nas últimas três semanas, e, de acordo com a personal trainer dele, tinha voltado dos dois meses de trabalho parecendo não estar muito feliz com a vida.

— Tem uma situação que me vem à mente — Hamilton disse de súbito. — Não envolvendo a *trooper* Leoni, mas o marido dela.

D.D. e Bobby trocaram um olhar.

— Deve fazer uns seis meses — Hamilton prosseguiu, sem realmente olhar para eles. — Deixe-me ver... novembro. Parece que é isso. *Trooper* Lyons organizou uma ida ao Foxwoods[15]. Muitos de nós fomos, incluindo Brian Darby. Pessoalmente, eu fui lá, queimei meus cinquenta dólares no cassino, e encerrei a noite. Mas Brian... Quando chegou a hora, não conseguimos fazer ele ir embora. Mais uma rodada, mais uma rodada, essa vai ser a última. Ele e Shane terminaram discutindo, com Shane literalmente o arrastando para fora do cassino. Os outros riram daquilo. Mas... ficou muito claro para mim que Brian Darby não devia retornar ao Foxwoods.

— Ele tinha um problema com jogo? — Bobby perguntou franzindo a testa.

— Eu diria que o interesse dele por jogo parecia maior do que a média. Diria que, se Shane não tivesse o arrastado para longe daquela mesa de roleta, Brian ainda estaria sentado lá, vendo os números girarem.

Bobby e D.D. se entreolharam. D.D. gostaria mais dessa história se Brian não tivesse 50 mil no banco. Viciados em jogo não costumam ter economias de 50 mil. Ainda assim, eles analisaram o tenente-coronel.

— Shane e Brian voltaram ao Foxwoods recentemente? — Bobby perguntou.

— Você teria de perguntar ao *trooper* Lyons.

— A *trooper* Leoni alguma vez mencionou algum problema financeiro? Pediu turnos extras, mais horas extras, esse tipo de coisa?

— Julgando pelos registros de trabalho — Hamilton disse lentamente — ela vinha trabalhando mais horas recentemente.

Mas 50 mil no banco, D.D. pensou. Quem precisa de horas extras quando tem 50 mil no banco?

— Tem mais uma coisa que vocês provavelmente devem saber — Hamilton disse com calma. — Preciso que entendam que isso é estritamente fora dos registros. E pode não ter nada a ver com a *trooper* Leoni. Mas... você perguntou sobre as últimas três semanas, e, de fato, lançamos uma

---

[15] Um cassino no estado de Connecticut, vizinho a Massachusetts (N. T.).

investigação interna exatamente duas semanas atrás: um auditor externo descobriu fundos que foram movidos de forma imprópria da conta do sindicato. O auditor acha que os fundos foram roubados, mais provavelmente por alguém de dentro. Estamos tentando localizar esse dinheiro.

D.D. arregalou os olhos.

— Que bom você ter mencionado isso. E de forma voluntária.

Bobby lançou um olhar de aviso para ela.

— De quanto estamos falando? — ele perguntou, em um tom mais adequado.

— Duzentos e cinquenta mil.

— Que sumiram faz duas semanas?

— Sim. Mas a coisa começou doze meses antes, uma série de pagamentos feitos para uma companhia de seguros que, sabemos agora, não existe.

— Mas os cheques foram descontados — Bobby declarou.

— Cada um deles — Hamilton confirmou.

— Quem os assinou?

— É difícil dizer. Mas todos foram depositados na mesma conta de banco de Connecticut, que foi fechada faz quatro semanas.

— A companhia de seguros falsa era uma fachada — D.D. concluiu. — Montada para receber os pagamentos, um quarto de milhão de dólares, e depois desapareceu.

— É isso o que a investigação está apurando.

— O banco tem de ter informações a respeito — Bobby disse. — O mesmo banco foi usado para todas as transações?

— O banco está cooperando plenamente. Eles nos deram gravações de vídeo de uma mulher com boné vermelho de beisebol e óculos escuros fechando a conta. Essa é a melhor pista até agora, eles estão atrás de uma mulher com informação interna sobre o sindicato dos *troopers.*

— Tal como Tessa Leoni — D.D. murmurou.

O tenente-coronel não negou.

A metanfetamina havia dissolvido toda a gordura do corpo dela, incluindo os seios. Dentes negros, unhas negras, sem seios. Erica poderia estrelar um anúncio do serviço público dirigido para meninas adolescentes: assim é seu corpo com metanfetamina.)

O homem desconhecido nove andares abaixo, no entanto, não sabia disso. Na cabeça dele, Erica provavelmente era uma loira de seios fartos, ou talvez a atraente latina que ele vira uma vez na enfermaria. Ele iria gozar feliz. E Erica começaria a segunda rodada.

Assim como a mulher na cela ao lado, e na cela depois daquela e na outra cela depois daquela. Durante. Toda. A. Noite.

A prisão é um lugar social.

A Prisão do Condado de Suffolk tem vários prédios. Infelizmente, apenas os homens nos andares de baixo da torre podem se comunicar através das privadas com as mulheres nos três andares de cima. Obviamente, isso era muito ruim para os homens nos outros prédios.

Os empreendedores homens do Prédio 3, no entanto, descobriram que podiam olhar para nós das janelas das celas deles. Como Erica explicou para mim, a primeira coisa que devíamos fazer pela manhã era ver as mensagens colocadas nas janelas do Prédio 3 — por exemplo um artístico arranjo feito com meias, cuecas e camisetas formando números ou letras. Não dava para falar muito com meias, é claro, então tinham desenvolvido um código. Nós tínhamos o código escrito, o que faria as mulheres da 1-9-2 irem consultar os livros no horário da biblioteca, onde uma mensagem mais completa podia ser recuperada (*me fode, me fode, me faz gozar, me faz gozar, ah você é tão linda, pode me sentir ficar tão duro...*).

Poesia da prisão, Erica me disse com um suspiro. Soletrar não era seu forte, ela confessou, mas sempre fazia o possível para responder, deixando uma mensagem nova (*sim, sim, SIM!*) no mesmo livro.

Em outras palavras, os prisioneiros podiam se comunicar entre as unidades, mulheres esperando julgamento com homens em geral e vice-versa. Era provável, então, que a prisão inteira soubesse da minha presença, e um preso sem experiência de uma unidade podia conseguir ajuda de um prisioneiro mais experiente de outra unidade.

Fiquei imaginando como isso aconteceria.

Digamos, quanto minha unidade inteira era escoltada descendo os nove andares até a biblioteca no térreo. Ou nas duas vezes que vamos ao ginásio. Ou durante o horário de visitas, que também era uma atividade em grupo, uma sala imensa ocupada por uma dúzia de mesas onde todos se misturavam.

Seria bem fácil um dos colegas prisioneiros se posicionar atrás de mim, enfiar um estilete entre minhas costelas e desaparecer.

Acidentes acontecem, certo? Especialmente na prisão.

Fiz o possível para pensar em todos os ângulos. Se fosse eu, uma prisioneira tentando atacar uma policial treinada, o que faria? Pensando bem, talvez não usasse de violência aberta. Primeiro, uma policial deveria ser capaz de se defender de qualquer ataque. Segundo, nas poucas vezes que a unidade estivesse sendo movida — indo para a biblioteca, o ginásio ou visitação — éramos escoltadas pela unidade de choque, um grupo de carcereiros imensos preparados para bater imediatamente.

Não, se fosse eu, usaria veneno.

A arma feminina preferida ao longo dos tempos. Não era difícil de levar para dentro da prisão. Cada prisioneiro podia gastar 50 dólares por semana na cantina. A maioria parecia torrar tudo em macarrão Ramen, tênis e material de toalete. Com ajuda externa, não seria difícil esconder um pouco de veneno para rato no pacotinho de tempero do macarrão Ramen, na tampa da loção para as mãos etc. etc.

Um momento de distração e Erica colocava o pó no meu jantar. Ou depois, na área comum quando outra prisioneira, Sheera, me oferecesse torrada com pasta de amendoim.

Arsênico podia ser misturado em loções, produtos para o cabelo, pasta de dente. Cada vez que passasse uma loção na pele, lavasse o cabelo, escovasse os dentes...

É assim que se enlouquece? Percebendo todas as formas como se pode morrer?

E se eu morresse, quantas pessoas iriam se importar?

Eram 20h23. Sentada sozinha em um catre estreito diante de uma janela com barras grossas. O sol tinha se posto fazia um bom tempo.

Olhando para a escuridão fria além do vidro, enquanto, atrás de mim, a persistente luz fluorescente brilhava demais.

E desejando por um instante que pudesse dobrar aquelas barras, abrir a janela e, nove andares acima da agitada cidade de Boston, sair para o ar frio da noite de março e descobrir se conseguia voar.

Deixar tudo acabar. Cair daqui para a escuridão.

Comprimi a mão contra o vidro. Olhei para a escuridão da noite. E imaginei se em algum lugar Sophie estaria olhando para a mesma escuridão. Se ela podia me sentir tentando alcançá-la. Se ela sabia que eu ainda estava aqui e que a amava e que ia encontrá-la. Ela era minha Sophie e eu a salvaria, assim como tinha feito quando ela se trancou no porta-malas.

Mas, primeiro, nós duas tínhamos de ser corajosas.

Brian tinha de morrer. Foi o que o homem me disse, na manhã de sábado na minha cozinha. Brian tinha sido um menino muito mau e tinha de morrer. Mas Sophie e eu poderíamos viver. Eu só tinha de fazer o que ele mandava.

Eles estavam com Sophie. Para recuperá-la, eu teria de levar a culpa pela morte do meu marido. Eles até tinham algumas ideias a respeito. Eu poderia armar tudo, dizer que estava me defendendo. Brian continuaria morto, mas eu escaparia e Sophie seria encontrada por milagre e devolvida para mim. Eu provavelmente teria de sair da polícia, mas, ei, teria minha filha de volta.

Parada no meio da cozinha, os ouvidos zunindo com os tiros, as narinas infladas com o cheiro de pólvora e sangue, aquele pareceu um acordo bom. Eu disse sim, diria sim para tudo, qualquer coisa.

Eu só queria Sophie.

— Por favor — implorei, *implorei* em minha própria casa. — Não machuque minha filha. Eu faço isso. Apenas a mantenha em segurança.

Agora, claro, eu começava a perceber como tinha sido idiota. Brian teve de morrer e *outra* pessoa precisava levar a culpa? Se Brian tinha de morrer, por que não mexiam nos freios do carro dele, ou causavam um "acidente" na próxima vez que ele fosse esquiar? Brian estava sozinho na maior parte do tempo, havia muitas opções para um homem de preto além de atirar em Brian e fazer a esposa dele ficar com a culpa. Por que isso? Por que eu?

Sophie seria encontrada por milagre? Como? Andando em uma loja grande, ou talvez despertando em uma parada de estrada? Obviamente a polícia a interrogaria, e as crianças eram conhecidas por serem péssimas testemunhas. Talvez o homem pudesse assustá-la a ponto de prometer não dizer nada, mas por que correr o risco?

Para não mencionar que, assim que minha filha estivesse novamente comigo, que incentivo eu teria para permanecer calada? Talvez eu fosse até a polícia nessa hora. Por que correr o risco?

Eu estava pensando mais e mais que esse tipo de pessoa que podia atirar em um homem três vezes a sangue-frio provavelmente não corria riscos desnecessários.

O que Brian tinha feito? Por que ele precisava morrer?

E ele percebeu, nos últimos instantes de vida, que muito provavelmente havia condenado Sophie e eu também?

Senti a pressão das barras de metal contra os dois lados da minha mão, não redondas como eu esperava, mas com um formato parecido com o das faixas de uma persiana vertical.

O homem me queria na prisão, compreendi então. Ele e as pessoas para quem ele certamente trabalhava queriam que eu ficasse fora do caminho.

Pela primeira vez em três dias eu sorri.

Acontece que eles teriam uma pequena surpresa. Porque na conclusão sangrenta, com meus ouvidos ainda zunindo, os olhos muito abertos em horror, eu consegui produzir um último pensamento. Eu precisava ganhar tempo, precisava fazer as coisas irem mais devagar.

Cinquenta mil dólares, foi o que ofereci ao homem que acabara de matar meu marido. Cinquenta mil dólares se eles me dessem 24 horas para "organizar minhas coisas". Se eu ia assumir a culpa pela morte do meu marido e terminar na prisão, eu teria de fazer arranjos para minha filha. Foi o que eu disse para ele.

E talvez ele não confiasse em mim, e talvez estivesse desconfiado, mas 50 mil são 50 mil, e depois que eu explicasse para ele que poderia colocar o corpo do Brian no gelo...

Ele ficou impressionado. Não chocado. Impressionado. Uma mulher que podia preservar o corpo do marido com neve era aparentemente o tipo de garota dele.

E então o matador sem nome aceitou meus 50 mil, e em retorno tive 24 horas para "acertar minha história".

Acontece que dá para fazer muito em 24 horas. Especialmente quando se é o tipo de mulher que pode desapaixonadamente jogar neve sobre o homem que uma vez prometeu amá-la, cuidar dela e nunca a deixar.

Não pensei em Brian agora. Não estava pronta, não podia me permitir ir a esse lugar. Então me concentrei no que mais importava.

Quem você ama?

O matador estava certo. É nisso que a vida se resume no final. Quem você ama?

Sophie. Em algum lugar naquela mesma escuridão, minha filha. Seis anos, rosto em forma de coração, grandes olhos azuis e um sorriso sem dentes que podia dar energia ao sol. Sophie.

Brian morrera por ela. Agora eu tinha de sobreviver por ela.

Tudo para ter minha filha de volta.

— Eu estou indo — sussurrei. — Tenha coragem, meu bem. Tenha coragem.

— O quê? — Erica disse, do beliche de cima onde estava virando cartas sem prestar atenção.

— Nada.

— As janelas não quebram — ela anunciou. — Não tem como escapar por aí! — Erica deu risada como se tivesse dito uma grande piada.

Eu virei para minha colega de cela.

— Erica, o telefone público na área comum, posso usá-lo para fazer uma ligação?

Ela parou de brincar com as cartas.

— Para quem você vai ligar? — ela perguntou cheia de interesse.

— Os Caça-Fantasmas — eu disse, muito séria.

Erica riu novamente. Daí me disse o que eu precisava saber.

# 24

Bobby queria parar para jantar. D.D. achou melhor irem direto.

— Você precisa se cuidar melhor — Bobby informou a ela.

— E você precisa parar de ficar cuidando de mim! — ela bradou em resposta, enquanto avançavam pelas ruas de Boston. — Eu nunca gostei disso no passado e não gosto agora.

— Não.

— *O quê?*

— Eu disse não. E você não pode me forçar.

D.D. se torceu no assento do passageiro até conseguir olhar feio direto para ele.

— Você percebe que se espera que mulheres grávidas sejam loucas e instáveis. O que quer dizer que eu posso matar você agora mesmo e, desde que haja uma mãe no júri, eu vou escapar.

Bobby sorriu.

— Ahhh, Annabelle dizia a mesma coisa!

— Ah, pelo amor de Deus...

— Você está grávida — ele interrompeu. — Os homens gostam de cuidar das mulheres grávidas. Nos dá alguma coisa para fazer. E nós também gostamos, em segredo, de cuidar de bebês. Puxa, na primeira vez que você levar uma criança para conhecer seu esquadrão... Aposto que o Phil vai tricotar um par de sapatinhos. O Neil... acho que ele vai providenciar Band--Aids dos Looney Tunes e o primeiro capacete para bicicleta do bebê.

D.D. olhou para ele. Não tinha pensado em sapatinhos, Band-Aids, nem em levar a criança para o trabalho. Ainda estava tentando lidar com o bebê em si, quanto mais com a Vida com o Bebê.

Ela tinha recebido um torpedo de Alex: *Fiquei sabendo sobre a prisão, como está indo o resto da batalha?*

Ela não respondera. Não sabia o que dizer. Claro, tinham prendido Tessa Leoni, mas por outro lado não conseguiam encontrar Sophie. E o sol tinha se posto uma segunda vez, agora 36 horas depois do Alerta Âmbar inicial, provavelmente dois dias inteiros desde que Sophie sumira. Exceto que muito provavelmente o Alerta Âmbar não importava. Muito provavelmente Tessa Leoni tinha matado a família toda, incluindo Sophie.

D.D. não estava trabalhando em um caso de pessoas desaparecidas; estava liderando uma investigação de assassinato para recuperar o corpo de uma criança.

Não estava pronta ainda para pensar nisso. Não estava preparada para as perguntas gentis, mas sempre incisivas, do Alex. Nem sabia como ir dessa conversa para *ah sim, eu estou grávida, o que você ainda não sabe, mas Bobby Dodge sabe de tudo, tendo sido informado por uma suspeita de assassinato.*

Essa era exatamente o tipo de situação que fazia de D.D. uma maníaca por trabalho. Porque encontrar Sophie e acabar com Tessa fariam com que se sentisse melhor. Mas falar com Alex sobre a nova ordem mundial só a faria cair mais e mais fundo dentro de um buraco.

— O que você precisa é falafel — Bobby disse agora.

— *Gesundheit*[16] — D.D. respondeu.

— Annabelle adorava quando estava grávida. É carne, não é? Você não suporta o cheiro de carne.

D.D. assentiu.

---

[16] "Saúde", em alemão (N. T.).

— Ovos também não fazem maravilhas por mim.

— Portanto, comida mediterrânea, com muitos e variados pratos vegetarianos.

— Você gosta de falafel? — D.D. perguntou desconfiada.

— Não, eu gosto de Big Macs, mas isso provavelmente não vai dar certo com você agora...

D.D. fez que não.

— Então vai ser falafel.

Bobby conhecia um lugar. Aparentemente um favorito de Annabelle. Ele foi lá dentro fazer o pedido, D.D. ficou no carro para evitar odores de comida e dar uma olhada nas mensagens de voz. Começou a responder ao chamado de Phil, pedindo que olhasse novamente as finanças de Brian Darby, enquanto procurava mais profundamente por outras contas e transações, possivelmente sob um nome da família ou pseudônimo. Se Darby tinha o hábito de jogar, deviam conseguir ver o impacto em sua conta do banco, com grandes somas de dinheiro indo e vindo, ou talvez uma série de retiradas em bancos eletrônicos no Foxwoods, Mohegan Sun e outros cassinos.

Depois ela ligou para Neil, que estava cuidando do hospital. Neil estava atrás do registro médico de Tessa. Agora D.D. queria saber tudo sobre o registro médico de Brian. Nos últimos 12 meses, algum incidente de patelas quebradas (talvez um ferimento de esqui, D.D. imaginou), ou, por exemplo, uma queda de uma escada alta. Neil ficou intrigado, dizendo que começaria no mesmo instante.

O telefone para informações estava recebendo menos chamados dizendo que Sophie tinha sido vista, mas mais chamados falando da Denali. Acontece que a cidade estava cheia de SUVs brancas, o que significava que a força-tarefa precisava de mais gente para verificar todas as ligações. D.D. sugeriu que o pessoal do telefone passasse todas as ligações sobre o carro para o grupo de três homens que estavam verificando as horas finais da perua. Que, ela os informou, deveria trabalhar 24 horas por dia, com todas as horas extras pré-aprovadas automaticamente e, se precisassem de mais gente, podiam pegar mais policiais.

Descobrir aonde a SUV de Brian Darby havia ido nas horas finais era uma prioridade evidente; se descobrissem aonde o carro tinha ido, descobririam o corpo de Sophie.

A ideia deixou D.D. deprimida. Ela terminou as ligações e ficou olhando pela janela.

Noite fria. Os pedestres andavam apressados nas calçadas, os colarinhos erguidos ao redor das orelhas, mãos enluvadas bem enfiadas nos bolsos dos casacos. Não havia neve ainda, mas parecia que ela estava a caminho. Uma noite fria e crua, que se adequava ao humor de D.D.

Ela não se sentira bem em prender Tessa Leoni. Queria prender. A policial a incomodava. Era jovem demais e estava composta demais. Bonita demais e vulnerável demais. Todas combinações ruins para D.D.

Tessa estava mentindo para eles. Sobre o marido, sobre a filha, e, se a teoria de Hamilton estivesse certa, sobre 250 mil dólares que haviam sumido do sindicato dos *troopers*. Tessa teria roubado o dinheiro? Seria parte da "nova vida" dela? Roubar um quarto de milhão, eliminar a família e cavalgar para o pôr do sol, jovem, bela e rica?

Ou seria por causa do marido? Ele teria feito dívidas de jogo que um homem honesto não conseguiria pagar? Talvez pegar o dinheiro da polícia fosse ideia dele e ela tivesse sido pressionada a ir adiante. Apoiar o marido. Só que, uma vez tendo pego o dinheiro, e percebido o risco que assumia, e considerado a atração da liberdade total... Por que entregar o ganho ilícito se podia ficar com tudo?

Ela então bolara um belo plano. Fazer o marido parecer ser um assassino de criança e espancador de esposa. Que o matara para se defender. Assim que a poeira assentasse, Tessa poderia pedir demissão da polícia e ir para outro estado, onde seria uma viúva com 250 mil dólares recebidos do seguro de vida.

O plano teria funcionado, D.D. imaginou, se o legista não tivesse percebido os danos celulares causados pelo congelamento.

Talvez fosse por isso que Tessa estava fazendo pressão sobre Ben para liberar o corpo do marido. Para tentar evitar a autópsia, ou, se ela ocorresse, que fosse feita com pressa. Ben trabalharia depressa e ninguém notaria nada.

Bom trabalho Ben, D.D. pensou, daí percebeu que estava exausta. Não tinha comido o dia todo, não tinha dormido muito na noite anterior. O corpo estava desligando. Precisava de uma soneca. Precisava ligar para o Alex.

Meu Deus, o que ia dizer para Alex?

A porta do carro foi aberta. Bobby entrou. Ele trazia um saco marrom de papel que emitia todo tipo de cheiro curioso. D.D. aspirou e seu estômago, pelo menos dessa vez, não protestou. Ela respirou mais fundo e, em um instante, estava faminta.

— Falafel! — ela pediu.

Bobby afastou a mão dela com um tapa, enquanto procurava dentro do saco.

— Ah, quem é que estava dizendo que homens não deviam cuidar...

— Me dá, me dá, me dá!

— Eu também te amo, D.D., também te amo.

Eles comeram. A comida estava boa. Comida era energia. Comida era poder.

Quando terminaram, D.D. passou o guardanapo na boca discretamente, limpou as mãos e colocou o lixo no saco de papel.

— Eu tenho um plano — ela disse.

— Ele envolve eu ir para casa ver minha mulher e filha?

— Não. Envolve ir até a casa do *trooper* Lyons e interrogá-lo na frente da esposa e filhos.

— Estou nessa.

Ela deu tapinhas na mão dele.

— Também te amo, Bobby. Também te amo.

---

Lyons vivia em uma modesta casa em estilo de rancho dos anos 1950, a sete quarteirões da casa de Brian Darby. Da rua, a casa parecia velha, mas bem mantida. Jardim da frente minúsculo, no momento cheio de pás de plástico para neve e trenós. Os restos de um boneco de neve e o que parecia ser um forte de neve cobriam a calçada, ao lado de onde a viatura de Lyons estava estacionada.

Bobby teve de contornar o quarteirão duas vezes procurando uma vaga para parar. Mas não acharam nenhuma, então ele parou em local proibido atrás da viatura de Lyons. Qual o sentido de ser um policial se não pudesse quebrar algumas regras?

À altura que Bobby e Lyons desceram do carro, Lyons estava parado no alpendre, diante da porta. O *trooper* grandalhão vestia jeans desbotados, uma camisa pesada de flanela e exibia uma carranca nada amistosa.

— O que foi? — ele perguntou à guisa de boas-vindas.

— Temos algumas perguntas — D.D. disse.

— Não, na minha casa vocês não têm.

D.D. recuou e deixou Bobby tomar a frente. Ele era um colega policial estadual, para não dizer que era bem melhor em bancar o policial bom.

— Não queremos nos intrometer — Bobby disse imediatamente, em tom suave. — Passamos na casa dos Darby — ele mentiu —, pensamos numas coisas e como você mora perto...

— Eu não trago trabalho para casa. — O rosto avermelhado de Lyons continuava fechado, mas não tão hostil. — Eu tenho três filhos, eles não precisam ouvir sobre a Sophie. Já estão bem assustados.

— Eles sabem que ela desapareceu? — D.D. indagou. Ele a olhou feio.

— Ouviram no rádio quando a mãe os levava para a escola. Alerta Âmbar. — Ele encolheu os ombros imensos. — Não há como evitar. Acho que é para ser assim mesmo. Mas eles conhecem a Sophie. E não entendem o que pode ter acontecido com ela. — A voz dele ficou mais rouca. — Eles não entendem por que o pai deles, o superpolicial, ainda não a trouxe de volta para casa.

— Então estamos todos em sintonia — Bobby disse. Ele e D.D. conseguiram subir no alpendre. — Queremos encontrar Sophie, trazê-la para casa.

Os ombros de Lyons desceram. Ele pareceu por fim ceder. Depois de mais um momento, abriu a porta e fez um gesto para os dois passarem.

Eles entraram num pequeno vestíbulo, as paredes de painéis de madeira cobertas por casacos, o chão de cerâmica cheio de botas. A casa era pequena, e levou apenas um minuto para D.D. perceber quem mandava ali, três garotos pequenos, com idades de cinco a nove anos, que correram até lá para receber as visitas, falando todos juntos cheios de excitação, até a mãe, uma bela mulher na casa dos 30, com cachos que chegavam aos ombros, os tirar dali, parecendo exasperada.

— Hora de dormir! — ela informou para os meninos. — Para seus quartos. Eu não quero ver vocês de novo até terem escovado os dentes e colocado os pijamas!

Os três garotos olharam para ela, sem mover um músculo.

— O último a subir é um ovo podre! — o menino mais velho gritou subitamente, e os três partiram como foguetes, passando um por cima do outro para chegar primeiro ao alto da escada.

A mãe deles suspirou.

Shane balançou a cabeça.

— Essa é minha esposa, Tina — ele disse, fazendo as apresentações. Tina deu a mão para eles, sorrindo educadamente, mas D.D. podia ver a tensão nas linhas finas dos lados da boca, na forma como olhava instintivamente para o marido, como que pedindo ajuda.

— Sophie? — ela sussurrou, o nome agarrando em sua garganta.

— Nenhuma novidade — Shane disse suavemente, e colocou as mãos nos ombros da esposa em um gesto que D.D. considerou genuinamente tocante. — Tenho de trabalhar um pouco, está bem? Eu sei que disse que colocaria os garotos na cama...

— Está tudo bem — Tina disse de forma automática.

— Vamos ficar na sala da frente.

Tina assentiu outra vez. D.D. sentiu os olhos dela neles enquanto seguiam Shane saindo da salinha de casacos e passavam pela cozinha. Ela achou que a mulher ainda parecia preocupada.

Depois da cozinha havia uma sala pequena. Parecia que havia sido uma varanda que Lyons havia fechado com uma parede e janelas e onde instalara um pequeno aquecedor a gás. A sala era decorada no estilo Macho Durão, com uma televisão de tela grande, duas poltronas reclináveis imensas e uma infinidade de itens ligados a esportes. A Caverna do Homem, D.D. deduziu, onde o *trooper* estadual tenso podia se esconder para se recuperar do dia.

Ela imaginou se a esposa tinha uma Sala de Atividades ou Spa Diário equivalente, porque podia apostar que a vida com três meninos era mais difícil que fazer patrulhas por oito horas em qualquer dia da semana.

A sala não oferecia assentos para três pessoas, a menos que se contassem os sacos com bolinhas de isopor empilhadas em um canto, por isso eles ficaram em pé.

— Bela casa — Bobby disse, mais uma vez sendo o policial bom.

Lyons deu de ombros.

— Nós a compramos por causa da localização. Não dá para ver agora, mas o quintal se abre em um parque, o que nos dá muito espaço verde. É ótimo para churrascos. Essencial para três garotos.

— É verdade — D.D. disse. — Você é famoso pelos seus churrascos. Foi como Brian e Tessa se conheceram.

Lyons assentiu, sem dizer nada. Estava com os braços cruzados, numa postura defensiva, D.D. pensou. Ou talvez fosse uma postura agressiva, considerando como fazia saltar os músculos dos ombros e peito.

— Falamos com o tenente-coronel Hamilton — Bobby comentou.

Era imaginação de D.D. ou Lyons ficou mais tenso?

— Ele mencionou vários dos passeios que você organizou, você sabe, ir com os rapazes a um jogo do Red Sox, Foxwoods.

Lyons assentiu.

— Parece que Brian Darby costumava ir junto.

— Se estivesse em casa — Lyons disse. Depois deu de ombros mais uma vez.

— Conte-nos sobre Foxwoods — D.D. pediu.

Lyons olhou para ela, daí voltou a olhar para Bobby.

— Por que vocês apenas não me fazem a pergunta?

— Está bem. Você sabe se Brian Darby tem um problema com jogo?

— Se eu sei... — O *trooper* subitamente suspirou, descruzou os braços e os sacudiu. — Mas que droga — ele disse.

D.D. assumiu isso como um sim.

— Era muito sério? — ela perguntou.

— Não sei. Ele não falava sobre isso comigo. Ele sabia que eu não aprovava. Mas Tessa me ligou, faz cerca de seis meses. Brian estava fora e a banheira de cima estava vazando. Eu dei o nome de um bom encanador, e ela falou com ele. Precisou trocar alguns canos e refazer a parede. Quando terminou, tudo custou uns bons oitocentos, novecentos dólares. Só que quando ela foi retirar o dinheiro das economias, ele não estava lá.

— Não estava lá? — D.D. repetiu.

Lyons ergueu e baixou os ombros novamente.

— De acordo com Tessa, eles deviam ter trinta mil em economias, só que não tinham. Eu emprestei o dinheiro para ela pagar o encanador. Depois, quando Brian voltou...

— O que aconteceu?

— Nós o confrontamos. Nós dois. Tessa pediu para eu estar lá. Ela disse que, se fosse só ela, ia parecer uma esposa que gostava de reclamar. Mas, se fôssemos nós dois, a esposa e o melhor amigo de Brian, ele teria de prestar atenção.

— Vocês fizeram uma "intervenção" em um vício em jogo — Bobby disse. — E deu certo?

Lyons repediu em tom mais alto.

— Deu certo? Droga, não só o Brian se recusou a admitir que tinha um problema, como nos acusou de estar tendo um caso. Nós nos juntamos só para acabar com ele. O mundo inteiro estava contra ele. — Lyons balançou a cabeça. — Quer dizer... você acha que conhece um sujeito. Fomos amigos por quanto tempo? E daí um dia ele simplesmente fica maluco. Era mais fácil para ele acreditar que o melhor amigo estava transando com a esposa dele do que aceitar que tinha um problema com jogo, e que usar as economias da vida toda para pagar agiotas não é um bom modo de viver.

— Ele emprestou dinheiro de agiotas? — D.D. perguntou em tom incisivo.

Lyons olhou sério para ela.

— Não de acordo com ele. Ele disse que tinha pego o dinheiro para pagar a Denali. Então, enquanto estávamos ali sentados, Tessa, fria como gelo, pegou o telefone e ligou para o banco. O sistema é todo automático atualmente, e, claro, o empréstimo de trinta e quatro mil do carro não tinha sido pago. E foi aí que ele começou a gritar que obviamente nós estávamos dormindo juntos. Vá entender.

— O que a Tessa fez?

— Argumentou. Implorou para ele procurar ajuda antes que afundasse demais. E ele continuou negando. Por fim ela disse que, se não tinha um problema, então seria fácil para ele concordar em não jogar mais. Nunca mais. Ele ficaria fora do Foxwoods, do Mohegan Sun, de todos os cassinos. Ele concordou, depois de fazer ela prometer nunca mais me ver.

D.D. ergueu uma sobrancelha, olhando para ele.

— Parece que ele achava mesmo que você e Tessa eram próximos demais.

— Os viciados culpam todos os outros pelos seus problemas — Lyons respondeu em um tom controlado. — Pergunte para a minha esposa. Eu contei tudo para ela, e ela sabe sempre onde estou, quer o Brian esteja em casa ou não. Não temos segredos um com o outro.

— Mesmo? Então por que você não nos contou isso antes? — D.D. disse. — Em vez disso, você disse que não estava muito envolvido com o casamento de Brian e Tessa. Agora, vinte e quatro horas depois, você é o especialista em intervenções deles.

Lyons ficou vermelho. Os punhos se fecharam. D.D. baixou os olhos, então...

— *Filho da puta!*

Ela segurou a mão direita dele, empurrando-a para perto da luz. De imediato Lyons ergueu a mão esquerda, como que para empurrá-la, e no instante seguinte ele tinha uma Sig Sauer carregada empurrada contra sua têmpora.

— Toque nela e morra — Bobby disse.

Os dois estavam ofegantes, D.D. espremida entre os dois.

O *trooper* estadual tinha uns bons 25 quilos a mais que Bobby. Era mais forte e, sendo um policial que fazia patrulha, tinha mais experiência em briga de rua. Talvez, se fosse algum outro policial, ele se sentisse tentado a seguir em frente, a pagar o blefe do outro.

Mas Bobby já havia conquistado suas divisas de batalha — um tiro, uma morte. Outros policiais não ignoravam esse tipo de coisa.

Lyons recuou, ficando parado enquanto D.D. erguia seu punho roxo e machucado até perto da luz. Os nós dos dedos da mão direita estavam roxos e inchados, a pele ferida em várias áreas.

Quando Bobby baixou lentamente a arma, D.D. olhou para as botas com ponta de aço de Lyons. A ponta redonda da bota. A mancha roxa no quadril de Tessa que o advogado não deixara que fosse examinada.

— Filho da puta — D.D. repetiu. — Você bateu nela. Foi *você* quem espancou Tessa daquele jeito.

— Eu tive de fazer aquilo — Lyons respondeu em um tom mecânico.

— Por quê?

— Porque ela implorou para que eu fizesse.

Na versão nova e melhorada de Lyons, Tessa telefonou para ele, histérica, às nove da manhã do domingo. Sophie estava desaparecida, Brian estava morto, um homem misterioso tinha feito aquilo tudo. Ela precisava de ajuda. Ela queria que Lyons fosse até lá, sozinho, agora, agora, agora.

Lyons havia literalmente corrido até lá, pois sua viatura chamaria atenção demais.

Quando chegou, encontrou Brian morto na cozinha e Tessa, ainda de uniforme, chorando ao lado do corpo.

Tessa contou uma história incrível. Ela havia chegado em casa da patrulha, colocado o cinturão na mesa da cozinha, daí subira para ver Sophie. O quarto da menina estava vazio. Tessa mal começara a ficar nervosa quando ouvira sons vindos da cozinha. Ela correu de volta para baixo, onde descobriu um homem usando um paletó preto de lã apontando uma arma para Brian.

O homem disse para Tessa que tinha levado Sophie. O único modo de ela recuperar a filha seria fazer o que ele mandasse. Daí ele atirou em Brian três vezes no peito com a arma de Tessa e partiu.

— Você acreditou na história? — D.D. perguntou incrédula para Lyons. Eles estavam agora sentados nos sacos de bolinhas de isopor. Tudo parecia muito cordial, exceto por Bobby conservar a Sig Sauer no colo.

— Não a princípio — Lyons admitiu — e foi o que a Tessa disse. Se eu não acreditava no que ela estava dizendo, quem acreditaria?

— Você acha que o homem de preto era um matador? — Bobby perguntou franzindo a testa. — Enviado por alguém para quem Brian devia dinheiro?

Lyons suspirou, olhou para Bobby.

— Brian ficou todo musculoso — ele disse abruptamente. — Vocês perguntaram sobre isso ontem. Por que Brian ganhou toda aquela massa muscular?

Bobby assentiu.

— Brian começou a jogar faz um ano. Depois de três meses, ele teve o primeiro "episódio". Gastou um pouco mais do que tinha, apanhou de alguns seguranças do cassino até concordar com um plano de pagamento. Na semana seguinte ele entrou para a academia. Acho que Brian ganhar músculos era o plano de proteção dele. Vamos apenas dizer que, *depois* que Tessa e eu o confrontamos, ele não parou com a academia.

— Ele ainda estava jogando — Bobby disse.

— É do que eu desconfio. Quer dizer, ele pode ter aumentado o débito. E o pistoleiro veio fazer a cobrança.

D.D. olhou séria para ele.

— Mas ele matou o Brian. Até onde sei, matar o sujeito torna difícil ele pagar o que deve.

— Acho que Brian estava além desse ponto. Acho que ele enfureceu as pessoas erradas. Eles não queriam o dinheiro dele, queriam ele morto. Mas ele é o marido de uma *trooper* do estado. Esse tipo de assassinato pode chamar atenção indesejada. Então eles pensaram em um cenário em que a própria Tessa se tornava a suspeita. Faria o trabalho ser realizado sem que os olhos se voltassem para eles.

— Brian é um garoto mau — D.D. repetiu lentamente. — Brian é morto. Sophie é sequestrada, para manter Tessa na linha.

— Sim.

— Foi isso que Tessa disse para você.

— Eu já expliquei...

D.D. ergueu a mão para silenciá-lo. Já tinha escutado a história, mas não acreditava nela. E o fato de a história vir de um colega policial que já havia mentido para eles uma vez não estava ajudando.

— Então — D.D. repassou —, Tessa está em pânico. O marido foi atingido com a arma dela, a filha foi sequestrada, e a única esperança dela de voltar a ver a filha viva é se declarar culpada do assassinato do marido.

— Sim — Lyons assentiu com entusiasmo.

— Tessa traça um plano básico: você bater muito nela. Daí ela vai dizer que foi o Brian que fez isso, e ela atirou nele para se defender. Assim ela pode se declarar culpada, e cumprir a exigência dos sequestradores da filha dela, e também se manter fora da prisão. — Essa parte na verdade fazia sentido para D.D. Dada a experiência passada, Tessa Leoni havia agido de forma a tirar o melhor da situação. Mulher esperta.

Mas Bobby, no entanto, tinha uma pergunta para Lyons.

— Mas você bateu *para valer* nela. Por quê?

O *trooper* ruborizou, e olhou para o punho machucado.

— Eu não consegui bater nela — ele disse com a voz abafada.

— Então como explica o rosto fraturado dela? — D.D. perguntou.

— Ela é uma garota. Eu não bato em garotas. E ela sabia disso. Então ela começou... na Academia, nós tínhamos de bater uns nos outros. Era parte do treinamento de defesa. E sujeitos grandes como eu têm problemas. Nós queremos ser policiais porque temos esse sentido de sermos honestos, nós não batemos em mulheres nem nos sujeitos pequenos. — Ele olhou para Bobby. — Exceto na Academia, onde subitamente somos forçados a fazer isso.

Bobby assentiu, como se compreendesse.

— Então, começamos a provocar um ao outro, entende? Forçamos um ao outro a entrar em ação, porque os caras grandes têm de bater para valer, se é para os pequenos aprenderem a se defender de verdade.

Bobby assentiu outra vez.

— Vamos apenas dizer que a Tessa é realmente boa nisso de provocar. Ela disse que tinha de ser convincente. Abuso pelo cônjuge é uma defesa afirmativa, significando que o ônus da prova estaria sobre ela. Eu tinha de bater nela com *força*. Eu tinha de fazer ela ter... *medo*. Então ela começou a me provocar, e continuou e continuou até que quando ela parou... droga... — Lyons desviou os olhos para alguma coisa que só ele via. — Em um momento eu quis mesmo matá-la.

— Mas você se deteve — Bobby disse com calma.

Ele endireitou o corpo.

— Sim.

— Que coisa de *bullying* da sua parte — D.D. disse em tom seco, e o *trooper* estadual ruborizou novamente.

— Você fez isso no domingo de manhã? — Bobby perguntou.

— Às nove da manhã. Você vai encontrar um registro da ligação dela no meu celular. Eu corri, nós fizemos isso... eu não sei. Devia ser dez e meia. Eu voltei para casa. Ela fez o chamado oficial e o resto vocês já sabem. Outros *troopers* chegando, o tenente-coronel. Isso tudo é verdade, acho que Tessa e eu estávamos esperando que o Alerta Âmbar agitasse as coisas. O estado inteiro procurando por Sophie. Brian morto, Tessa presa. Então o homem agora vai soltar a Sophie, certo? Vai deixá-la numa parada de ônibus ou algo assim. Tessa fez o que eles pediram. Sophie deve estar bem.

Lyons parecia um tanto desesperado. D.D. não o culpou. A história não fazia muito sentido, e, à medida que o tempo passava, ela desconfiou que Lyons também estava percebendo isso.

— Ei, Lyons — ela disse agora. — Se você foi à casa da Tessa no domingo de manhã, como é que o corpo do Brian foi congelado antes disso?

— O quê?

— O corpo do Brian. O legista disse que ele foi morto antes da manhã de domingo, e colocado no gelo.

— Eu ouvi o promotor... que comentário... — a voz de Lyons foi sumindo. Ele olhou para eles com ar perdido. — Eu não entendo.

— Ela usou você.

— Não...

— Não teve nenhum sujeito misterioso na casa de Tessa na manhã de domingo, Shane. De fato, Brian provavelmente foi morto na noite de sexta ou manhã de sábado. E quanto a Sophie...

O policial grandalhão fechou os olhos, não parecia conseguir engolir.

— Mas ela disse... Pela Sophie. Estávamos fazendo aquilo... eu tive de bater nela... para salvar Sophie...

— Você sabe onde Sophie está? — Bobby perguntou gentilmente. — Tem alguma ideia de para onde Tessa a levou?

Lyon fez que não com a cabeça.

— Não. Ela não faria nada com a Sophie. Vocês não entendem. Não tem possibilidade de Tessa ter machucado a Sophie. Ela ama a filha. Apenas... não é possível.

D.D. olhou para ele com seriedade.

— Então você é um tolo maior do que pensávamos. Sophie já era, e, considerando que você agora é cúmplice de assassinato, parece-me que Tessa Leoni ferrou você para valer.

# 25

Bobby e D.D. não prenderam Lyons. Bobby achou mais apropriado que a corregedoria entrasse em ação porque os investigadores do estado poderiam apertar melhor Lyons do que a polícia de Boston. Além disso a corregedoria estava em melhor posição para identificar qualquer ligação entre as ações de Lyons e as outras investigações deles — tais como o desaparecimento dos fundos do sindicato dos *troopers*.

Em vez de efetuar a prisão, Bobby e D.D. voltaram para o quartel-general do DPB para a reunião das 11 com a força-tarefa.

O falafel tinha feito maravilhas com D.D. Ela estava com aquele brilho nos olhos e a flexibilidade no andar quando subiram a escada até a unidade de homicídios.

Estavam chegando mais perto agora. Bobby podia sentir o caso ganhando impulso, levando-os na direção da conclusão inevitável: Tessa Leoni havia assassinado o marido e a filha.

Tudo que restava era colocar as últimas peças do caso no lugar — incluindo localizar o corpo de Sophie.

Os outros policiais da força-tarefa já estavam sentados quando D.D.

e Bobby passaram pela porta. Phil parecia tão animado quanto D.D., e certamente ele foi o primeiro a falar.

— Você estava certa — ele declarou quando D.D. parou na frente deles. — Eles não têm cinquenta mil em economias. O dinheiro todo foi sacado na manhã de sábado. A transação não tinha sido registrada quando peguei o relatório inicial. E veja só, o dinheiro já havia sido retirado doze dias antes, e devolvido seis dias depois disso. Isso é um monte de atividade para os cinquenta mil.

— Como foi feito esse saque final? — D.D. perguntou.

— Cheque do banco, retirada em dinheiro.

Bobby assobiou.

— Alguns centavos, disponíveis em moeda.

— Foi um homem ou mulher quem fechou a conta? — D.D. perguntou.

— Tessa Leoni — Phil informou. — O caixa a reconheceu. Ela ainda estava de uniforme quando fez a transação.

— Preparando a nova vida dela — D.D. disse imediatamente. — Se ela terminar sob investigação por ter matado o marido, os bens podem ser congelados. Então ela tirou o valor maior primeiro e o escondeu. Agora, quanto vocês querem apostar que, se encontrarmos os cinquenta mil vai haver mais um quarto de milhão junto?

Phil ficou intrigado, então Bobby contou sobre a investigação corrente da polícia estadual sobre os fundos roubados. A melhor pista era que a conta havia sido fechada por uma mulher usando um boné de beisebol e óculos escuros.

— Eles precisavam do dinheiro — Phil disse. — Eu procurei um pouco mais, e enquanto Brian Darby e Tessa Leoni pareciam bem no papel, você não vai acreditar no tamanho do débito no cartão da pequena Sophie.

— O quê? — D.D. exclamou.

— Exato. Parece que Brian Darby abriu meia dúzia de cartões de crédito em nome da Sophie, usando uma caixa postal separada. Encontrei mais de quarenta e dois mil em débitos de consumo, ao longo dos últimos nove meses. Tem alguma evidência de pagamentos de valores altos, mas sempre seguidos por adiantamentos de dinheiro, a maioria feita no Foxwoods.

— Então Brian Darby tem mesmo um problema com jogo. Putz.

Phil sorriu.

— Só para me divertir, eu relacionei as datas dos adiantamentos em dinheiro com a agenda de trabalho do Brian, e sem dúvida Sophie só fez grandes retiradas de dinheiro quando Brian estava em terra. Então, sim, acho que Brian Darby estava perdendo nos jogos o futuro da filha adotiva.

— Quando foi a última transação? — Bobby perguntou.

— Faz seis dias. Ele fez um pagamento antes disso, talvez tenha sido a primeira vez que os cinquenta mil foram tirados da conta. Ele pagou os cartões de crédito, daí voltou às mesas e ou ganhou muito, ou emprestou muito, porque conseguiu repor os cinquenta mil seis dias depois. Espere um minuto... — Phil franziu a testa. — Não — o detetive se corrigiu. — Ele emprestou muito, porque os últimos extratos do cartão de crédito mostram adiantamentos significativos, o que quer dizer que nos últimos seis dias Brian Darby aumentou ainda mais o débito, mas conseguiu repor os cinquenta mil da conta. Ele deve ter feito um empréstimo pessoal. Talvez para encobrir o que tinha feito.

Bobby olhou para D.D.

— Você sabe, se o Darby estava devendo muito para os agiotas, é possível que um matador tenha sido enviado para lidar com ele.

D.D. encolheu os ombros. Ela informou a força-tarefa sobre a declaração revisada do *trooper* Lyons, de que Tessa havia ligado para ele na manhã de domingo, dizendo que um matador misterioso havia sequestrado a filha dela e matado o marido. Ela deveria assumir a culpa para ter a filha de volta. Shane Lyons concordara em ajudar batendo nela para valer.

Quando ela terminou, a maioria dos colegas investigadores também estava com a testa franzida.

— Espere um minuto — Neil disse. — Ela ligou para o Lyons no domingo? Mas Brian já estava morto há pelo menos vinte e quatro horas naquela hora.

— Algo que ela esqueceu de contar para ele, e ainda mais evidência de que é uma mentirosa compulsiva.

— Eu descobri a ligação de sexta à noite para o Darby — o detetive Jake Owens informou. — Infelizmente, foi de um celular pré-pago. Não há como descobrir quem ligou, mas um celular pré-pago sugere alguém que não quer ter suas ligações monitoradas, tal como um agiota.

— E acontece que o Brian teve dois "acidentes" recentes — Neil contou. — Em agosto, ele foi tratado por múltiplas contusões no rosto, que ele disse ter acontecido durante uma caminhada. Deixe-me ver... — Neil folheou suas anotações. — Trabalhei com o Phil nisso... Sim, Brian esteve embarcado de setembro até outubro. Voltou no dia 3 de novembro e no 16 de novembro estava no hospital novamente, dessa vez por causa de costelas quebradas, que ele disse que foi consequência de uma queda de uma escada quando consertava um vazamento no telhado.

— Só para constar — Phil falou —, os cartões de crédito de Sophie Leoni chegaram todos ao máximo em novembro, o que quer dizer que, se Brian produziu mais débito, ele não podia usar as linhas de crédito dela para pagar.

— Alguma retirada de contas pessoais? — D.D. perguntou.

— Encontrei uma grande em julho. Quarenta e dois mil. Mas o dinheiro foi devolvido pouco antes de Brian partir em setembro, e, depois disso, não vi mais nenhuma transação de valores altos até duas semanas atrás.

— A intervenção — Bobby comentou. — Seis meses atrás, Tessa e Shane confrontaram Brian sobre o jogo, que Tessa descobriu devido ao súbito desaparecimento de trinta mil. Ele devolveu o dinheiro...

— Ganhando muito ou fazendo empréstimos? — D.D. murmurou.

Bobby encolheu os ombros.

— Daí ele passou a esconder seu vício usando cartões de crédito falsos, com as cobranças sendo enviadas para uma caixa postal, assim Tessa nunca as veria. Até duas semanas atrás, quando aparentemente Brian Darby se deu mal, dessa vez sacando os cinquenta mil. O que talvez tenha sido descoberto por Tessa, o que explicaria a rápida devolução seis dias depois.

— E por que ela pode ter retirado tudo no sábado de manhã — Phil declarou. — Esqueça isso sobre começar uma vida nova: parece-me que Tessa Leoni estava trabalhando bem duro para salvar a velha.

— Mais motivo para matar o marido — D.D. declarou. Ela foi até o quadro branco. — Está bem. Quem acha que Brian Darby tinha problema com jogos?

O grupo inteiro ergueu as mãos. Ela concordou, e acrescentou o detalhe no quadro do assassinato.

— Certo. Então Brian Darby jogava. Aparentemente, sem grande sucesso. Ele tinha problemas sérios o suficiente para criar débitos, cometer fraude com cartões de crédito e talvez apanhar um pouco dos capangas locais. E depois?

Os investigadores olharam para ela. Ela olhou de volta para eles.

— Ei, não me deixem ficar com toda a diversão. Assumimos que o amante de Tessa Leoni bateu nela. Mas em vez disso foi um colega da polícia, que achou que estava fazendo um favor para ela. Agora podemos corroborar metade da história: Brian Darby realmente jogava. Brian Darby pode ter feito um débito que chegou a ponto de um matador ser enviado para lhe fazer uma visita. Então onde isso nos deixa?

D.D. escreveu um novo título: *Motivo.*

— Se eu fosse Tessa Leoni — ela disse — e tivesse descoberto que meu marido não só continuava jogando, mas que o imbecil filho da puta tinha feito dezenas de milhares de dólares em débitos em cartões de crédito no nome da minha filha, eu o mataria só por causa disso. Mas curiosamente meu-marido-é-um-canalha-sem-valor não é uma defesa afirmativa, o que quer dizer que Tessa fica melhor se colocando como uma esposa espancada e fazendo Lyons bater para valer nela.

Vários dos policiais assentiram. Bobby, é claro, fez o primeiro furo no argumento.

— Então ela ama a filha o bastante para ficar ofendida com o esquema com os cartões de crédito, mas depois mata a filha assim mesmo?

D.D. contraiu os lábios.

— Tem razão. — Ela olhou para a sala. — Alguém?

— Talvez ela não tenha matado Sophie de propósito — Phil sugeriu. — Talvez tenha sido um acidente. Ela e Brian estavam brigando, Sophie ficou no caminho. Talvez a morte de Sophie tenha sido um motivo a mais para matar Brian. Só que agora a família inteira dela está morta, o marido atingido com a arma de serviço dela, o que significa uma investigação automática — Phil acrescentou —, então, Tessa entra em pânico. Tem de imaginar um cenário plausível...

— Estar se defendendo funcionou para ela antes — Bobby comentou. — O tiro em Tommy Howe.

— Ela congela o marido para conseguir tempo, leva o corpo de Sophie no carro, e na manhã seguinte arma uma história para manipular tanto Shane Lyons quanto nós e nos fazer acreditar no que ela precisa que acreditemos — D.D. completou. — A manhã de domingo é a hora do show.

— E se ela sacou os cinquenta mil na manhã de sábado porque descobriu que Brian estava jogando? — um outro policial sugeriu. — Brian descobriu, ou ela o confrontou. Os eventos continuaram a partir daí.

D.D. assentiu, escreveu mais uma nota no quadro: *Onde está o $$?*

— Vai ser difícil descobrir — Phil avisou. — O valor foi sacado em um cheque do banco ao portador, o que quer dizer que pode ser depositado em qualquer banco sob qualquer nome, ou ser levado a um negociante e transformado em dinheiro.

— É um cheque grande demais para a maioria deles — Bobby disse.

— É uma porcentagem garantida — Phil contestou. — Especialmente se ela ligou antes, tem vários negociantes de cheques que fariam o negócio. Os cheques de banco são tão bons quanto ouro e o mercado financeiro está apertado.

— E se Tessa precisava do dinheiro? — D.D. perguntou abruptamente. — E se ela tinha algum pagamento para fazer?

Trinta pares de olhos se voltaram para ela.

— É outra possibilidade — ela pensou em voz alta. — Brian Darby tinha um problema com jogo. Ele não conseguia controlar isso, e, como um barco afundando, estava levando Tessa e Sophie para o fundo com ele. Bem, Tessa é uma mulher que já esteve no fundo do poço uma vez. Ela sabe como é e não quer voltar para lá. De fato, ela trabalhou com o dobro da energia para reconstruir a vida, especialmente por causa da filha. Então o que ela pode fazer? Divórcio demora, e Deus sabe o quanto

Brian ia destruir as finanças deles até terminar. Talvez — D.D. supôs —, talvez tenha mesmo um matador na história. Talvez Tessa Leoni tenha *contratado* um matador, para finalmente acabar com o sofrimento do marido. Só que o homem de preto levou sua própria apólice de seguro, Sophie Leoni, para Tessa não poder se voltar contra ele e o prender.

Bobby olhou para ela.

— Pensei que você estava convencida de que ela matou a filha.

A mão de D.D. estava inconscientemente pousada sobre o ventre.

— O que posso dizer? Estou ficando mole ao envelhecer. Além disso, um júri vai engolir uma esposa que mata um marido viciado em jogo. Mas uma mãe que mata a filha é uma história difícil de vender. — Ela olhou para Phil. — Precisamos seguir o dinheiro. Descubra definitivamente se Tessa o pegou. Veja o que mais consegue descobrir sobre as finanças. E amanhã vamos ligar para o advogado da Tessa, para ver o que conseguimos arranjar para conversar com ela. Vinte e quatro horas na prisão tem a tendência de tornar as pessoas bem falantes. Alguma novidade da linha de informações? — ela perguntou.

Nada, a força-tarefa informou.

— A última viagem da Denali? — ela tentou esperançosa.

— Baseado na quilometragem, o raio é de cento e sessenta quilômetros de Boston — o detetive líder relatou.

— Excelente. Então reduzimos a área para quanto, um quarto do estado?

— Por aí.

D.D. virou os olhos para cima, largando o marcador.

— Mais alguma coisa que devo saber?

— A arma — disse uma voz do fundo da sala. Detetive John Little.

— O que é que tem a arma? — D.D. perguntou. — Pelo que sei, a equipe de investigação de disparo de armas de fogo a pegou para processar.

— Não a arma de Tessa — Little disse. — A do Brian.

— Brian tinha uma arma? — D.D. perguntou surpresa.

— Ele tirou a licença faz duas semanas. Uma Glock quarenta. Não a encontrei nos registros das evidências coletadas nem da casa nem do carro dele.

O detetive ficou olhando com expectativa para ela. D.D. devolveu o olhar.

— Você está me dizendo que Brian Darby tinha uma arma — ela disse.

— Sim. Ele pediu a licença faz duas semanas.

— Talvez ficar mais forte não estivesse mais dando conta do recado — Bobby murmurou.

D.D. fez um gesto com a mão para ele.

— Alô. Questão mais importante aqui. Brian Darby tinha uma Glock quarenta *e não temos ideia de onde ela está.* Detetive, isso não é algo pequeno.

— A licença acabou de ser processada — o detetive Little explicou, na defensiva. — Estamos um pouco atrasados atualmente. Você não tem lido os jornais? O fim dos tempos está chegando e, aparentemente, metade da cidade pretende se armar para o evento.

— Precisamos dessa arma — D.D. declarou em tom mecânico. — Para começar, e se for essa a arma que matou Sophie Leoni?

A sala ficou em silêncio.

— Sim — ela disse. — Chega de falar. Chega de teorias. Temos um marido de uma policial do estado morto, e uma menina de seis anos desaparecida. Eu quero Sophie Leoni. Eu quero a arma de Brian Darby. E se essa evidência nos levar para onde estamos pensando que vai nos levar, então quero montar um caso sem falhas. Tessa Leoni vai ficar na prisão pelo resto da porcaria da vida dela. Saiam. Cuidem disso.

Às 11 da noite de segunda-feira, os detetives levantaram e saíram bem depressa.

# 26

Toda mulher tem um momento na vida em que percebe que ama de verdade um sujeito que não vale o esforço.

Precisei de quase três anos para chegar a esse ponto com o Brian. Talvez houvesse indícios por todo o caminho. Talvez, no começo, eu só estivesse tão feliz por ter um homem amando a mim e a minha filha tanto quanto Brian parecia amar a mim e Sophie, que ignorei os sinais. Sim, ele tinha seus humores. Depois da lua de mel inicial de seis meses, a casa se tornou o domínio das manias dele. Sophie e eu ouvíamos lições diárias se deixássemos um prato no balcão, uma escova de dentes fora do lugar, um giz de cera na mesa.

Brian gostava de precisão, precisava dela.

— Eu sou um engenheiro — ele dizia para mim. — Acredite, você não quer uma barragem construída por um engenheiro desleixado.

Sophie e eu fazíamos muito esforço. Ceda nisso, eu dizia para mim mesma. É o preço da família; você põe de lado algumas das suas preferências pessoais pelo bem maior. Além disso, Brian partiria novamente e Sophie e eu passaríamos oito semanas alegres espalhando nossas coisas pela casa toda. Casacos pendurados nos encostos das cadeiras para criança.

Projetos de arte empilhados no canto do balcão. Sim, nós ficávamos realmente malucas quando Brian embarcava.

Então, um dia fui pagar o encanador e descobri que as economias de toda nossa vida tinham sumido.

É um momento difícil quando você tem de confrontar o nível da sua própria complacência. Eu sabia que o Brian estava indo ao Foxwoods. Mais que isso, percebia as noites em que ele chegava cheirando a bebida e cigarro, mas dizia que estava fazendo caminhada. Ele mentiu para mim em várias ocasiões, e eu deixei passar. Bisbilhotar implicaria uma resposta que eu não queria ouvir. Por isso não bisbilhotei.

Enquanto meu marido, aparentemente, cedia aos seus demônios internos e torrava nossas economias no jogo.

Shane e eu o confrontamos. Ele negou. De uma forma nem um pouco plausível. Mas, a certa altura, não havia muito mais que eu pudesse dizer ou fazer. O dinheiro reapareceu como que por mágica, e, mais uma vez, não fiz muitas perguntas, não querendo saber o que eu não queria saber.

A partir de então, passei a pensar no meu marido como duas pessoas. Tinha o Brian Bom, o homem por quem me apaixonei, que pegava Sophie depois da escola e a levava para andar de trenó até estarem os dois com as faces rosadas de tanto rir. Brian Bom fazia panquecas com geleia para mim quando eu chegava do trabalho pela manhã. Ele fazia massagem nas minhas costas, enrijecidas pelo esforço de carregar a armadura corporal. Ele me abraçava enquanto eu dormia.

E havia o Brian Ruim. Brian Ruim gritava comigo quando eu esquecia de enxugar a pia depois de lavar os pratos. Brian Ruim era telegráfico e distante, não só colocava na televisão qualquer programa cheio de testosterona que encontrasse, mas aumentava o volume se eu ou Sophie tentássemos protestar.

Brian Ruim cheirava a cigarro, bebida e suor. Ele fazia ginástica de forma compulsiva, com os demônios de um homem com algo a temer. Daí ele desaparecia por dois dias — tempo com os *rapazes,* Brian Ruim dizia, quando nós dois sabíamos que ele tinha saído sozinho, os amigos tinham desistido dele fazia tempo.

Mas esse era o Brian Ruim. Ele conseguia olhar nos olhos da esposa policial do estado e dizer uma mentira.

Isso sempre me fez pensar: ele seria um tipo diferente de marido se eu fosse um tipo diferente de esposa?

Brian Ruim partia meu coração. Daí o Brian Bom reaparecia pelo tempo necessário para arrumar as coisas novamente. E assim seguíamos, subindo e descendo na montanha-russa que era nossa vida.

Só que os passeios tinham de acabar.

O passeio de montanha-russa do Brian Bom e o do Brian Ruim terminou exatamente ao mesmo tempo, no chão impecável da nossa cozinha.

Brian Ruim não pode mais ferir a Sophie ou a mim.

Vai levar mais algum tempo para eu deixar Brian Bom se ir.

Terça-feira, sete da manhã.

A carcereira começou a contagem e a unidade oficialmente começou a despertar. Minha colega de cela, Erica, já estava acordada fazia uma hora, enrolada em posição fetal, balançando de um lado para o outro, os olhos fixos em algo que só ela conseguia ver, e murmurando alguma coisa bem baixinho.

Eu acho que ela foi para o beliche pouco depois da meia-noite. Sem ter relógio na cela, eu tinha de acompanhar o tempo mentalmente. Isso me dava alguma coisa para fazer durante a noite — acho que são duas da manhã... três da manhã... 4h21 da manhã.

Dormi em um momento. Sonhei com Sophie. Ela e eu estávamos em um oceano vasto e agitado, nadando com todas nossas forças contra as ondas que subiam sem parar.

— Fique comigo — gritei para ela. — Fique comigo, eu vou manter você segura!

Mas a cabeça dela desapareceu na água escura, e eu mergulhei e mergulhei e mergulhei, mas não consegui mais encontrar minha filha.

Acordei sentindo o gosto do sal nos lábios, e não dormi novamente.

A torre fazia barulhos a noite toda. Mulheres sem nome atraindo homens sem nome que gemiam. O barulho dos canos. O zumbido de um lugar imenso, tentando ajeitar os ossos. Parecia que eu estava dentro de uma besta gigante, engolida inteira. Eu ficava tocando as paredes, como se o contato com os blocos ásperos de cimento me mantivesse fixa no chão. Daí eu levantava e ia fazer xixi, já que a cobertura da noite era o mais próximo da privacidade que conseguia ali.

A carcereira chegou a nossa cela. Ela olhou para Erica balançando, daí para mim, e nossos olhos se encontraram, um brilho de reconhecimento antes de ela se virar.

Kim Watters. Saía com um dos colegas do alojamento, tinha ido a alguns dos jantares do grupo. Claro. Carcereira na Prisão do Condado de Suffolk. Agora eu lembrava.

Ela foi para a cela seguinte. Erica balançou com mais força. Olhei pela janela com grades e tentei me convencer de que conhecer pessoalmente minha própria guarda da prisão não tornava as coisas piores.

Sete e meia. Café da manhã.

Erica levantou. Ainda murmurando, sem olhar para mim. Agitada. A metanfetamina tinha fritado o cérebro dela. Ela precisava de reabilitação e serviços de saúde mental mais do que uma sentença de prisão. Mas seja bem-vindo à grande parte da população das prisões.

Nos deram panquecas moles, suco de maçã e leite. Erica colocou o suco de maçã nas panquecas dela, enrolou todas juntas e comeu com três mordidas gigantes. Quatro goles deram conta do leite. Daí ela olhou para a minha bandeja.

Eu não estava com apetite. As panquecas pareciam papel molhado em minha boca. Olhei para ela e comi tudo assim mesmo.

Erica sentou-se na privada. Eu virei para o lado para dar privacidade para ela.

Ela riu.

Mais tarde, usei a miniescova para escovar os dentes e passei desodorante. Depois... depois eu realmente não sabia o que fazer. Bem-vindo ao meu primeiro dia inteiro na prisão.

O horário de recreação chegou. A carcereira abriu nossa cela. Algumas mulheres saíram, outras ficaram. Eu não conseguia mais aguentar. O teto a três metros e a janela criavam a ilusão de espaço, mas uma cela de prisão era uma cela de prisão. Eu sentia falta do sol.

Andei até os bancos em um lado da área comum, onde seis mulheres estavam reunidas para assistir *GMA*[17]. O programa era alegre demais para mim. Depois tentei as mesas, onde duas mulheres jogavam Copas, e uma outra estava ali sentada rindo de algo que só ela compreendia.

Um chuveiro foi aberto. Não olhei. Não queria saber.

Daí ouvi um som estranho, como um ofegar tremulante, alguém tentando inalar e exalar ao mesmo tempo.

Virei-me. A carcereira, Kim Watters, parecia estar realizando uma dança engraçada. O corpo dela estava erguido no ar, os pés balançando como que tentando alcançar o chão, mas não conseguiam encontrá-lo. Uma mulher negra imensa com cabelo preto comprido estava atrás dela, um braço musculoso passado pela garganta de Kim, apertando com força enquanto Kim arranhava desesperadamente o antebraço dela.

Eu dei um passo para frente e no instante seguinte minha colega de cela, Erica, gritou:

— Peguem a porca maldita! — e meia dúzia de prisioneiras correu na minha direção.

Levei o primeiro soco no estômago. Endureci os músculos abdominais por reflexo, fui para a esquerda e atingi com o punho um corpo macio. Mais um soco. Abaixei, movendo-me por instinto agora, porque é por isso que os recrutas são treinados. Faça o impossível de novo e de novo e isso se torna possível. Melhor ainda, torna-se rotina, o que quer dizer que um dia, quando menos se espera, meses e anos de treinamento podem salvar sua vida.

Mais um golpe em meu ombro. Elas estavam mirando em meu rosto, meu olho inchado e face quebrada. Ergui os dois braços na postura clássica de pugilista, bloqueando a cabeça, enquanto avançava para a mulher que estava mais próxima. Peguei-a pela cintura e a joguei na direção das outras que vinham correndo, derrubando duas numa confusão de braços e pernas.

---

[17] Good Morning America – Bom Dia América, programa de notícias e variedades veiculado pela manhã nos Estados Unidos (N. T.).

Gritos. Dor, raiva, delas, minha, não importava realmente. Mover, mover, mover, mover, tinha de ficar em movimento, confrontando os ataques ou seria esmagada pela quantidade delas.

Uma dor aguda. Algo cortando meu braço, enquanto outro punho atingia meu ombro. Fui outra vez para o lado, enfiei o cotovelo no estômago da que me atacava, daí bati com a beirada da mão com força na garganta dela. Ela caiu e não levantou mais.

As outras quatro finalmente recuaram. Fiquei de olho nelas, tentando processar muitas coisas ao mesmo tempo. Outras prisioneiras, onde? Nas celas delas? Confinamento autoimposto para não serem atacadas depois?

E Kim? Som ofegante atrás de mim. Policial ferido, policial ferido, policial ferido.

Botão de pânico. Tinha de estar em algum lugar...

Mais um corte no meu braço. Eu contra-ataquei chutando e acertei o joelho dela.

Daí gritei. Gritei e gritei e *gritei,* os dias de raiva e desamparo e frustração finalmente escaparam em uma erupção pela minha garganta, porque Kim estava morrendo e minha filha provavelmente já estava morta e meu marido tinha morrido, bem diante dos meus olhos, levando Brian Bom com ele, e o homem de preto tinha levado minha filha e deixado para trás apenas o olho de botão azul da boneca favorita dela e *eu ia pegar eles todos. Eu faria com que pagassem.*

Daí me movi. Provavelmente ainda estava gritando. Muito. E não acho que tenha sido um som de alguém são, porque as mulheres que me atacavam recuaram até ser eu que as perseguia, os lábios muito abertos, as mãos contraídas em punhos rígidos.

Eu me movi, chutei, me esquivei e soquei. Eu tinha 23 anos novamente. Veja a Matadora de Gigantes. Veja a Matadora de Gigantes realmente *furiosa.*

E pingava suor do meu rosto e pingava sangue das minhas mãos e as primeiras duas mulheres estavam no chão e a terceira corria, ironicamente para a segurança da cela dela, mas a quarta tinha um estilete e ela achou que isso a manteria em segurança. Ela provavelmente sabia lutar com clientes agressivos e cafetões bravos. Eu era apenas uma garota branca fresca e não seria ameaça para uma genuína graduada na escola da vida dura.

Um gemido vindo da mesa da carcereira. O som de uma mulher morrendo.

— Vamos lá! — rugi para ela. — Venha aqui, vaca. Mostre o que você tem.

Ela atacou. Um movimento estúpido. Fui para a esquerda e a atingi com força no pescoço. Ela largou o estilete e segurou a traqueia quebrada. Peguei o estilete e pulei por cima dela indo para o posto da carcereira.

Os pés de Kim não estavam mais dançando. Ela continuava suspensa no ar, o braço negro ainda passado por sua garganta e os olhos dela estavam vidrados.

Eu dei a volta nela.

Olhei para a negra imensa que no final das contas não era uma mulher, mas um homem de cabelo comprido que de alguma forma se infiltrara na unidade.

Ele pareceu surpreso por me ver.

Então sorri para ele. Daí enfiei o estilete entre as costelas dele.

O corpo de Kim caiu no chão. O prisioneiro cambaleou para trás, segurando o local do ferimento. Avancei para ele. Ele tentou correr, girando, tentando chegar à porta da unidade. Eu chutei a parte de trás do joelho direito dele. Ele parou. Chutei a parte de trás do joelho esquerdo. Ele caiu e rolou, erguendo as mãos para se defender.

Eu ergui o estilete.

— Não — ele sussurrou com a voz rouca.

Enfiei o estilete na coxa dele. Ele gritou. Eu girei o estilete.

Daí cantei para a unidade inteira ouvir:

— *Tudo que quero de Natal são meus dois dentes da frente, meus dois dentes da frente, dois dentes da frente...*

O prisioneiro gritou quando me inclinei, afastei o cachos do cabelo longo dele e sussurrei como uma amante no ouvido dele:

— Diga para o homem de preto que estou indo atrás dele. Diga que ele é o próximo.

Girei o estilete outra vez.

Daí levantei, limpei o estilete na perna da minha calça e apertei o botão de pânico.

Você lamenta quando seu mundo acaba? Quando chega a um destino de onde não há volta?

A unidade de choque desceu como um estouro de boiada. A prisão inteira foi isolada. Eu fui algemada onde estava, as pernas tremendo, braços lacerados, novas manchas roxas surgindo na lateral do corpo e nas costas.

Eles removeram Kim em uma maca, inconsciente, mas respirando.

A quarta mulher que me atacou, a do estilete, foi levada em um saco para cadáveres. Eu fiquei olhando eles fecharem o zíper. Não senti nada.

Erica soluçou. Chorou e berrou sem parar de tal forma que eles por fim a levaram para a enfermaria, onde seria sedada e colocada na prevenção de suicídio. Outras foram interrogadas, mas como sempre nesses casos, elas não tinham ideia do que havia ocorrido.

— Estava na minha cela o tempo todo...

— Não olhei para fora...

— Ouvi o barulho, só isso...

— Parece que foi uma briga e tanto...

— Eu dormi o tempo todo, policial. De verdade, eu dormi.

O prisioneiro, no entanto, disse para todo mundo que quisesse ouvir que eu era o anjo da morte, e por favor Deus, por favor Deus, por favor Deus, mantenha ela longe de mim.

O assistente do superintendente finalmente parou diante de mim. Ele me olhou por um longo tempo, a expressão indicando que me considerava mais problema do que eu valia.

Ele decidiu minha punição em uma palavra.

— Segregação.

— Quero meu advogado.

— Quem atacou a carcereira, *prisioneira?*

— A dona Joana.

— A dona Joana, *senhor.* Agora, por que o prisioneiro atacou a policial Watters?

— Eu não sei, *senhor.*

— Você está na prisão faz menos de vinte e quatro horas. Como conseguiu um estilete?

— Tirei das mulheres que tentaram me matar. — Fiz uma pausa. — *Senhor.*

— Todas as seis?

— Não tente ferrar com a polícia do estado. *Senhor.*

Ele quase sorriu. Mas em vez disso apontou o polegar para o teto e as várias câmeras ali.

— Tem isso sobre as prisões. O Grande Irmão está sempre olhando. Então pela última vez, *prisioneira,* tem algo que queira contar para mim?

— A Policial Watters me deve um cartão de agradecimento.

Ele não contestou, então talvez já soubesse mais do que estava demonstrando.

— Enfermaria — ele disse agora, fazendo um gesto na direção do meu braço cortado.

— Advogado — repeti.

— O pedido será enviado através dos canais competentes.

— Não dará tempo. — Fitei o assistente do superintendente nos olhos. — Decidi cooperar totalmente com a polícia de Boston — declarei para todos ouvirem. — Chame a detetive D.D. Warren. Diga que vou levá-la até o corpo da minha filha.

---

# 27

— Que se foda! — D.D. explodiu duas horas mais tarde. Ela estava no quartel-general da BDP, em uma sala de conferências com Bobby, o vice-superintendente de homicídios e o advogado de Tessa Leoni, Ken Cargill. Cargill havia pedido a reunião fazia 20 minutos. Ele disse que tinha uma oferta por tempo limitado. Precisava do chefe de D.D. na sala, porque se uma decisão fosse tomada, teria de ser algo muito rápido. O que queria dizer que estava planejando uma negociação por algo que estava acima do nível de decisão de D.D. O que queria dizer que ela devia deixar que o vice-superintendente, Cal Horgan, respondesse àquela exigência absurda.

D.D. nunca tinha sido boa em ficar calada.

— Não fazemos passeios turísticos com guias! — ela continuou em tom inflamado. — Tessa quer finalmente fazer a coisa certa? Que bom para ela. Bobby e eu podemos estar na cela dela em vinte minutos, e ela pode desenhar um mapa.

Horgan não disse nada, então talvez concordasse com ela.

— Ela não pode desenhar um mapa — Cargill respondeu em tom neutro. — Ela não lembra do lugar exato. Ela estava dirigindo fazia um tempo quando parou. Ela pode até não conseguir achar o lugar exato, mas acha que pode chegar perto, olhando a área e reconhecendo o que viu.

— Ela não pode nem nos levar ao lugar exato? — Bobby disse, parecendo tão cético quando D.D. se sentia.

— Eu pediria uma equipe com cachorro para ir junto — Cargill respondeu.

— Uma equipe de cadáver, foi o que você quis dizer — D.D. disse em tom amargo. Ela voltou a se encostar na cadeira, cruzando os braços sobre o ventre. Ela sabia, depois das primeiras 24 horas, que a pequena Sophie Leoni com o cabelo castanho cacheado, grandes olhos azuis e rosto em forma de coração devia estar morta. Ainda assim, ouvir ser dito em voz alta, e entre todas as pessoas pelo advogado de Tessa, que estava na hora de recuperar o corpo...

Havia dias em que esse trabalho simplesmente era pesado demais.

— E como foi que ela disse que Sophie morreu? — Bobby perguntou.

Cargill o olhou de soslaio.

— Ela não disse.

— Exatamente — Bobby continuou. — Ela não está realmente nos dizendo nada, não é? Só está exigindo que a tiremos da prisão e a levemos para dar uma volta. Imagine só.

— Ela quase morreu esta manhã — Cargill argumentou. — Um ataque coordenado, seis prisioneiras foram atrás dela, enquanto um prisioneiro pegou a carcereira. Se não fosse a reação rápida da *trooper* Leoni, a policial Watters estaria morta, e Tessa provavelmente também.

— Autopreservação — Bobby disse.

— Mais uma história imaginária — D.D. acrescentou em tom duro.

Cargill olhou para ela.

— Não é imaginária. Está tudo gravado nas fitas. Eu mesmo vi a gravação. O prisioneiro atacou a carcereira primeiro, daí seis prisioneiras foram para cima de Tessa. Ela tem sorte de estar viva. E vocês têm sorte do choque ter feito com que ela queira cooperar.

— Cooperar — D.D. repetiu. — Aí está essa palavra de novo. "Cooperar", para mim, significa ajudar os outros. Por exemplo, ela poderia desenhar um mapa, talvez baseado no que recorda. Isso seria cooperação.

Ela poderia nos dizer como Sophie morreu. Isso seria cooperação. Ela também poderia nos dizer, de uma vez por todas, o que aconteceu com o marido e a filha dela, o que seria outra forma de cooperação. Mas parece que ela não entendeu direito.

Cargill encolheu os ombros. Parou de analisar Bobby e D.D. e voltou sua atenção para o vice-superintendente.

— Gostando ou não, não sei quanto tempo minha cliente vai continuar querendo "cooperar". Esta manhã ela passou por uma experiência traumática. Nesta tarde, ou amanhã cedo, não posso garantir que o impulso vai permanecer. Nesse meio-tempo, enquanto minha cliente pode não querer responder todas as suas perguntas, imagino que a recuperação do corpo de Sophie Leoni vai responder muitas dessas perguntas para vocês. Sabe, fornecendo evidências. Ou vocês não estão mais no negócio de recolher evidências?

— Ela vai voltar para a prisão — Horgan disse.

— Ah, por favor. — Nunca negocie com terroristas.

Cargill a ignorou, mantendo a atenção em Horgan.

— Entendido.

— Com algemas o tempo todo.

— Nunca pensamos algo diferente. — Pausa curta. — Mas talvez seja bom falar com o Departamento do Xerife do Condado de Suffolk. Do ponto de vista legal, ela está sob a custódia deles, o que significa que eles podem querer fazer a escolta.

Horgan revirou os olhos. Múltiplas agências de aplicação da lei, era exatamente do que precisavam.

— Quanto tempo leva para ir até esse lugar? — Horgan perguntou.

— Não mais que uma hora.

D.D. olhou para o relógio na parede. Eram dez e meia da manhã. O pôr do sol seria às cinco e meia. O que queria dizer que o tempo já estava curto. Ela olhou para o chefe, sem ter certeza do que queria. Odiando ceder às exigências de uma suspeita, mas ainda assim... Ela queria trazer Sophie de volta para casa. Ansiava por essa pequena conclusão. Como se isso pudesse acalmar parte da dor em seu coração.

— Vão pegá-la ao meio-dia — Horgan disse abruptamente. Ele olhou para D.D. — Arrume uma equipe com cachorro. Agora.

— Sim, senhor.

Horgan, voltando-se para Cargill.

— Sem nenhuma enrolação. Sua cliente coopera, ou todos os privilégios que ela tem na prisão vão desaparecer. Ela não só vai voltar para a prisão, mas vai ser duro dessa vez. Entendido?

Cargill sorriu brevemente.

— Minha cliente é uma policial condecorada. Ela entende. E eu gostaria de parabenizá-lo por tirá-la da prisão enquanto ainda está viva e pode ajudar em seu trabalho.

Havia muitas coisas que D.D. queria fazer imediatamente — chutar, berrar, se enfurecer. Considerando o horário apertado, no entanto, ela se controlou e entrou em contato com a Equipe Canina de Busca & Resgate do Noroeste de Massachusetts.

Como muitas equipes caninas, o grupo de Massachusetts era composto apenas por voluntários. Eram 11 membros, incluindo Nelson Bradley e seu pastor-alemão, Quizo, um de apenas umas poucas centenas de cães treinados para farejar cadáveres em todo o mundo.

D.D. precisava de Nelson e Quizo e precisava deles agora. Boa notícia, a presidente da equipe Cassondra Murray concordou em mobilizar a equipe inteira em 90 minutos. Murray e possivelmente Nelson encontrariam a polícia em Boston, e seguiriam em estilo caravana. Outros membros da equipe chegariam quando soubessem onde era o lugar, pois viviam longe demais da cidade para ir depressa até o centro.

Isso estaria bom para D.D.

— O que vocês precisam? — D.D. perguntou por telefone. Ela não trabalhava com uma equipe canina fazia anos e daquela vez fora um trabalho de resgate, não uma busca por um corpo. — Posso arrumar roupas da menina, esse tipo de coisa.

— Não é necessário.

— Já que é um cadáver — D.D. completou.

— Não. Isso não importa em qualquer situação. Os cães são treinados para identificar o odor humano se é um resgate, ou o odor de um cadáver se for uma recuperação. Na verdade, o que mais precisamos é que você e sua equipe fiquem fora do caminho.

— Certo — D.D. disse lentamente, um pouco incomodada.

— Um cachorro em uma busca equivale a cento e cinquenta voluntários humanos — Murray recitou com firmeza.

— A neve pode atrapalhar?

— Não. O calor faz o odor subir, o frio faz com que fique mais perto do chão. Nós ajustamos a estratégia de busca de acordo. Do ponto de vista dos nossos cães, no entanto, odor é odor.

— E quanto ao tempo?

— Se o terreno não for difícil, os cachorros podem trabalhar por duas horas, depois vão precisar parar por vinte minutos. Depende das condições, claro.

— Quantos cachorros você vai trazer?

— Três. Quizo é o melhor, mas eles são todos cachorros treinados em busca e recuperação.

— Eu achava que o Quizo era o único treinado para encontrar cadáveres.

— Não é mais. Faz dois anos que todos nossos cachorros são treinados para buscar pessoas vivas ou mortas, e na água também. Começamos com a busca de vivos, que é mais fácil de ensinar para um cachorrinho. Mas assim que o cachorro domina essa técnica, nós os treinamos para recuperar cadáveres, e depois para realizar buscas na água.

— Será que eu quero saber como é que vocês os treinam para achar cadáveres? — D.D. perguntou.

Murray riu.

— Na verdade, nós temos sorte. O médico legista, Ben...

— Eu conheço o Ben.

— Ele nos ajuda muito. Nós damos para ele bolas de tênis que ele coloca nos sacos de cadáveres. Depois que o cheiro dos cadáveres passa para as bolas de tênis, ele as sela em caixas herméticas e manda para nós. E é isso que usamos para o treinamento. É um bom arranjo, já que o estado de Massachusetts ergue uma sobrancelha quanto à possessão de cadáveres, e eu não acredito em "cheiro de cadáver" sintético. Os melhores cientistas do mundo concordam que o odor de decomposição é um dos mais complexos no planeta. E ninguém sabe exatamente o que é que os cachorros seguem, o que significa que é melhor não mexermos nisso.

— Certo — D.D. disse.

— Você está esperando uma busca na água? — Murray perguntou. — Porque isso significa alguns problemas nessa época do ano. Nós levamos os cachorros em barcos, é claro, mas, considerando a temperatura, eu vou querer que eles usem proteção especial para o caso de caírem na água.

— Seus cachorros trabalham em barcos?

— Sim. Eles pegam o odor na água corrente, da mesma forma como o sentem na brisa. Quizo encontrou corpos na água a trinta metros de profundidade. Parece vodu, e, de novo, é por isso que não gosto de cheiros sintéticos. Os cachorros são espertos demais para serem treinados com experimentos de laboratório. Você está esperando uma busca na água?

— Não posso descartar nada — D.D. disse com honestidade.

— Então vamos levar o equipamento completo. Você disse que a busca será provavelmente a uma hora de distância de Boston?

— É o que estamos supondo.

— Então vou levar meu livro de mapas topográficos de Boston. Topografia é *tudo* quando trabalhamos com odores.

— Certo — D.D. disse novamente.

— O legista ou um antropólogo forense vai estar no local?

— Por quê?

— Às vezes os cachorros acham outros restos. É bom ter alguém lá que possa dizer imediatamente que os restos são humanos.

— Esses restos... têm menos de quarenta e oito horas — D.D. disse. — Em situação de temperatura abaixo de zero.

Um momento de silêncio.

— Bem, acho que não precisamos do antropólogo — Murray disse. — Vejo você em meia hora.

Murray desligou. D.D. foi tratar de reunir o restante da equipe.

# 28

Terça-feira, meio-dia. Eu estava com as algemas esperando na área de processamento da Prisão do Condado de Suffolk. Não havia nenhuma perua do xerife estacionada na garagem dessa vez. O que vi foi um Crown Victoria dos detetives de Boston passar pelos portões de segurança. Apesar de tudo, fiquei impressionada. Eu achava que o Departamento do Xerife do Condado de Suffolk cuidaria do transporte. Imaginei quantas cabeças tinham rolado para que eu fosse colocada sob a custódia da detetive D.D. Warren.

Ela desceu do carro primeiro. Olhou rapidamente na minha direção, daí foi até o centro de comando e entregou a papelada para os carcereiros que aguardavam. O detetive Bobby Dodge abriu a porta do passageiro. Ele contornou o veículo e veio até mim, o rosto impossível de decifrar. Águas paradas que pareciam profundas.

Não ganhei roupas comuns para o passeio. Fizeram com que vestisse o tradicional macacão laranja de presidiário, o que deixava minha condição bem clara para o mundo todo ver. Pedi um casaco, proteção para a cabeça e luvas. Não me deram nada disso. Aparentemente, o departamento do xerife se preocupava menos com congelamento do que com fugas. Eu ficaria acorrentada durante o período todo em que estivesse no meio da sociedade. E também estaria o tempo todo sob a supervisão direta de um policial.

Não reclamei das condições. Estava tensa o suficiente sem isso. Agitada com o que aconteceria durante a tarde, e ao mesmo tempo cansada com o que ocorrera pela manhã. Mantive o olhar para frente e a cabeça abaixada.

A chave de qualquer estratégia é não exagerar em sua jogada.

Bobby parou do meu lado. A carcereira que estava de guarda soltou meu braço. Ele o segurou, levando-me até o Crown Victoria.

D.D. terminou com os papéis. Ela foi até a viatura, olhando feio para mim enquanto Bobby abria a porta de trás e lutei para deslizar graciosamente no assento com as mãos e pernas presas. Inclinei-me de volta tarde demais, fiquei presa como um besouro com as pernas para cima. Bobby teve de se inclinar, apoiar a mão no meu quadril e empurrar.

D.D. balançou a cabeça, daí assumiu o lugar por trás da direção.

Mais um minuto e a imensa porta da garagem subiu lentamente. Demos ré e saímos para as ruas de Boston.

Olhei para o céu cinzento de março e pisquei depressa por causa da luz. *Parece que vai nevar*, eu pensei, mas não disse nada.

D.D. dirigiu até o estacionamento do hospital ali perto. Lá, uma dúzia de outros veículos, desde SUVs brancas a viaturas de polícia pretas e brancas, estavam esperando. Ela estacionou e os outros formaram uma fila atrás. D.D. olhou para mim pelo espelho.

— Comece a falar — ela disse.

— Eu gostaria de tomar um café.

— Vá se foder.

Eu sorri, não pude evitar. Eu tinha me tornado meu marido, dividida em Tessa Boa e Tessa Ruim. Tessa Boa tinha salvado a vida de Kim Watters. Tessa Boa lutara contra o ataque maligno das prisioneiras e sentiu-se, só por um instante, como um membro digno dos agentes da lei.

Tessa Ruim vestia o laranja da prisão e estava sentada no banco de trás de uma viatura de polícia. Tessa Ruim... Bem, para Tessa Ruim, o dia mal estava começando.

— Cães de busca? — perguntei.

— Cães de *cadáver* — D.D. enfatizou.

Eu sorri novamente, mas foi um sorriso triste dessa vez e, por um segundo, senti minha compostura rachando. Um grande vazio se abria dentro de mim. Tudo que eu tinha perdido. E ainda mais que eu podia perder.

*Tudo que quero de Natal são meus dois dentes da frente...*

— Você devia ter encontrado ela — murmurei. — Eu estava contando com você para encontrá-la.

— *Onde?* — D.D. exclamou.

— Route Dois. Para oeste, na direção de Lexington.

D.D. dirigiu.

— Sabemos sobre o *trooper* Lyons — D.D. em tom duro, falando do assento da frente. Tomamos a Route 2 passando por Arlington, trocando a selva urbana pelos sonhos suburbanos. Em seguida, o dinheiro antigo de Lexington e Concord, e depois o singular charme campestre de Harvard, Massachusetts.

— O que vocês sabem? — perguntei. Estava mesmo curiosa.

— Que ele bateu em você, para tornar viável sua declaração de sofrer abusos por parte do seu marido.

— Você alguma vez bateu em uma garota? — perguntei para o detetive Dodge.

Bobby Dodge virou-se no assento.

— Conte-me sobre o matador, Tessa. Descubra quanto eu estou disposto a acreditar.

— Não posso.

— Não pode?

Eu me inclinei para frente, o melhor que podia com as mãos presas.

— Eu vou matá-lo — eu disse em tom sombrio. — E não é bom falar mal dos mortos.

— Ah, por favor — D.D. exclamou. — Você parece um personagem dos Looney Tunes.

— Bem, eu levei umas pancadas na cabeça.

O revirar de olhos novamente.

— Você não é mais maluca do que eu sou gentil — D.D. bradou. — Sabemos tudo sobre você, Tessa. Seu marido viciado em jogos que limpou suas economias. O adolescente excitado irmão da sua melhor amiga, que achou que poderia se dar bem naquela noite. Você parece ter um histórico de atrair os homens errados, e depois atirar neles.

Eu não disse nada. A boa detetive tinha mesmo um jeito de ir direto ao centro da questão.

— Mas por que sua filha? — ela perguntou incansável. — Acredite, eu não condeno você por acertar três no peito do Brian. Mas o que fez você se voltar contra sua filha?

— O que o Shane falou? — perguntei.

D.D. franziu a testa ao olhar para mim.

— Você quer dizer antes ou depois que seu amigo perdedor tentou me enganar?

Eu assobiei baixinho.

— Veja, é isso que acontece. Você bate numa mulher pela primeira vez, depois fica mais fácil.

— Você e Brian estavam discutindo? — Bobby perguntou. — Talvez a discussão tenha virado uma briga física. Sophie entrou no meio.

— Eu fui trabalhar na sexta à noite — eu disse, olhando pela janela. Menos casas, mais floresta. Estávamos chegando perto. — Eu não vi minha filha viva depois disso.

— Então foi o Brian que fez isso? Por que você apenas não o acusou? Por que encobrir tudo, inventando essa história tão elaborada?

— Shane não acreditou em mim. Se ele não acreditava, quem iria acreditar?

Uma barraquinha de maçãs pintada de vermelho, na esquerda. Vazia agora, mas vendia os melhores copos de sidra no outono. Tínhamos vindo aqui fazia apenas sete meses, bebemos sidra, passamos pela plantação de feno e fomos visitar o caminho das abóboras. Foi isso o que me trouxe de volta, na tarde de sábado, quando meu coração batia apressado e a luz do dia diminuía e eu tinha *mesmo* me sentido como um dos Looney Tunes, enlouquecida pela tristeza e pânico e puro desespero? Eu tinha de agir, depressa, depressa, depressa. Pensar menos. Fazer mais.

O que me trouxe aqui, ao local do último passeio de família antes de Brian embarcar no outono. Uma das minhas últimas lembranças felizes.

Sophie tinha adorado a barraquinha de maçãs. Ela tomou três copos de sidra e depois, animada com o açúcar fermentado, correu várias vezes pela trilha das abóboras antes de pegar não uma abóbora, mas três. Uma abóbora papai, uma abóbora mamãe e uma abóbora filhinha, foi o que ela declarou. Uma *família* inteira de abóboras.

*— Podemos, mamãe? Podemos, podemos, podemos? Por favor, por favor, por favor.*

*— Claro, meu bem, você tem toda razão. Seria um absurdo separá-los. Vamos salvar a família toda.*

*— Vivaaa! Papai, papai, papai, nós vamos comprar uma família de abóboras! Vivaaaa!*

— Vire à direita ali na frente — murmurei.

— Direita? — D.D. brecou com força, fez a curva.

— Suba quatrocentos metros, vire à esquerda, pegue a estrada rural...

*— Três abóboras? — Brian balançando a cabeça para mim. — Molenga.*

*— Você comprou para ela os donuts junto com a sidra.*

*— Então três donuts equivalem a três abóboras?*

*— Parece que sim.*

*— Certo, mas quem vai escavar o papai abóbora...*

— A árvore! Vire aqui. Esquerda, esquerda. Agora, trinta metros, estrada à direita.

— Tem certeza de que você não poderia ter feito um mapa? — D.D. perguntou olhando feio para mim.

— Tenho certeza.

D.D. virou à direita em uma estradinha rural menor, os pneus derrapando na neve. Atrás de nós, um, dois, três, quatro carros lutavam para acompanhar, depois duas das SUVs brancas, seguidas por uma fila de viaturas policiais.

*Definitivamente vai nevar*, decidi.

Mas eu não me importava mais. A civilização estava longe. Essa era a terra das árvores esqueletos, lagoas congeladas e campos brancos vazios. O tipo de lugar onde muito pode acontecer antes que a população em geral fique sabendo. O tipo de lugar que uma mulher desesperada pode usar para sua última luta.

Tessa Ruim se erguendo.

— É aqui — eu disse.

E a detetive D.D. Warren, que os céus a ajudem, estacionou.

— Saia — ela comandou com dureza.

Eu sorri. Não consegui evitar. Olhei para a boa detetive nos olhos e disse:

— Eu estava esperando o dia inteiro para ouvir isso.

# 29

— Não quero ela andando no mato! — D.D. estava discutindo com Bobby dez minutos mais tarde, perto dos carros estacionados. — O trabalho dela era nos trazer aqui. Agora o trabalho dela terminou, e o nosso está começando.

— A equipe canina quer a ajuda dela — Bobby contestou. — Não tem vento, o que quer dizer que é mais difícil para os cachorros pegarem o cone aberto do odor.

D.D. olhou para ele sem entender.

— O cheiro — ele tentou outra vez, desenhando um triângulo no ar com os dedos — irradia do alvo na forma de um cone que se expande. Para um cachorro pegar o cheiro ele tem de estar contra o vento, na abertura do cone, ou o cachorro pode estar a dois metros do alvo e ainda assim não o notar.

— Quando foi que você aprendeu sobre cachorros? — D.D. perguntou.

— Faz trinta segundos, quando perguntei ao Nelson e à Cassondra o que eles querem que façamos. Eles estão preocupados com as condições. O terreno é plano, o que acho que é bom, mas é aberto, o que é mais complicado...

— Por quê?

— O cheiro se acumula quando encontra uma barreira. Então, se houvesse um campo com cerca ou vale com arbustos, eles começariam nas beiradas. Mas não há cerca nem arbustos. Só esse... campo aberto... — Bobby indicou com a mão a área ao redor.

D.D. suspirou de forma pesada.

Tessa Leoni os levara a um dos poucos locais com pouca floresta e poucas plantações no meio do nada em Massachusetts. Considerando a neve fresca da noite de domingo, os campos eram uma imensa área branca de absolutamente nada, sem pegadas, sem marcas de pneus, ou de algo sendo arrastado. Havia apenas as árvores desfolhadas e um ou outro arbusto.

Tinham tido sorte de conseguir chegar ali com os carros, e D.D. não estava certa de que conseguiriam sair. Pneus para neve teriam sido uma boa ideia. Umas férias melhor ainda.

— Os cachorros vão ficar cansados depressa — Bobby estava dizendo — andando pela neve fresca. Então a equipe quer começar com a menor área de busca que for possível. O que significa que Tessa tem de nos levar o mais perto possível do alvo.

— Talvez ela possa indicar a direção certa — D.D. murmurou.

Bobby revirou os olhos.

— Tessa está algemada nos pés e mãos, e fazendo força para andar em dez centímetros de neve. Ela não vai fugir assim tão cedo.

— Ela não tem casaco.

— Tenho certeza de que alguém tem um de reserva.

— Ela está jogando com a gente — D.D. disse abruptamente.

— Eu sei.

— Notou como ela não respondeu nenhuma das nossas perguntas?

— Notei.

— Enquanto fazia o possível para tirar informações de nós.

— Sim.

— Você ficou sabendo do que ela fez com o prisioneiro que atacou a carcereira? Ela não só o derrubou. Ela enfiou um estilete na perna dele e torceu. Duas vezes. Isso vai um pouco além do treinamento profissional. Isso é satisfação pessoal.

— Ela parece... irritável — Bobby concordou. — Estou pensando que a vida não tem ido muito bem para ela nos últimos dias.

— E ainda assim aqui estamos — D.D. disse —, dançando no ritmo diferente do tambor dela. Eu não gosto disso.

Bobby ficou pensativo.

— Talvez você devesse ficar no carro — ele disse por fim. — Só por segurança...

D.D. contraiu as mãos para evitar bater nele. Então suspirou e esfregou a testa. Não tinha dormido na noite anterior, não tinha comido naquela manhã. O que significava que estava mal-humorada *antes* de receber a notícia de que Tessa Leoni estava querendo levá-los ao corpo da filha.

D.D. não queria estar ali. Não queria estar andando na neve. Não queria chegar até um monte vago e cavá-lo para encontrar as feições congeladas de uma menina de seis anos. Ia parecer que Sophie estava dormindo? Embrulhada em seu casaco de inverno cor-de-rosa, abraçada à boneca favorita?

Ou haveria buracos de bala, manchas vermelhas testemunhando um último momento cheio de violência?

D.D. era uma profissional que não se sentia mais profissional. Queria entrar no banco de trás e envolver o pescoço de Tessa Leoni com as mãos. Queria apertar e sacudir e gritar, *Como você fez algo assim? Com a menininha que* amava *você!*

D.D. provavelmente devia ficar para trás. O que significava, é claro, que não ficaria.

— A equipe de busca está pedindo mais ajuda — Bobby estava dizendo. — Temos mais quatro horas de luz do dia, em condições longe das ideais. Os cachorros andam numa certa velocidade. E o mesmo se aplica às pessoas com eles. O que você sugere?

— Merda — D.D. murmurou.

— Exatamente o que pensei.

— Qualquer coisa estranha e eu vou ter de matá-la — D.D. disse depois de mais um momento.

Bobby deu de ombros.

— Não ache que vai ter muita gente por aí que vai ser contra você fazer isso.

— Bobby... se encontrarmos o corpo... se eu não conseguir lidar com isso...

— Eu cubro você — ele disse calmamente.

Ela assentiu. Tentou agradecer, mas a garganta estava apertada demais. Ela assentiu novamente. Ele segurou o ombro dela com a mão.

Então eles voltaram até Tessa Leoni.

Tessa havia retornado para o Crown Victoria. Sem casaco, com algemas nos pulsos e tornozelos, ela ainda assim conseguira ir até uma das peruas da equipe de resgate, onde ficou olhando Nelson descarregar os cachorros.

Primeiro foram duas caixas pequenas, com cachorros menores, que giravam excitados no lugar latindo de forma maníaca.

— Esses são os cachorros de busca? — Tessa perguntou sem acreditar, enquanto Bobby e D.D. se aproximavam.

— Não — Nelson disse, abrindo uma caixa bem maior onde estava um pastor-alemão. — Esses aí são a recompensa.

— O quê?

Depois de soltar o pastor-alemão, que deu a volta nele em um círculo fechado, Nelson abaixou-se para abrir as outras duas caixas. Os cachorros menores saíram feito balas, pulando junto do pastor-alemão, de Nelson, Tessa, Bobby, D.D. e todos os outros em um raio de três metros.

— Apresento Kelli e Skyler — Nelson disse. — São *soft coated whaten terriers*[18]. São muito inteligentes, mas um tanto agitados para nosso tipo de trabalho. Por outro lado, Quizo acha que eles são a melhor companhia do mundo para brincar, e certamente eles são o que ele prefere como recompensa.

[18] Terrier de pelo macio cor de trigo. No Brasil o nome da raça é mantido em inglês (N. T.).

— Ele não vai comê-los, vai? — Tessa perguntou com um tom preocupado. Ela parecia uma mancha laranja contra a neve branca brilhante, tremendo de frio.

Nelson sorriu para ela, obviamente achando a ideia divertida. Se falar com uma suspeita de assassinato o incomodava, D.D. pensou, ele não estava demonstrando.

— A parte mais importante do treinamento de um cachorro — ele disse agora, descarregando mais suprimentos da traseira coberta da perua — é aprender o que motiva o cachorro. Com cada um é diferente. Alguns querem comida. Outros querem afeição. Muitos focam em um brinquedo em particular que se torna *o* brinquedo. O trabalho de quem lida com eles é entender esses sinais. Quando você finalmente entende qual é a recompensa, que item que realmente motiva seu cachorro, é aí que o treino de verdade começa. Agora, o Quizo, aqui — ele agradou rapidamente o cachorro na cabeça —, não foi fácil de compreender. É o cachorro mais esperto que já vi, mas só quando ele quer. Claro, isso não funciona. Preciso de um cachorro que faça a busca quando eu quiser, não quando ele estiver disposto. Então um dia esses dois — ele apontou para a dupla de terriers que pulava e latia — apareceram. Eu tenho um amigo que não podia mais ficar com eles. Eu disse que ajudaria por um tempo, até ele arrumar um lugar para eles. Bem, foi amor à primeira vista. Miss Kelli e Mister Skyler subiram no Quizo como filhotinhos e ele saiu correndo atrás dos dois na mesma hora. O que me fez pensar. Talvez brincar com seus melhores amigos fosse a recompensa. Tentei algumas vezes e bingo. Acontece que o Quizo é um exibido. Ele não se importa de trabalhar, ele só quer a audiência certa.

Nelson fez uma pausa, depois continuou:

— Agora, quando chegamos em uma cena, eu trago os três. Dou ao Quizo um momento para interagir com os amigos, para ele saber que os dois estão aqui. Depois Kelli e Skyler têm de ser removidos, ou eles vão ficar trançando nas nossas pernas o tempo todo, o que atrapalha muito, e dou o comando para o Quizo trabalhar. Ele começa imediatamente, pois sabe que, quanto mais depressa terminar a missão, mais depressa vai ter os amigos de volta.

Nelson ergueu o rosto, fitando Tessa direto nos olhos.

— Skyler e Kelli também vão ajudar a animá-lo — o treinador de cachorros declarou. — Até mesmo os cachorros treinados para isso não gostam de encontrar corpos. Isso os deixa deprimidos, o que torna duplamente importante que Skyler e Kelli estejam aqui hoje.

Foi imaginação de D.D., ou finalmente Tessa havia acusado o golpe? Talvez ainda houvesse um coração debaixo daquela fachada, afinal de contas.

D.D. avançou, com Bobby ao seu lado. Ela falou primeiro com Nelson.

— Quanto tempo mais você vai precisar?

Ele olhou para os cachorros, depois para o resto da equipe de busca, descarregando os carros atrás deles.

— Mais quinze minutos.

— Precisa de mais alguma coisa de nós? — D.D. perguntou.

Nelson produziu um sorriso rápido.

— Um X marcando o ponto?

— Como você sabe quando os cachorros encontraram, que eles descobriram? — D.D. perguntou com curiosidade. — Quizo vai latir... mais alto?

— Um latido sustentado de três minutos — Nelson explicou. — Cada cachorro de busca é treinado de forma um pouco diferente, alguns sentam para indicar a descoberta, outros têm um tom específico de latido. Mas, como nossa equipe é especializada em resgate, escolhemos o latido sustentado de três minutos, já que o cão pode estar fora de vista, atrás de uma árvore ou rochedo, e podemos precisar dos três minutos para alcançá-lo. Funciona para nós.

— Bem, não posso oferecer um X — D.D. disse —, mas temos um modo de começar. — D.D. virou-se para Tessa. — Então vamos dar um passeio pela alameda da memória. Você dirigiu até aqui?

A expressão de Tessa ficou neutra. Ela assentiu.

— Parou aqui?

— Não sei. A estrada estava mais visível. Fui até o fim dela. — Tessa hesitou, tremendo outra vez. — Quem sabe aquele bosque de árvores ali — disse por fim, apontando vagamente com as duas mãos presas pelos pulsos. — Não tenho certeza. A neve fresca... é como se alguém tivesse apagado a lousa. Tudo é ao mesmo tempo igual, mas diferente.

— Quatro horas — D.D. disse destacando as palavras. — Depois, de um jeito ou de outro, você vai voltar para a prisão. Então sugiro que comece a estudar a paisagem, porque, se quer mesmo levar sua filha para casa, essa é sua única chance de fazer isso.

Algo finalmente ocorreu no rosto de Tessa, um espasmo de emoção que era difícil de interpretar, mas poderia incluir arrependimento. Isso incomodou D.D. Ela se virou, os dois braços cobrindo a parte central do corpo.

— Arrume um casaco para ela — D.D. disse para Bobby.

Ele já estava com uma jaqueta extra na mão. Abriu-a e D.D. quase deu risada. Era um casaco preto com letras brancas dizendo *Boston PD,* sem dúvida vindo do porta-malas de uma das viaturas policiais. Ele o colocou por cima dos ombros de Tessa, já que ela não podia colocar os braços nas mangas, e fechou o zíper na frente para o casaco ficar no lugar.

— O que é mais incongruente? — D.D. falou em voz alta. — Uma *trooper* do estado em um casaco de campo da polícia de Boston ou uma prisioneira em um casaco de campo da polícia de Boston? E de qualquer forma — a voz dela ficou mais baixa, parecendo negra, até mesmo maldosa —, o casaco não serve nela.

D.D. voltou para o seu carro. Ficou ali sozinha, encolhida por causa do frio e de sua sensação de ruína iminente. Nuvens cinza-escuras reuniam-se no horizonte.

*Está vindo neve,* ela pensou, e desejou novamente que nenhum deles estivesse ali.

---

Eles partiram 12 minutos mais tarde, com Tessa na frente, Bobby e D.D. dos lados dela, e o grupo canino e os policiais atrás. Os cachorros permaneciam presos nas guias. Ainda não tinham recebido o comando de trabalho, mas lutavam contra as guias, claramente ansiosos.

Eles avançaram apenas seis metros antes de ter de parar pela primeira vez. Por mais rancorosa que D.D. se sentisse, Tessa não conseguia andar em dez centímetros de neve fresca com os pés presos. Eles soltaram as correntes dos tornozelos dela. Então por fim fizeram algum progresso.

Tessa levou o grupo até o primeiro grupo de árvores. Andou ao redor dele, franzindo a testa como se analisando intensamente o local. Depois entrou no meio dos galhos secos, avançando três metros antes de balançar a cabeça e recuar. Eles exploraram mais três outros pontos com árvores de forma similar, antes de o quarto lugar parecer ser o correto.

Tessa entrou e continuou andando, os passos ficando mais rápidos, mais seguros. Ela foi até uma imensa rocha cinzenta que se projetava na paisagem e pareceu assentir consigo mesma. Viraram à esquerda na pedra, Quizo ganindo baixinho, como se já tivesse percebido o odor.

Ninguém disse nada. Só se ouvia o ruído dos passos amassando a neve, os cachorros ofegando, as exalações abafadas das pessoas, a maioria com cachecóis para aquecer o pescoço.

Eles saíram do bosque de árvores. D.D. parou, pensando que devia ser um erro, mas Tessa continuou em frente, cruzou uma área aberta de neve, passou por um riacho minúsculo que mal se via entre as margens cobertas de neve fofa, e desapareceu em outro conjunto de árvores.

— É uma distância bem grande para caminhar carregando um corpo — D.D. murmurou.

Bobby olhou para ela, parecendo pensar a mesma coisa.

Mas Tessa não disse nada. Ela estava andando mais depressa agora, com propósito. Havia uma expressão no rosto dela que era quase perturbadora de se ver. Uma grande determinação acompanhada por um desespero áspero.

Tessa estava consciente do grupo dos cachorros, da comitiva de policiais? Ou tinha recuado para algum lugar dentro de sua mente, para uma tarde fria de sábado? Vizinhos tinham visto a Denali partir por volta das quatro da tarde, o que queria dizer que não tinha muita luz do sol quando ela chegou ali.

O que Tessa Leoni estava pensando naqueles últimos 30 minutos de crepúsculo? Lutando com o peso do corpo da filha ao atravessar os conjuntos de árvores, cruzando os campos brancos, indo mais e mais para dentro da mata densa?

Quando se enterra seu filho, seria como colocar seu maior tesouro na santidade da natureza? Ou era como esconder seu maior pecado, procurando instintivamente os intestinos mais escuros da floresta para encobrir seu crime?

Eles chegaram a outro conjunto de pedras cobertas por limo, dessa vez com uma forma que lembrava vagamente algo feito pelo homem. Paredes de pedra, antigas fundações, os restos de chaminés. Em um estado que era habitado fazia tanto tempo quanto Massachusetts, até as florestas não estavam livres de restos da civilização.

As árvores deram lugar a uma pequena clareira e Tessa parou.

A garganta dela não funcionou. Ela precisou tentar duas vezes e por fim a palavra saiu como um sussurro:

— Aqui — disse.

— Onde? — D.D. perguntou.

— Tinha uma árvore caída. A neve havia se juntado na frente dela, formando um banco de neve. Parecia... um lugar fácil de cavar.

D.D. não disse nada de imediato. Ela olhou para a clareira, coberta por flocos brancos novos. Do lado esquerdo, parecia haver uma elevação suave, como a que poderia ser formada por uma árvore caída. Claro, havia uma outra elevação parecida a dois metros daquela, e uma terceira do outro lado da clareira, perto de um grupo de árvores mais separadas. Ainda assim, tratava-se de uma área de 300 metros quadrados, mais ou menos. Considerando que tinham três cachorros com experiência em busca e resgate, não teriam problemas para examinar tudo.

Bobby também estudava a paisagem, examinando-a com seu olhar treinado de atirador de elite. Ele olhou para D.D., apontou para as duas primeiras elevações, então para uma maior perto do limite mais distante do bosque. D.D. assentiu.

Estava na hora de soltar os cachorros.

— Você vai retornar para o carro agora — D.D. disse, sem olhar para Tessa.

— Mas...

— *Você vai voltar para o carro!*

Tessa ficou quieta. D.D. virou-se para o grupo reunido. Ela viu um policial atrás dos outros, o mesmo que cuidara do livro de homicídio na cena original do crime. Ela o chamou.

— Policial Fiske?

— Sim, senhora.

— Você vai escoltar a prisioneira Leoni de volta até sua viatura e esperar lá com ela.

O rosto do rapaz desmontou. De uma busca ativa para babá passiva.

— Sim, senhora — ele disse.

— É uma grande responsabilidade escoltar sozinho a prisioneira.

Ele se animou um pouco, assumindo posição ao lado de Tessa, com uma das mãos no coldre.

Tessa não disse nada, apenas ficou ali, o rosto novamente sem expressão. Um rosto de policial, D.D. pensou subitamente, e por algum motivo, isso a fez tremer.

— Obrigada — D.D. disse abruptamente.

— Pelo quê? — Tessa perguntou.

— Sua filha merece isso. Crianças não devem ficar perdidas na floresta. Agora podemos levá-la para casa.

A expressão de Tessa desabou. Os olhos se abriram muito, totalmente perdidos, e ela oscilou sobre os pés, poderia até mesmo ter caído, mas ela mudou de posição e se recuperou.

— Eu amo minha filha.

— Vamos tratá-la com respeito — D.D. respondeu, já fazendo gestos para o grupo dos cachorros, que começava a se organizar numa linha no limite mais próximo do bosque.

— Eu amo minha filha — Tessa repetiu, o tom mais urgente. — Você acha que entende isso agora, mas é só o começo para você. Daqui a nove meses, você vai ficar impressionada com como amava pouco antes, e depois um ano mais tarde, e depois de mais um ano. Imagine seis anos. Seis anos inteiros desse tipo de amor...

D.D. olhou para a mulher.

— Isso não a salvou no final, não é?

D.D. virou-se deliberadamente se afastando de Tessa Leoni e foi se juntar aos cães farejadores de cadáver.

# 30

Quem você ama?

Essa era a pergunta, claro. Fora a pergunta desde o princípio — mas, é claro, a detetive D.D. Warren não sabia. Ela achava que estava lidando com um caso típico de abuso e homicídio de criança. Não posso dizer que a condeno por isso. Deus sabe, eu fui chamada para casas mais do que suficientes onde crianças de cinco anos com o rosto pálido cuidavam das mães desmaiadas. Vi uma mãe dar um tapa no filho com menos emoção do que alguém esmagando uma mosca. Vi crianças tratando seus machucados porque sabiam que a mãe não se preocupava em cuidar delas.

Mas tentei avisar D.D. que eu havia reconstruído minha vida pela Sophie. Ela não era apenas minha filha, ela era o amor que finalmente me resgatou. Ela era as risadas e alegria e um entusiasmo puro e destilado. Ela era tudo que há de bom no meu mundo, e tudo pelo que valia a pena voltar para casa.

Quem você ama?

Sophie. Sempre foi Sophie.

D.D. achou que estava vendo o pior que uma mãe pode fazer. Ela ainda não tinha percebido que estava, na verdade, testemunhando a verdadeira extensão do que uma mãe pode fazer por causa do amor.

O que eu posso dizer? Erros nesse negócio custam caro.

Eu havia retornado para a viatura do policial Fiske. As mãos presas pelas algemas, mas as pernas ainda livres. Ele parecia ter esquecido desse detalhe, e não senti vontade alguma de lembrá-lo. Sentei-me no banco de trás, trabalhando em manter a linguagem corporal perfeitamente imóvel, sem sinal de ameaça.

As duas portas estavam abertas, a dele e a minha. Eu disse para ele que precisava de ar. Estava enjoada, com vontade de vomitar. O policial Fiske me olhou feio, mas concordou, até ajudou abrindo o zíper do pesado casaco do DPB que prendia meus braços ao torso.

Agora, ele estava sentado no banco da frente, obviamente frustrado e entediado. As pessoas se tornam policiais porque querem participar do jogo, não ficar sentados no banco. Mas ali estava ele, relegado a ouvir o jogo de longe. Os ecos dos ganidos dos cachorros de busca, o som abafado das vozes no bosque.

— Você tirou o palito mais curto — comentei.

O policial Fiske manteve os olhos apontados para frente.

— Já participou de uma busca de cadáver?

Ele se recusou a falar; não ia confraternizar com o inimigo.

— Eu fiz algumas — continuei. — É um trabalho meticuloso, manter a linha. Centímetro a centímetro, metro a metro, verificando cada área da grelha antes de passar para a próxima, e depois a próxima. Trabalho de resgate é melhor. Fui chamada para ajudar a localizar um menino de três anos perdido perto da Lagoa de Walden. Dois voluntários o acharam. É um momento incrível. Todos choraram, menos o garoto. Ele só queria mais um chocolate.

O policial Fiske continuou sem dizer nada.

Eu me mexi no assento duro de plástico, apurando os ouvidos. Já tinha ouvido? Não, ainda não.

— Você tem filhos? — perguntei.

— Cale a boca — o policial Fiske grunhiu.

— Estratégia errada — informei para ele. — Enquanto está aqui comigo, você devia conversar. Talvez você seja o sortudo que vai conseguir finalmente conquistar minha confiança. E de repente eu estou confidenciando para você o que realmente aconteceu com meu marido e filha, transformando você instantaneamente em um herói. É algo sobre o que pensar.

O policial Fiske finalmente olhou para mim.

— Espero que eles voltem a aprovar a pena de morte, só para você — ele disse.

Eu sorri para ele.

— Então você é um idiota, porque a morte, a essa altura, seria o jeito fácil de escapar.

Ele se virou de novo para frente, ficando outra vez em silêncio.

Eu comecei a cantarolar. Não consegui evitar. Tessa Ruim se levantando.

— *Tudo que quero de Natal são meus dois dentes da frente, meus dois dentes da frente, meus dois dentes da frente.*

— Cale a boca — bradou o policial Fiske novamente.

Daí nós dois ouvimos: o latido subitamente excitado de um cachorro que percebeu o odor. O grito do dono, a correspondente agitação do grupo de busca convergindo para o alvo. O policial Fiske se empertigou, inclinou-se sobre a direção.

Eu podia sentir a tensão dele, a vontade quase irreprimível de abandonar a viatura e ir lá participar.

— Você devia me agradecer — eu disse do banco de trás.

— Cale a boca.

O cachorro, latindo ainda mais alto, apontando o lugar. Eu podia imaginar o trajeto do Quizo, atravessando a pequena clareira, contornando a pequena elevação na neve. A árvore caída criara um oco natural, cheio de flocos mais leves e fofos, nem muito grandes nem muito pequenos. Eu estava cambaleando com o peso da minha carga à altura que encontrei esse lugar, literalmente oscilando por causa da exaustão.

Colocar o corpo no chão. Pegar a pá desmontável presa na minha cintura. As mãos dentro das luvas tremendo quando montei as peças do cabo.

As costas doendo quando me curvei, abrindo um buraco na camada fina de gelo até a neve macia embaixo. Cavando, cavando, cavando. A respiração em golfadas curtas e congeladas. As lágrimas quentes que congelavam quase que instantaneamente no meu rosto.

Depois de cavar o buraco, coloquei o corpo gentilmente nele. Movendo--me mais lentamente agora, recoloquei pá após pá de neve, depois comprimi tudo novamente no lugar.

Vinte e três pás de neve para enterrar um homem adulto. Não precisei de tantas assim para essa carga preciosa.

— Você devia me agradecer — eu disse mais uma vez, lentamente sentando mais ereta, esticando o corpo. Tessa Ruim se erguendo.

O cachorro tinha achado. Quizo fez seu trabalho e estava avisando o dono com o latido sustentado.

Deixe que ele vá brincar com os amigos, eu pensei, tensa agora, apesar de tudo. Dê a recompensa para o cachorro. Leve-o para Kelli e Skyler. Por favor.

O policial Fiske estava finalmente olhando para mim.

— Qual é o seu problema? — ele perguntou em tom duro.

— Qual é o *seu* problema? Afinal de contas, eu sou aquela que acaba de salvar sua vida.

— Salvou minha vida? Mas do que é que você...

Então, olhando para meu rosto impassível, ele finalmente conectou os pontos.

O policial Fiske saltou para fora do carro. Buscou desesperadamente o rádio no cinturão. O policial Fiske virou as costas para mim.

O que posso dizer? Erros nesse negócio custam caro.

Eu saltei do assento traseiro da viatura, ergui as duas mãos algemadas e o atingi no alto da cabeça. O policial Fiske cambaleou para frente. Passei os braços por cima da cabeça dele, em volta do pescoço e apertei com força.

O policial Fiske arquejou, fazendo um som estranho com a garganta que, pensando bem, foi bem parecido com os da carcereira Kim Watters. Ou talvez tenha sido o Brian, morrendo no chão impecável da cozinha.

*Eu não sou sã.* Este foi meu último pensamento. *Eu não posso ainda ser sã.*

Os joelhos do policial Fiske cederam. Nós dois caímos, enquanto, a 400 metros dali, a neve explodiu e gritos encheram o céu e o primeiro cão começou a uivar.

Quando as pernas do policial Fiske finalmente pararam de se agitar, eu ofeguei três vezes, inalando grandes quantidades de ar frio que me forçaram de volta para o presente. Tanto para fazer, tão pouco tempo para fazê-lo.

*Não pense, não pense, não pense.*

Soltei minhas mãos, procurando apressada as chaves no cinturão do policial Fiske, daí lembrei de pegar o celular dele. Tinha uma ligação muito importante a fazer nos próximos 30 segundos.

Consegui ouvir gritos a distância. Mais cachorros uivando. A quatro veículos de distância, Kelli e Skyler pegaram a mensagem de tensão e seus latidos agudos se juntaram aos dos outros.

*Não pense, não pense, não pense.*

Olhei para o céu, calculando quantas horas ainda haveria de luz.

*Parece que vai nevar,* pensei novamente.

Daí, segurando as chaves e o celular, eu corri.

# 31

Quando a primeira explosão sacudiu o céu, D.D. estava na metade da clareira, indo para o monte onde Quizo latia com excitação. Daí o mundo ficou branco.

A neve subiu e se espalhou com um som grave de concussão. D.D. ergueu os braços, mas ainda assim foi como ser atingida por milhares de agulhas voando. O latido grave de Quizo virou imediatamente um latido de perigo. Alguém gritou.

Depois, mais uma explosão que sacudiu tudo e vários outros gritos, enquanto D.D. foi jogada sentada no chão, a cabeça escondida sob os dois braços para se proteger.

— Quizo, Quizo! — alguém gritava. Provavelmente Nelson.

— D.D., D.D., D.D. — outro alguém gritava. Provavelmente Bobby.

Ela abriu os olhos a tempo de ver Bobby correndo pela clareira, as pernas afundando na neve, o rosto pálido por causa do pânico.

— Você está bem? Fale comigo, D.D. Fale comigo, droga!

— O quê, o quê, o quê? — ela repetiu, piscando depressa. Sacudiu o gelo e neve do cabelo. Piscou novamente. Os ouvidos zuniam, cheios da sensação de pressão. Ela moveu a mandíbula, estalando os ouvidos, para soltar a pressão.

Bobby havia chegado ao seu lado e segurava seus ombros.

— Você está bem, você está bem, você está bem? — Os lábios dele se moveram. Levou mais um segundo até as palavras penetrarem o zumbido na cabeça dela.

Ela assentiu devagar, empurrando-o para poder examinar braços, pernas e, mais importante, o torso. Parecia estar inteira. Estava ainda a uma boa distância e a neve a protegera ao cair. Não estava ferida, apenas zonza e confusa.

Ela deixou Bobby ajudá-la a se levantar e passou a conferir os danos.

O montinho de neve indicado por Quizo havia desintegrado. No lugar dele havia um oco marrom de terra, coberto por pedaços de árvore, folhas e — que os céus os ajudassem — tecido cor-de-rosa.

Quizo estava afastado de um lado, o focinho enfiado na neve, ganindo e ofegando. Nelson parou junto do cachorro, as mãos segurando gentilmente as orelhas dele enquanto sussurrava baixinho, acalmando-o.

Os outros cães de busca haviam parado onde estavam e uivavam para o céu.

*Policial ferido*, D.D. pensou. Era o que os cachorros estavam dizendo para o mundo. Ela queria se unir a eles, até que essa terrível sensação de raiva e desamparo sumisse do seu peito.

Cassondra Murray, a líder da equipe, já estava falando no celular, chamando um veterinário. Outros policiais do DPB se aproximavam da cena, as mãos nos coldres, procurando sinais de ameaça imediata.

— Parem! — Bobby gritou subitamente.

Os policiais pararam. Os donos dos cachorros congelaram no lugar.

Ele estava olhando ao redor na neve. D.D., ainda estalando os ouvidos para diminuir o zunido, fez o mesmo.

Ela viu pedaços de tecido cor-de-rosa, uma faixa de jeans azul, o que poderia ter sido um tênis infantil. Ela viu vermelho e marrom e verde. Ela viu... pedaços. Essa era a única palavra adequada. Onde antes havia um corpo enterrado, agora havia pedaços, espalhados em todas as direções.

A clareira inteira tornara-se uma área de recuperação de corpo. O que significava que cada uma das pessoas precisava ser evacuada dali para evitar contaminação cruzada. Eles precisavam conter, precisavam de controle. E precisavam contatar imediatamente o departamento do legista, sem falar em chamar carros e mais carros de técnicos de cena de crime. Tinham ali pedaços de restos humanos, tinham cabelos e fibras, tinham... tinham tanto trabalho a fazer.

Meu Deus. D.D. pensou vagamente, os ouvidos ainda zunindo, os braços ainda ardendo. Os cachorros uivando, uivando e uivando.

Ela não podia... não podia...

Olhando para baixo, percebeu que havia um pedaço de tecido cor-de-rosa preso em sua bota. Parte de um casaco, ou do cobertor favorito de uma menina.

Sophie Leoni com grandes olhos azuis e um rosto em forma de coração. Sophie Leoni com cabelo castanho e um sorriso faltando um dente que adorava subir em árvores e odiava dormir no escuro.

Sophie Leoni.

*Amo minha filha,* Tessa tinha dito para ela bem ali. *Eu amo minha filha.*

Que tipo de mãe poderia fazer algo assim?

Então, subitamente, o cérebro de D.D. voltou à vida e ela percebeu qual era a próxima peça do quebra-cabeça:

— O policial Fiske! — gritou com urgência, agarrando o braço de Bobby. — Precisamos avisar o policial Fiske. Chame-o no rádio, *agora*!

Bobby já estava com o rádio na mão, e apertou o botão para transmitir.

— Policial Fiske. Responda, policial Fiske. Policial Fiske.

Mas não houve resposta. Claro que não houve resposta. Por que outro motivo Tessa Leoni havia exigido levá-los pessoalmente até o corpo? Por que outro motivo haveria colocado explosivos no corpo da própria filha?

D.D. virou-se para os colegas investigadores.

— Policial ferido! — ela gritou, e o grupo todo saiu correndo do bosque.

Mais tarde tudo parecia óbvio, D.D. não podia acreditar que não tinha visto o que ia acontecer. Tessa Leoni havia congelado o corpo do marido por pelo menos 24 horas. Por que tanto tempo? Por que um plano tão elaborado para dispor do corpo da filha?

Porque Tessa Leoni não estava simplesmente se livrando de um corpo. Ela estava plantando seu cartão de saída livre da cadeia.

E D.D. tinha feito exatamente o que ela queria.

Ela havia ido buscar pessoalmente Tessa Leoni na Prisão do Condado de Suffolk. Havia levado pessoalmente uma suspeita de assassinato público até um local remoto na área central de Massachusetts. Depois havia escoltado pessoalmente uma equipe canina até um corpo cheio de explosivos, permitindo que Tessa Leoni desaparecesse sem deixar vestígios.

— Eu sou uma idiota! — D.D. exclamou duas horas mais tarde. Ainda estavam no meio do nada, com veículos da polícia de Boston e do xerife local ocupando uma área ao redor de pelo menos 300 metros.

A ambulância chegou primeiro, os socorristas tentaram cuidar do policial Fiske, mas, depois que ele os dispensou com ar embaraçado, envergonhado e sem nenhuma vontade de falar com os outros, eles foram cuidar de Quizo. O pobre cachorro estava com um tímpano rompido e o focinho chamuscado por estar muito perto da explosão. O tímpano ia sarar naturalmente, assim como ocorre com os humanos, os socorristas garantiram para Nelson.

Mas eles se ofereceram para levar o cachorro até o veterinário. Nelson aceitou de bate-pronto, obviamente ainda muito abalado. O resto da equipe de busca e resgate cuidou da perua dele, incluindo Kelli e Skyler. Eles falariam com D.D. pela manhã, a líder de equipe Cassondra assegurou a D.D. Mas, no momento, precisavam reagrupar e se recuperar. Estavam acostumados com buscas que terminavam com descobertas tangíveis, e não com explosivos feitos em casa.

Com a partida da equipe de busca e resgate, D.D. ligou para Ben, o legista do estado. Ela tinha pedaços de um corpo e definitivamente precisava de ajuda.

E assim foi. Os policiais foram embora. Os técnicos em evidências assumiram o posto.

E a busca pela ex-*trooper* do estado Tessa Leoni, agora oficialmente uma fugitiva da Justiça, ganhou velocidade.

De acordo com Fiske, ele havia esquecido de prender novamente as pernas dela (mais uma admissão vergonhosa que certamente conduziria a uma garrafa de uísque naquela noite). Tessa também tinha pegado suas chaves, o que significava que ela devia ter tirado as algemas.

Ela pegara também seu celular, mas não a arma, o que era uma boa notícia para a equipe de busca da fugitiva, e provavelmente também queria dizer que Fiske escapara da morte por um triz (mais uma garrafa de uísque, provavelmente na noite seguinte). Tessa fora vista pela última vez em um casaco do DPB com o zíper aberto e macacão laranja. A pé, sem equipamento, sem chapéu ou luvas, e no meio do nada, ninguém esperava que conseguisse ir muito longe.

A adrenalina a faria avançar por dois ou três quilômetros, mas a neve macia tornava grande demais o esforço de correr, e também deixava uma trilha que até um cego conseguiria seguir.

A equipe de busca se equipou e foi em frente. Havia mais uma hora de luz do dia. Eles esperavam que fosse o bastante, mas levavam lanternas assim mesmo. Vinte policiais contra uma fugitiva desesperada.

Eles dariam conta do trabalho, o líder da equipe garantiu para D.D. Nenhuma assassina de criança ia escapar no turno dele.

Foi a vez de D.D. ficar envergonhada, mas não haveria garrafa de uísque para ela naquela noite. Só mais uma cena de crime para processar e uma equipe de trabalho com quem falar e um chefe a informar, um chefe que provavelmente estaria muito bravo com ela, o que não era problema, porque no momento ela também estava muito brava consigo mesma.

Então ela fez o que sempre fazia: voltou para a cena do crime, com Bobby ao seu lado.

O legista estava com sua equipe no local, todos com roupas isolantes colocando os pedaços de corpo em sacos com marcas vermelhas indicando material biológico com perigo de contaminação. Os técnicos em evidências iam logo atrás, coletando outros detritos, que com sorte incluiriam pedaços do aparato incendiário. Atualmente não é muito difícil preparar explosivos em casa. Leva dez minutos na internet e uma ida rápida a uma loja bem suprida. Tessa era uma mulher brilhante. Bastava montar alguns sensores de pressão e colocá-los com o corpo. Daí era só cobrir e esperar.

Cachorros e polícia chegam. Tessa recua. As bombas explodem. O policial cuidando dela não acredita no que está vendo. E Tessa aproveita a oportunidade para dominar um colega policial e escapar.

Olá, grupo de busca ferido. Adeus, DPB.

Do ponto de vista de D.D., cada pedaço de evidência sendo recuperado agora era mais um prego no caixão de Tessa Leoni, e ela queria cada um deles. Ela queria *todos.*

Ben olhou para Bobby e D.D. se aproximando. Passou a sacola para um dos assistentes e foi até eles.

— E então? — D.D. perguntou imediatamente.

O legista, com 40 e tantos anos, de constituição forte, com o cabelo grisalho cortado muito curto, hesitou. Ele cruzou os braços.

— Recuperamos material orgânico e ossos consistentes com um corpo — ele afirmou.

— Sophia Leoni?

Em resposta, o legista ergueu a mão enluvada, mostrando um pedaço de osso branco, com cerca de cinco centímetros e com terra e pedaços de folha grudados nele.

— É um fragmento de costela — ele disse. — O comprimento total é consistente com uma menina de seis anos.

D.D. engoliu em seco, forçando-se a assentir com um movimento duro. O osso era menor do que ela imaginava. Incrivelmente delicado.

— Encontramos uma etiqueta de roupa, tamanho 6T — Ben continuou. — Restos de tecido quase todos cor-de-rosa. Também consistentes com uma criança, menina.

D.D. assentiu outra vez, ainda olhando para o osso da costela.

Ben afastou o osso para um lado da mão, revelando outro pedaço bem menor.

— É um dente. Também consistente com o de uma menina pequena. Só que... não tem raiz. — O legista parecia intrigado. — Geralmente, quando recuperamos um dente de restos humanos, ele ainda tem a raiz. A menos que o dente já estivesse mole. — O legista parecia estar falando mais consigo mesmo do que com D.D. e Bobby. — O que imagino que é adequado para alguém de seis anos. Um dente solto, junto com o impacto da explosão... sim, isso faz sentido.

— Então o dente muito provavelmente vem de Sophie Leoni? — D.D. pressionou.

— O dente muito provavelmente vem de uma criança de seis anos — Ben corrigiu. — É o melhor que posso fazer no momento. Preciso levar os restos para o meu laboratório. Um raio X do dente seria útil, mas ainda precisamos recuperar um crânio ou mandíbula. Ainda temos algum trabalho a fazer.

Em outras palavras, D.D. pensou, Tessa Leoni havia usado um explosivo forte o bastante para arrancar um dente do crânio da filha.

Um floco de neve caiu, seguido por outro, e mais outro.

Eles todos olharam para o céu, onde as nuvens cinzas ameaçadoras finalmente haviam chegado.

— Lona — Ben disse imediatamente, correndo para o assistente. — Protejam os restos, agora, agora, *agora*!

Ben saiu correndo, e D.D. saiu da clareira, abaixando-se sob um arbusto mais denso, onde imediatamente sentiu ânsia de vômito.

O que Tessa tinha dito? O amor que D.D. sentia pelo bebê que ainda não nascera não era nada em comparação com o amor que sentiria dali a um ano, ou um ano depois disso, ou um ano depois disso. Seis anos desse amor. Seis anos...

Como uma mulher podia... como uma mãe podia...

Como você em um momento colocava sua filha para dormir, depois em outro momento procurava o lugar perfeito para enterrá-la? Como podia abraçar a filha de seis anos e depois colocar explosivos no corpo dela?

*Eu amo minha filha*, Tessa tinha dito. *Eu amo minha filha.*

Que maldita filha da puta.

D.D. sentiu ânsia novamente. Bobby estava ao seu lado. Sentiu quando ele afastou o cabelo. Depois ele lhe deu uma garrafa de água. Ela a usou para lavar a boca, daí virou o rosto vermelho para o céu, tentando sentir a neve no rosto.

— Vamos — ele disse com calma. — Vamos até o carro. Está na hora de descansar um pouco, D.D. Vai ficar tudo bem. De verdade. Vai sim.

Ele segurou a mão dela e a conduziu pelo bosque. Ela o acompanhou desanimada, pensando que ele era um mentiroso. Que uma vez que se tinha visto o corpo de uma menininha explodir em pedaços diante de seus olhos, o mundo nunca mais ficaria bem.

Eles deviam ir para o Q.G., sair dali antes que fosse impossível transitar pelas estradinhas rurais. Precisava preparar a inevitável declaração para imprensa. *Boas notícias, provavelmente encontramos o corpo de Sophie Leoni. Má notícia, perdemos a mãe dela, uma distinta policial do estado que muito provavelmente matou a família toda.*

Chegaram ao carro. Bobby abriu a porta do passageiro. Ela entrou, sentindo-se confusa e agitada e quase desesperada para escapar da própria pele. Não queria mais ser detetive. A sargento detetive D.D. Warren não tinha conseguido pegar o assassino. A sargento detetive D.D. Warren não tinha conseguido resgatar a criança. A sargento detetive D.D. Warren estava para ser mãe, e, olhe para Tessa Leoni, a ótima *trooper,* que tinha matado, enterrado e explodido a própria filha, e o que isso dizia sobre mulheres policiais que se tornavam mães, e em que droga D.D. estava pensando?

Ela não devia estar grávida. Não era forte o bastante. Seu verniz de mulher dura estava rachando e por baixo dele havia apenas um grande poço de tristeza. Todos os cadáveres que estudara ao longo dos anos. Outras crianças que nunca voltaram para casa. O rosto arrependido de pais, tios, avós, até de vizinhos, que tinham causado o mal.

O mundo era um lugar terrível. Ela resolvia cada assassinato apenas para ir para o próximo. Prenda um sujeito que abusou de uma criança, veja um espancador de esposa ser solto no dia seguinte. E isso seguia assim o tempo todo. D.D., sentenciada a passar o resto da carreira correndo pelos bosques procurando os pequenos corpos sem vida que nunca receberam amor.

Ela só queria levar Sophie para casa. Resgatar essa criança. Fazer essa pequena diferença no universo, e agora... Agora...

— Shhh. — Bobby estava acariciando seu cabelo.

Ela estava chorando? Pode ser, mas não bastava. Ela comprimiu o rosto molhado pelas lágrimas contra o ombro dele. Sentiu o calor trêmulo dele. Seus lábios encontraram o pescoço dele, sentindo gosto de sal. Depois pareceu a coisa mais natural do mundo erguer o rosto e encontrar os lábios dele com os seus. Ele não recuou. Em vez disso, sentiu as mãos dele segurarem seus ombros. Então ela o beijou novamente, o homem que uma vez fora seu amante e que era uma das poucas pessoas que ela considerava um pilar de força.

O tempo suspenso, um bater do coração ou dois quando ela não precisou pensar, quando ela precisou apenas sentir.

Então as mãos de Bobby apertaram outra vez. Ele a ergueu lentamente e a baixou outra vez, até ela ficar sentada direito no assento, daí recuou para o outro assento, deixando pelo menos 60 centímetros entre eles.

— Não — ele disse.

D.D. não conseguiu falar. A enormidade do que tinha acabado de fazer começou a ficar clara. Ela olhou em volta no carro pequeno, desesperada para escapar.

— Foi um momento — Bobby continuou. A voz dele parecia rouca. Ele fez uma pausa, limpou a garganta e disse novamente: — Um momento. Mas eu tenho Annabelle e você tem Alex. Você e eu sabemos que é melhor não estragar o que está dando certo.

D.D. assentiu.

— D.D...

Imediatamente, ela balançou a cabeça. Não queria ouvir mais nada. Já tinha ferrado tudo. Um momento. Como ele disse. Um momento. A vida era cheia de momentos.

Só que ela sempre tivera uma fraqueza por Bobby Dodge. Ela o deixara ir, mas nunca o esquecera. E, se falasse agora, ia chorar e isso seria estúpido. Bobby merecia mais que isso. Alex merecia mais que isso. Eles todos mereciam.

Então ela se viu pensando em Tessa Leoni e não conseguiu evitar de sentir novamente a conexão. Duas mulheres, tão capazes na vida profissional, e tão incompetentes na vida pessoal.

O rádio no painel fez ruído ganhando vida. D.D. o pegou, esperando que fossem boas notícias.

Era a equipe de busca. O policial Landley fazendo seu relatório. Tinham seguido a trilha de Tessa por quatro quilômetros, ela havia descido a estrada rural coberta de neve até a intersecção com a estrada maior. Ali as marcas dos pés dela sumiram e começavam marcas de pneus.

Melhor palpite: Tessa Leoni não estava mais sozinha nem a pé.

Ela tinha um cúmplice e um carro.

Ela havia desaparecido.

# 32

Quando Juliana e eu estávamos com 12 anos, ficávamos repetindo uma frase: "Para que servem os amigos?". Nós a usávamos como um código — queria dizer que, se uma de nós precisasse de um favor, muito provavelmente algo embaraçador ou desesperado, então a outra tinha de dizer sim, porque era para isso que serviam os amigos.

Juliana esqueceu o trabalho de Matemática. Para que servem os amigos, ela anunciou diante dos nossos armários, e eu rapidamente compartilhei minhas respostas. Meu pai estava sendo um idiota sobre me deixar ficar depois da aula para o atletismo. Para que servem os amigos, eu diria, e Juliana faria a mãe dela avisar meu pai que ela me levaria para casa, porque meu pai nunca contestava a mãe da Juliana. Juliana ficou apaixonada pelo rapaz bonito da nossa aula de Biologia. Para que servem os amigos? Eu sentaria do lado dele no almoço e descobriria se minha amiga tinha alguma chance.

Ser presa por assassinar seu marido. Para que servem os amigos?

Procurei o número do telefone de Juliana na tarde de sábado, quando meu mundo estava implodindo e me ocorreu que precisava de ajuda. Dez anos mais tarde, havia apenas uma única pessoa em quem eu confiava. Então, depois que o homem de preto finalmente partiu, deixando o corpo do meu marido lá embaixo na garagem, enterrado na neve, eu procurei o nome de casada, endereço e telefone da minha ex-melhor amiga. Decorei a informação para não deixar nenhuma trilha de papel.

Logo depois construí dois pequenos sistemas explosivos, carreguei a Denali e saí para um passeio.

Meus últimos atos como uma mulher livre. Eu sabia disso naquela hora. Brian tinha feito algo ruim, mas Sophie e eu é que estávamos sendo punidas. Então paguei 50 mil dólares ao assassino do meu marido para conseguir 24 horas. E usei esse tempo para me colocar desesperadamente dois passos adiante.

Manhã de domingo. Shane chegou e o jogo começou. Uma hora mais tarde, depois de apanhar quase até o ponto de morrer, com uma concussão cerebral e o rosto fraturado, fui de estrategista brilhante para mulher espancada, zonza, perdida e escondida em algum lugar no fundo da minha cabeça confusa, ainda esperando que estivesse errada sobre tudo. Talvez Brian não tivesse morrido diante dos meus olhos. Talvez Sophie não tivesse sido levada da sua cama. Talvez da próxima vez que acordasse, meu mundo estivesse, como que por mágica, inteiro novamente e meu marido e filha estariam do meu lado, segurando minhas mãos.

Não tive essa sorte.

Em vez disso, fiquei confinada numa cama de hospital até a manhã de segunda, quando a polícia me prendeu, e o plano B entrou em ação.

Todas as chamadas feitas a partir da prisão começam com uma mensagem gravada para quem recebe a ligação dizendo que a origem da chamada é um instituto correcional. A pessoa concorda em pagar a ligação?

Pergunta de um milhão de dólares, pensei na noite de segunda, quando estava na área comum da unidade de detenção e disquei o número de Juliana com os dedos trêmulos. Fiquei tão surpresa quanto todo mundo quando ela disse sim. Aposto que ela surpreendeu a si mesma também. E aposto que ela desejou, 30 segundos depois, que tivesse dito não.

Como todas as chamadas são gravadas, mantive a conversa simples.

— Para que servem os amigos? — declarei, com o coração acelerado. Ouvi Juliana inalar com força.

— Tessa?

— Eu preciso de uma amiga — continuei, agora depressa, antes que Juliana fizesse qualquer coisa sensata, tal como desligar. — Amanhã à tarde. Eu ligo de novo. Para que servem os amigos.

Daí desliguei, porque o som da voz de Juliana fez lágrimas surgirem nos meus olhos, e não se pode chorar na prisão.

Agora, depois de dominar o policial Fiske, eu peguei o celular dele. E corri cem metros pela estrada rural coberta de neve até chegar a uma figueira imensa. Escondida sob a cobertura de galhos verdes disquei rapidamente o número de Juliana enquanto recuperava uma pequena sacola à prova de água que havia escondido ali.

— Alô?

Falei depressa. Indicações, coordenadas de GPS e uma lista de suprimentos. Tive 24 horas na prisão para planejar minha fuga, e usei bem esse tempo.

Do outro lado da linha, Juliana não discutiu. Para que servem os amigos?

Talvez ela chamasse a polícia assim que desligasse. Mas eu achava que não. Porque, da última vez que essa frase foi mencionada entre nós, foi Juliana quem pronunciou as palavras, enquanto me entregava a arma que acabara de terminar com a vida do irmão dela.

Baixei o celular do policial Fiske e abri a sacola à prova de água. Dentro estava a Glock .40 do Brian, que eu havia tirado do nosso cofre para armas.

Ele não precisava mais dela. Mas eu precisava.

---

Quando a SUV prateada diminuiu a velocidade na estrada maior, minha confiança havia acabado e eu estava muito nervosa. Com a arma no bolso do casaco preto, os braços envolvendo o corpo, fiquei perto do limite das árvores, com medo de estar sendo observada. A qualquer segundo um carro de polícia ia passar. Se eu não me escondesse a tempo, o policial alerta ia me ver, dar um cavalo de pau e pronto.

Tinha de prestar atenção. Tinha de correr. Tinha de me esconder.

Foi o segundo carro que apareceu na distância, os faróis brilhando na escuridão que avançava. O carro vinha devagar, incerto, como se o motorista estivesse procurando alguma coisa. Não havia luzes e sirenes na capota, o que significava que era um carro civil. Era agora ou nunca.

Respirei fundo e avancei para o asfalto. Os faróis me iluminaram e a SUV parou.

Juliana tinha chegado.

Subi rapidamente no assento de trás. No momento que fechei a porta, ela partiu rápido. Eu me escondi no chão e não saí dali.

Assento do carro. Vazio, mas meio coberto por um cobertor de bebê, tão recentemente ocupado. Não sei por que isso me surpreendeu. Eu tive uma filha. Por que Juliana também não teria?

Quando éramos meninas planejávamos casar com irmãos gêmeos. Íamos morar em casas vizinhas e criar nossos filhos juntas. Juliana queria três filhos, dois meninos e uma menina. Eu planejava ter um de cada. Ela ia ficar em casa com os filhos, como a mãe dela. Eu ia ter uma loja de brinquedos, onde, é claro, os filhos dela teriam um desconto para membros da família.

Diante do assento do carro havia uma sacola de pano. Eu me ajoelhei, ficando fora de vista, e abri o zíper da sacola. Dentro encontrei tudo que pedi: roupas, todas pretas. Roupas de baixo, duas blusas. Tesoura, maquiagem, boné preto e luvas.

Cento e cinquenta em dinheiro, notas pequenas. Provavelmente era tudo que ela podia juntar assim depressa.

Fiquei imaginando se esse valor atualmente seria muito dinheiro para Juliana. Eu só conhecia a menina que ela tinha sido, não a esposa e mãe que se tornara.

Comecei tirando os itens pretos e colocando-os no assento de trás. Tive de me contorcer um pouco, mas consegui tirar o macacão laranja e vestir o jeans preto e a blusa preta de gola olímpica. Puxei o cabelo para o alto da cabeça e o cobri com o boné preto.

Aí me virei para ver meu reflexo no retrovisor.

Juliana estava olhando para mim. Os lábios dela estavam contraídos em uma linha fina, os nós dos dedos brancos de tanta força com que segurava a direção.

*Recém-nascido,* pensei imediatamente. Ela tinha essa aparência nela — o ar cansado de mãe recente, que ainda não conseguia dormir à noite e ia se esfarrapando nas bordas. Sabendo que o primeiro ano seria difícil, surpresa por descobrir que era mais difícil do que imaginava. Ela desviou os olhos, procurando a estrada.

Eu me sentei no banco de trás.

— Obrigada — disse por fim.

Ela não respondeu.

Seguimos em silêncio por mais 40 minutos. A neve finalmente começou a cair, leve a princípio, mas se tornando mais pesada, a ponto de Juliana ter de diminuir a velocidade.

Eu pedi e ela ligou o rádio nas notícias. Não havia nada sobre nenhum policial envolvido em uma situação complicada, então aparentemente D.D. Warren e a equipe dela haviam sobrevivido à minha pequena surpresa, e decidiram não relatar o ocorrido.

Fazia sentido. Nenhum policial queria admitir que perdeu um prisioneiro, especialmente se achava que ia recapturá-lo depressa. E, pelo que a detetive Warren sabia, eu estava sozinha e a pé, o que significava que D.D. provavelmente acreditava que me pegaria em menos de uma hora.

Não estava triste por desapontá-la, mas aliviada por todos estarem bem. Eu tinha feito tudo que podia para que a explosão fosse dirigida para trás, para longe da equipe de resgate e na direção do abrigo relativo da árvore caída. Mas, como era minha primeira vez, não tinha como saber se daria certo.

Fiquei sentada atrás do policial Fiske tanto esperando como temendo o que aconteceria a seguir.

A SUV diminuiu novamente. Juliana ligou a seta, estava se preparando para sair da Route 9. Ela havia dirigido abaixo do limite de velocidade o tempo todo, olhos direto para frente, as duas mãos na direção. Uma motorista de fuga muito conscienciosa.

Agora nossa aventura estava quase terminada, e eu podia ver o lábio inferior dela tremendo. Ela estava com medo.

Fiquei imaginando se ela achava que eu tinha matado meu marido. Fiquei imaginando se ela achava que eu tinha assassinado minha própria filha. Eu devia anunciar minha inocência, mas não o fiz.

Achava que ela, entre todas as pessoas, devia saber disso.

Mais 12 minutos. Era tudo que precisava para voltar no tempo, de volta para nosso antigo bairro. Passando pela casa onde ela havia morado, passando pela casa decaída do meu pai.

Juliana não olhou para nenhuma das casas. Não suspirou, nostálgica, nem disse uma única palavra.

Mais duas curvas e estávamos lá, na oficina do meu pai.

Ela estacionou e desligou os faróis.

A neve agora estava pesada, cobrindo o mundo escuro de branco.

Juntei minhas coisas, coloquei tudo na sacola de pano, que ia levar comigo. Não deixaria nenhuma evidência para trás.

— Quando chegar em casa — eu disse agora, minha voz surpreendentemente alta no silêncio —, misture amoníaco com água quente e use para limpar o carro. Isso vai remover todas as impressões digitais.

Juliana olhou para mim pelo retrovisor, mas permaneceu em silêncio.

— A polícia vai encontrar você — continuei. — Eles vão identificar a chamada que fiz para você da prisão. É uma das únicas pistas que eles têm, então eles vão segui-la. Apenas diga a verdade. O que eu disse, o que você disse. A conversa foi gravada, então você não vai estar dizendo nada que eles já não saibam, e nós não dissemos mesmo nada incriminador.

Juliana ficou me olhando, sem dizer nada.

— Eles não devem conseguir localizar a ligação de hoje — eu disse para ela. — Nosso único ponto de contato foi o celular de outra pessoa, e eu vou usar uma tocha de acetileno nele. Depois que eu derreter os circuitos, não vai haver mais nada para identificar a chamada. Então você só saiu para passear esta tarde. Eu escolhi de propósito um lugar por onde não se passa por nenhum pedágio, então não tem jeito de eles descobrirem aonde você foi. Você pode ter ido a qualquer lugar e feito qualquer coisa. Faça-os trabalhar por isso.

Não precisava dizer que eu sabia que ela ia aguentar o interrogatório da polícia. Ela já havia feito isso antes.

— Estamos quites — ela falou subitamente, o tom neutro. — Não ligue de novo. Estamos quites.

Eu sorri, com tristeza, com tristeza de verdade. Durante dez anos nos mantivemos distantes. E teríamos continuado assim se não fosse pela manhã de sábado e meu marido idiota morrendo na porcaria do chão da cozinha.

O sangue é mais denso que a água. Na verdade, a amizade também era, e por isso eu tinha feito o que Juliana precisava. Apesar de aquilo ser ruim para mim.

— Eu faria de novo — murmurei, meus olhos fixos nos dela no retrovisor. — Você era minha melhor amiga, e eu a amava e faria de novo.

— Você pôs mesmo o nome Sophie nela?

— Sim.

Juliana Sophia McDougall, nascida Howe, cobriu a boca. Ela começou a chorar.

Eu passei a alça da sacola pelo ombro e saí para a noite coberta de neve. Depois de um momento, o motor foi ligado. Os faróis acenderam e Juliana se afastou.

Fui para a oficina do meu pai. Pude ver pela luz lá dentro que ele já estava esperando.

# 33

Bobby e D.D. voltaram em silêncio para o Q.G. Bobby dirigiu. D.D. ficou no assento do passageiro. Ela estava com as mãos fechadas em punhos no colo, tentando não pensar, mas a mente voando assim mesmo.

Não tinha comido o dia todo e na noite anterior mal havia conseguido dormir. Combine isso com o dia mais idiota de toda a sua carreira e ela tinha direito a ficar um pouco maluca e beijar um homem casado enquanto estava grávida de outro homem. Fazia todo o sentido.

Ela encostou a testa no frio da janela, olhando para a neve. Os flocos congelados caíam com mais intensidade agora. Obliterando a trilha de Tessa Leoni. Fazendo o tráfego ficar lento. Complicando uma operação de investigação que já era complicada.

Ela havia falado com o chefe antes de sair da cena do crime. Era melhor Horgan ouvir as notícias dela do que pelo último noticiário, em que aquilo ia aparecer de qualquer forma. D.D. tinha perdido uma suspeita de duplo homicídio. Levara a suspeita para o meio do nada onde sua equipe inteira fora vítima de uma armadilha de principiante.

O DPB estava parecendo um bando de idiotas. Para não falar que a violenta unidade de apreensão de fugitivo — uma operação estadual

— muito provavelmente ia tirar o caso inteiro das mãos deles, considerando o tamanho crescente da operação de busca. Daí o DPB ia parecer incompetente e não teria oportunidade de se redimir. Não podia ser pior que isso. A não ser que imaginasse as chamadas futuras no noticiário — *a suspeita de assassinato duplo Tessa Leoni, que fugiu enquanto estava sob a custódia da polícia de Boston...*

Era melhor estar mesmo grávida, D.D. pensou. Porque assim, em vez de ser despedida, ela podia sair com a licença-maternidade.

Ela estava com dores.

Estava mesmo. A cabeça doía. O peito também. Ela lamentava por Sophie Leoni, uma menina de rosto doce que merecia algo melhor que aquilo. Ela ficava esperando a mãe chegar do trabalho toda manhã? Abraços e beijos, ficar bem juntinho para ouvir histórias ou ficava toda orgulhosa mostrando sua última lição de casa? D.D. achava que sim. Era isso que crianças faziam. Elas amavam e amavam e amavam. Com todo o coração. Com todas as fibras do ser.

E daí os adultos na vida dela falhavam com elas.

E a polícia falhava com elas.

E assim por diante.

*Eu amo minha filha.*

— Vou parar ali na frente — Bobby disse, ligando a seta para a direita. — Preciso de comida. Quer alguma coisa?

D.D. fez que não com a cabeça.

— Que tal cereal seco? Você tem de comer alguma coisa, D.D. Ficar com pouco açúcar no sangue nunca foi seu forte.

— Por que você faz isso?

— Faço o quê?

— Cuida de mim.

Bobby tirou os olhos da rua o suficiente para olhar para ela.

— Aposto que o Alex faria isso também. Se você deixasse.

Ela fez uma careta. Bobby ignorou o olhar duro, voltando a prestar atenção no trânsito perigoso da rodovia. Levou algum tempo até que diminuísse a velocidade, encontrasse a saída e entrasse no estacionamento de um conjunto de lojas. D.D. reparou que eram uma lavanderia a seco, uma loja de animais de estimação e um supermercado de tamanho médio.

O supermercado parecia ser o alvo de Bobby. Eles pararam na frente. Havia vaga porque a maioria dos clientes ficara assustada com o tempo ruim. Quando D.D. desceu do carro, ficou surpresa por ver quanta neve já havia acumulado. Bobby deu a volta no carro, oferecendo o braço sem dizer nada.

Ela aceitou a ajuda, caminhando com cuidado pela calçada coberta de neve até a loja muito iluminada. Bobby foi até a padaria. Ela resistiu por cinco segundos até o cheiro de frango assado ficar forte demais. Ela o deixou sozinho, andou em meio às gôndolas, pegou uma maçã e uma caixa de Cheerios. Talvez um daqueles sucos de fruta orgânicos, pensou, ou um leite batido com proteínas. Poderia viver à base de Ensure[19], o que era o próximo estágio lógico do ciclo da vida.

D.D. se descobriu diante da pequena seção de farmácia, e em um instante percebeu o que estava fazendo ali.

Depressa, antes que pudesse mudar de ideia, antes que Bobby aparecesse: seção de planejamento familiar, camisinhas, camisinhas e, é claro, quando as camisinhas arrebentavam, kits de testes caseiros de gravidez. Ela pegou a primeira caixa que viu. Bastava urinar na vareta e esperar para ver o que ela dizia. Não podia ser mais fácil.

Não havia tempo de pagar. Bobby certamente a veria. Então ela foi para o banheiro, levando a maçã, caixa de cereais e o teste de gravidez bem apertados contra o peito.

Uma placa verde anunciava que não era permitido levar mercadorias para o banheiro.

Mas que merda, D.D. pensou, e entrou assim mesmo.

Ela entrou numa das cabines. Que era grande, tinha até uma mesinha dobrável, que ela usou para colocar a maçã, os Cheerios e o teste de gravidez.

Seus dedos tremiam. Violentamente. A ponto de ela não conseguir segurar a caixa e ler as instruções. Então ela colocou a caixa na mesa e leu

---

[19] Marca de mistura em pó para ser batida com leite que oferece uma alimentação completa e equilibrada (N. T.).

as instruções enquanto abria os botões da calça, finalmente abaixando os jeans até os joelhos.

Provavelmente isso era algo que as mulheres faziam em casa. Com o conforto da suas toalhas favoritas, paredes pintadas de pêssego, talvez um poutpourri floral. Ela se abaixou em um banheiro público de ladrilho cinza industrial e fez o que tinha de fazer, os dedos ainda tremendo quando tentou posicionar a vareta e fazer xixi na hora certa.

Precisou de três tentativas até conseguir. Ela colocou a vareta do teste na mesa, recusando-se a olhar para ela. Terminou de urinar. Puxou a calça para cima. Lavou as mãos na pia.

Então, voltou-se para a mesinha. Ouviu a porta externa ser aberta. Passos quando outra mulher entrou, indo para a cabine ao lado. D.D. fechou os olhos, segurou a respiração.

Sentiu-se desobediente, a menina má da escola sendo pega fumando no banheiro.

Não podia ser vista, não podia ser descoberta. Para conseguir olhar para o teste, precisava de completa privacidade.

Uma descarga. A porta da cabine abrindo. Água correndo na pia, daí o som do secador a ar.

A porta externa sendo aberta. E fechando.

D.D. estava sozinha novamente.

Devagar, ela abriu um olho. Depois o outro. E olhou para o teste.

Sinal de mais cor-de-rosa.

A sargento detetive D.D. Warren estava oficialmente grávida.

Ela sentou na privada, colocou a cabeça entre as mãos e chorou.

Mais tarde, ainda sentada na beirada da privada, ela comeu a maçã. O açúcar penetrou sua circulação e, subitamente, estava faminta. Comeu metade da caixa de Cheerios, daí saiu do banheiro em busca de uma barra de proteína, nozes, batata frita, iogurte e bananas.

Quando Bobby finalmente a achou, ela estava na fila do caixa com o que restou da maçã, a caixa de Cheerios aberta, a caixa do teste de gravidez aberta, e meia dúzia de outros itens. A moça do caixa, que tinha três piercings e uma tatuagem de constelação de estrelas no rosto, olhava para ela com evidente desaprovação.

— Onde você estava? — Bobby perguntou franzindo a testa. — Pensei que tinha perdido você.

Daí ele viu a caixa do teste de gravidez. Seus olhos se arregalaram. Ele não disse mais nada.

D.D. entregou o cartão de crédito, pegou o saco com as compras. Ela também não disse nem uma palavra.

Eles mal tinham chegado ao carro quando o celular tocou. Ela viu quem estava ligando. Era Phil, do quartel-general.

Trabalho. Exatamente do que ela precisava.

Ela apertou o botão *Talk*, escutou o que Phil tinha a dizer, e, fosse por causa da novidade ou por causa do frenesi de comida, ela por fim se sentiu melhor em relação ao dia.

Baixando o celular, ela se virou para Bobby, que estava parado do lado do carro na neve.

— Imagine só, Tessa Leoni fez um telefonema quando estava sob os delicados cuidados do Departamento do Xerife do Condado de Suffolk. Às nove da noite, ela ligou para sua melhor amiga de infância, Juliana Sophia Howe.

— A irmã do cara em quem ela atirou?

— Exatamente. Agora, se você foi presa por matar seu marido, quais são as chances de fazer uma ligação para um membro da família da última pessoa que matou?

Bobby franziu a testa.

— Não estou gostando disso.

— Nem eu. — O rosto de D.D. se iluminou. — Vamos buscá-la!

— Feito. — Bobby abriu a porta, então parou. — D.D... — Os olhos dele foram até a sacola de compras. — Está feliz?

— Sim — ela disse, assentindo lentamente. — Acho que estou.

Quando Bobby e D.D. completaram o perigoso trajeto até a casa de Juliana, encontraram a pequena casa iluminada como o dia contra os gordos flocos de neve que caíam. Uma SUV prateada e um sedã mais escuro estavam estacionados na entrada.

Quando Bobby e D.D. se aproximaram, a porta da frente abriu e um homem surgiu. Ele estava de terno, ainda vestido para o dia de trabalho, mas agora segurava um bebê e um pacote de fraldas. Ele ficou olhando para Bobby e D.D. enquanto os dois se aproximaram da porta.

— Eu já disse para ela chamar um advogado — ele falou.

O marido preocupado, D.D. deduziu.

— Ela precisa de um?

— Ela é uma boa pessoa e ótima mãe. Se querem alguém para processar, voltem e atirem no irmão dela de novo. Ele merecia isso. Ela não.

Tendo dito isso, o marido de Juliana passou por eles e caminhou pela neve até o sedã azul-escuro. Mais um minuto para prender o bebê na cadeirinha no banco de trás e logo a família de Juliana estava fora do caminho.

— Definitivamente estavam esperando nossa visita — Bobby murmurou.

— Vamos buscá-la! — D.D. disse novamente.

O preocupado marido não tinha fechado completamente a porta ao sair, então Bobby a empurrou. Juliana estava sentada no sofá diante da porta. Ela não levantou, mas olhou diretamente para eles.

D.D. entrou primeiro. Ela mostrou as credenciais, daí apresentou Bobby. Juliana não levantou. Bobby e D.D. não sentaram. A sala já estava vibrando com a tensão, e foi fácil para D.D. chegar à próxima conclusão lógica:

— Você ajudou ela a escapar, não foi? Você pegou Tessa Leoni essa manhã e a levou para longe do local onde enterrou a filha. Você ajudou uma fugitiva. Por quê? Quero uma resposta de verdade. — D.D. fez um gesto ao redor mostrando a bela casa com pintura recente e alegre coleção de brinquedos de bebê. — Por que diabos você foi arriscar isso tudo?

— Ela não fez aquilo — Juliana disse.

D.D. ergueu uma sobrancelha.

— Exatamente quando foi que você tomou a pílula de estupidez e quanto tempo dura o efeito?

Juliana ergueu o queixo.

— Não sou eu a idiota aqui. É você!

— Por quê?

— É o que vocês fazem — Juliana explodiu em um jorro amargo. — Polícia. Guardas. Procurando, mas sem nunca ver. Perguntando, mas nunca ouvindo. Dez anos atrás eles foderam tudo. Por que seria diferente agora?

D.D. olhou para a jovem mãe, chocada pela violência com que ela falou. Naquele momento D.D. entendeu. O que o marido tinha dito lá fora. O fato inexplicável de por que Juliana tinha concordado em ajudar a mulher que destruíra sua família fazia dez anos. A raiva que sentia da polícia.

D.D. deu o primeiro passo adiante, depois mais um. Ela se abaixou, seus olhos ficando no mesmo nível dos de Juliana, vendo as marcas das lágrimas no rosto dela.

— Diga, Juliana. Quem atirou no seu irmão naquela noite? Está na hora de resolver isso. Então você fala e, eu juro, nós vamos ouvir.

— Tessa não tinha uma arma — Juliana Howe sussurrou. — Ela a trouxe para mim. Porque eu pedi. Ela não tinha uma arma. Ela nunca teve uma arma.

— Quem atirou em Tommy, Juliana?

— Fui eu. Eu atirei no meu irmão. E eu lamento, mas faria tudo de novo!

Agora que a barragem fora finalmente rompida, Juliana confessou o resto da história numa torrente cheia de soluços. A noite em que o irmão chegou em casa e a atacou sexualmente. Como ele chorou na manhã seguinte e implorou para ela o perdoar. Ele estava bêbado, não sabia o que estava fazendo. Claro que nunca faria isso de novo... por favor não conte para mamãe e papai.

Ela concordou em manter segredo, só que depois disso ele a violentou de novo e de novo. Até que foram seis vezes, e ele não estava mais bêbado e não pedia mais desculpas. Ele disse que era culpa dela. Se ela não usasse aquele tipo de roupas, se não o provocasse...

Então ela começou a usar roupas largas e parou de arrumar o cabelo e se maquiar. E talvez isso tenha ajudado, ou talvez tenha sido porque ele foi para a faculdade, onde encontrou muitas outras garotas para estuprar. Ele a deixou praticamente em paz. Exceto nos fins de semana.

Ela perdeu a capacidade de se concentrar na escola, estava sempre com olheiras, porque era sexta-feira e Tommy podia vir para casa, então ela tinha de ficar atenta. Ela colocou uma tranca na porta do quarto. Duas semanas depois, ela chegou em casa e encontrou a porta do quarto em pedaços.

— Lamento muito — Tommy dissera no jantar. — Eu não devia estar correndo no corredor daquele jeito. — E os pais sorriram para ele porque ele era o filho mais velho e eles o adoravam.

Numa manhã de segunda-feira Juliana não aguentou mais. Ela foi para a escola e começou a chorar, e não conseguia mais parar. Tessa a puxou para um canto do banheiro feminino, e ficou lá até Juliana parar de chorar e começar a falar.

Juntas, as duas meninas fizeram um plano. O pai de Tessa tinha uma arma. Ela a pegaria.

— Não é como se ele estivesse prestando atenção — Tessa disse dando de ombros. — Não vai ser difícil.

Assim Tessa pegou a arma e a levou na noite de sexta-feira. Ela ia dormir lá. Tessa ficaria de guarda. Quando Tommy aparecesse, Juliana mostraria a arma. Ela apontaria a arma para ele e diria que, se a tocasse novamente, ela ia arrancar as bolas dele a tiros.

As meninas praticaram a frase várias vezes. Gostaram dela.

E aquilo fazia sentido, ali no canto do banheiro feminino. Tommy, como qualquer *bully*, precisava ser confrontado. Isso faria com que recuasse, e Juliana ficaria em segurança.

Fazia todo sentido.

Na quinta-feira, Tessa pegou a arma. Na noite de sexta, ela foi até lá e a entregou para Juliana.

Então sentaram juntas no sofá e, um tanto nervosas, começaram a assistir à maratona de filmes.

Tessa dormiu no chão. Juliana dormiu no sofá. Mas as duas acordaram quando Tommy chegou em casa.

Dessa vez ele não olhou para a irmã. Em vez disso, ele ficou com os olhos grudados no peito de Tessa.

— Parecem maçãs maduras — ele disse, indo na direção dela quando Juliana pegou a arma em triunfo.

Ela apontou para o irmão. Gritou para ele ir embora. Para deixar ela e Tessa em paz, *senão...*

Só que Tommy olhou para ela e começou a rir.

— Senão o *quê?* Você sequer sabe como atirar com esse negócio? Eu daria uma olhada na trava se fosse você.

Tessa estava gritando. Juliana estava gritando. Tommy rosnava e estava puxando o cabelo de Juliana e passando a mão nela.

A arma, presa entre os dois. A arma, disparando.

Tommy recuando, agarrando a perna.

— Sua vaca — o irmão tinha dito. Essas foram as últimas palavras que ele falou para ela. — Sua vaca — ele dissera de novo, daí caiu e, lenta, mas definitivamente, morreu.

Juliana entrou em pânico. Ela não pretendia... Os pais, meu Deus, os pais...

Ela entregou a arma para Tessa. Tessa tinha de levá-la. Tessa tinha de... correr... sair dali. *Vá, vá, vá.*

Então Tessa fez isso. E essas foram as últimas palavras que Juliana disse para a melhor amiga. *Vá, vá, vá.*

Ao mesmo tempo que Tessa chegava em casa, a polícia chegava à casa de Juliana. Juliana poderia admitir o que tinha feito. Ela poderia confessar como o irmão era na verdade. Mas a mãe gritava histericamente e o pai estava em estado de choque e ela não conseguiu. Ela apenas não conseguiu.

Juliana sussurrou o nome de Tessa para a polícia e, assim de repente, a ficção tornou-se fato. Tessa havia atirado no irmão dela.

E Tessa nunca negou isso.

— Eu teria confessado — Juliana disse agora. — Se tivesse um julgamento, se parecesse que Tessa ia mesmo ter problemas... eu teria confessado. Só que outras mulheres apareceram e ficou claro que Tessa nunca seria acusada. O próprio promotor do Distrito disse que tinha sido um uso justificável de força. Eu vi que ela ficaria bem. E meu pai... a essa altura, ele estava arrasado.

Se ele não conseguia nem aceitar que Tommy havia atacado outras mulheres, como poderia acreditar no que Tommy tinha feito *comigo*? Pareceu melhor ficar calada. Só que... quanto mais você demora para falar, mais difícil fica. Eu queria ver Tessa, mas não sabia o que dizer. Eu queria que meus pais soubessem o que tinha acontecido, mas não sabia como contar para eles. Eu parei de falar. Literalmente. Por um ano inteiro. E meus pais nem notaram. Eles estavam ocupados demais com os problemas de nervos deles para notarem o meu. Então Tessa desapareceu, ouvi dizer que o pai a pôs para fora de casa. Ela nunca me contou. Nunca passou para se despedir. Talvez ela também não conseguisse falar. Eu não sei. Até você aparecer ontem de manhã, eu não sabia que ela tinha uma filhinha chamada Sophie. Esse é meu nome do meio, você sabe. Ela colocou meu nome na filha. Depois de tudo que fiz com ela, ela ainda assim colocou meu nome na filha...

— A filha que agora está morta — D.D. disse em tom duro.

— Você está errada! — Juliana balançou a cabeça.

— É você quem está errada, Juliana. Nós vimos o corpo. Ou pelo menos os pedaços que restaram depois que ela o explodiu.

Juliana ficou pálida, daí balançou a cabeça outra vez.

— Você está errada — a jovem mulher insistiu.

— Mais uma vez, isso vindo da mulher cuja família poderia dar aulas sobre negação...

— Você não conhece a Tessa.

— Nem você, nos últimos dez anos.

— Ela é esperta. Autossuficiente. Mas ela jamais machucaria uma criança, não depois do que aconteceu com o irmão dela.

Bobby e D.D. trocaram olhares.

— Irmão? — D.D. disse.

— Natimorto. Foi o que arrasou a família dela, anos antes de eu a conhecer. A mãe caiu em uma depressão profunda, provavelmente deveria ter sido internada, mas as pessoas não sabiam de nada naquela época. A mãe vivia no quarto. Nunca saía, certamente nunca cuidou de Tessa. O pai fez o que podia, mas ele não era exatamente um homem sensível. Mas Tessa os amava. Ela tentou cuidar deles, do jeito dela. E ela amava o irmãozinho também. Um dia, nós fizemos um funeral para ele, só ela e eu. E ela chorou, ela chorou de verdade, porque isso era algo que não se permitia fazer na casa dela.

D.D. olhou para Juliana.

— Sabe, você podia ter nos contado isso antes.

— Bem, vocês podiam ter descoberto isso antes, Policiais. As vítimas têm de fazer todo o trabalho por vocês?

D.D. ficou ofendida. Bobby colocou depressa a mão no braço dela para acalmá-la.

— Para onde você a levou? — ele perguntou com calma.

— Não sei do que você está falando — Juliana declarou depressa.

— Você pegou Tessa. Você já admitiu isso.

— Não, não admiti. Seu colega disse que eu a peguei. Eu nunca disse isso.

D.D. cerrou os dentes.

— Então é assim que você quer jogar? — Ela apontou o chão cheio de brinquedos. — Podemos levar você para a delegacia. Apreender seu carro. Vamos desmontá-lo enquanto você apodrece atrás das grades. Que idade mesmo tem seu filho? Porque não sei se permitem a entrada de bebês nas prisões.

— Tessa me ligou na noite de segunda, logo depois das nove — Juliana declarou em tom de desafio. — Ela disse: para que servem os amigos? Eu disse: Tessa? Porque fiquei surpresa por ouvir a voz dela depois de todos esses anos. Ela disse que queria me ligar de novo. Depois desligou. Foi isso que falamos, e essa foi toda a interação que tive nos últimos dez anos com Tessa Leoni. Se vocês quiserem saber por que ela ligou, o que ela queria dizer, ou se pretendia entrar em contato comigo de novo, vão ter de perguntar para ela.

D.D. ficou pasma, honestamente pasma. Quem diria que a amiga de infância de Tessa tinha essa força dentro dela?

— Um fio de cabelo no seu carro, e você está ferrada — D.D. disse.

Juliana fingiu bater nas faces com as mãos.

— Oh, meu Deus, desculpe. Eu disse que passei o aspirador no carro? Oh, e não faz muito tempo, li sobre o melhor truque para limpar o carro. É usando amônia...

D.D. olhou para a dona de casa.

— Vou prender você só por isso — ela disse por fim.

— Então prenda.

— Tessa atirou no marido. Ela arrastou o corpo dele até a garagem, e o enterrou na neve — D.D. contou, brava. — Tessa matou a filha, levou o corpo para o mato e colocou nele explosivos suficientes para acabar com a equipe de busca. É essa a mulher que você está tentando proteger.

— Essa é a mulher que vocês *acharam* que matou meu irmão — Juliana corrigiu. — Vocês estavam errados quanto a isso. Não é assim tão difícil acreditar que estejam errados quanto ao resto também.

— Nós não estamos errados... — D.D. começou, mas daí parou. Ela franziu as sobrancelhas. Algo lhe ocorreu, aquela dúvida incômoda que sentiu no mato. Ah, que droga. — Tenho de fazer uma ligação — ela declarou de forma abrupta. — Você. Fique sentada. Dê um passo daí e eu jogo você na cadeia.

Em seguida ela acenou com um gesto de cabeça para Bobby e o levou para fora da casa, enquanto pegava o celular.

— O que... — ele começou, mas ela ergueu a mão, fazendo com que se calasse.

— É do escritório do legista? — ela falou no aparelho. — Chame o Ben. Eu sei que ele está trabalhando. Sobre que droga você acha que eu estou falando? Diga que é a sargento Warren, porque aposto cem paus que ele está olhando num microscópio agora mesmo pensando *Mas que merda.*

# 34

A oficina do meu pai nunca foi muito impressionante, e dez anos não a melhoraram em nada. Uma construção baixa, de blocos de cimento, a pintura exterior da cor da nicotina descascando em pedaços grandes. O aquecimento nunca foi confiável; no inverno, meu pai trabalhava debaixo dos carros com roupa completa para neve. O encanamento não era melhor. Faz muito tempo havia um banheiro que funcionava. Normalmente meu pai e os amigos faziam xixi na cerca — homens marcando o território.

Duas vantagens da oficina do meu pai: primeiro, tinha muitos carros usados esperando ser consertados e revendidos; segundo, ele tinha uma tocha de acetileno, perfeita para cortar metal e, por coincidência, derreter telefones celulares.

A pesada porta da frente estava trancada. Assim como a porta da garagem. A porta dos fundos, no entanto, estava aberta. Segui o brilho da lâmpada descoberta até a parte de trás da garagem, onde achei meu pai sentado em um banquinho, fumando um cigarro e olhando enquanto eu me aproximava.

Uma garrafa pela metade de uísque na bancada ao lado dele. Eu havia levado anos para perceber o quanto meu pai bebia. Que não íamos para a cama às nove da noite apenas porque ele acordava cedo, mas porque ele estava sempre bêbado demais para fazer qualquer outra coisa.

Quando dei à luz Sophie, torci para que isso me ajudasse a compreender meus pais e a tristeza sem fim deles. Mas não ajudou. Mesmo lamentando a morte do filho, como eles não conseguiram amar a filha que restou? Como eles simplesmente pararam de ver que eu estava lá?

Meu pai tragou uma última vez e jogou fora o cigarro. Ele não usava cinzeiros; a sujeira no chão da oficina cuidava de apagar as pontas de cigarro.

— Sabia que você viria — ele disse, falando com a voz rouca de alguém que fumou a vida toda. — O noticiário acaba de anunciar a sua fuga. Calculei que você vinha para cá.

Então a sargento Warren havia admitido o erro. Que bom para ela.

Eu ignorei meu pai, fui até a tocha de acetileno.

Meu pai ainda estava usando o macacão manchado de óleo. Até daquela distância pude ver que os ombros dele permaneciam largos, o peito musculoso. Passar o dia inteiro com os braços erguidos acima da cabeça fazia isso com um homem.

Se ele quisesse me deter, teria a força bruta do seu lado.

Perceber isso fez minhas mãos tremerem quando cheguei aos dois cilindros da tocha de acetileno. Peguei os óculos de segurança no gancho e comecei a preparar tudo. Estava usando as luvas escuras que Juliana havia levado. Tive de tirá-las para desmontar o celular — deslizar a parte de trás, retirar a bateria.

Em seguida vesti as luvas novamente, e por cima delas coloquei as pesadas luvas de trabalho. Deixei a sacola perto da parede e coloquei o celular no meio do chão de cimento, a melhor superfície quando se trabalhava com um soldador que podia cortar aço como uma faca quente cortava manteiga.

Quando eu tinha 14 anos, passei um verão inteiro trabalhando na oficina do meu pai. Ajudei a trocar óleo, trocar velas, fazer rotação de pneus. Foi uma das minhas ideias erradas. Já que meu pai não prestava atenção no meu mundo, talvez eu devesse me interessar pelo mundo dele.

Trabalhamos juntos o verão inteiro, ele latindo ordens com sua voz profunda e ribombante. Daí, nos intervalos, ele se escondia no escritório empoeirado, deixando-me sozinha para comer na garagem. Não havia nenhum momento casual de silêncio confortável entre pai e filha, nenhuma palavra de elogio. Ele me dizia o que fazer. Eu fazia o que ele dizia. E era só.

No final do verão, percebi que meu pai não gostava de falar e provavelmente nunca me amaria.

Ainda bem que eu tinha Juliana.

Meu pai permaneceu no banquinho. Tendo terminado o cigarro, ele pegou o Jack Daniel's, bebendo de um copo de plástico com aparência muito antiga.

Baixei os óculos de segurança, acendi a tocha e derreti o celular do policial Fiske até se tornar um pedaço inútil de plástico preto.

Odiei ter de fazer isso — nunca se sabe quando será preciso fazer uma ligação. Mas não podia confiar nele. Alguns telefones têm GPS, o que quer dizer que poderiam usá-lo para me rastrear. Ou se eu fizesse uma ligação, eles poderiam triangular o sinal. Por outro lado, eu não podia arriscar apenas jogá-lo fora — se a polícia o recuperasse, iriam descobrir minha ligação para Juliana.

Portanto, ali estava o soldador de acetileno que, devo dizer, deu conta do recado.

Eu o desliguei. Fechei os tanques, enrolei a mangueira, pendurei as luvas de trabalho e os óculos de segurança.

Joguei o celular derretido, agora já frio, na minha sacola para reduzir a trilha de evidências que ia deixando. A polícia logo estaria ali. Quando se perseguem fugitivos, a polícia sempre vai aos locais que ele frequentou no passado, o que incluía falar com meu pai.

Com minha primeira ordem de trabalho completada, finalmente encarei meu pai.

Os anos estavam deixando suas marcas nele. Podia ver isso agora. As faces estavam ficando encovadas, rugas profundas marcavam a testa. Ele parecia derrotado. Um homem que tinha sido forte quando jovem, desinflado pela vida e por todos os sonhos que nunca se realizaram.

Eu queria odiá-lo, mas não conseguia. Esse era o padrão da minha vida: amar homens que não me mereciam e, sabendo disso, ansiar pelo amor deles de qualquer forma.

Meu pai falou.

— Eles disseram que você matou seu marido. — Ele começou a tossir, e a tosse não parava mais.

— Foi o que ouvi dizer.

— E minha neta — ele declarou em tom de acusação.

Isso me fez sorrir.

— Você tem uma neta? Que gozado, porque não me lembro de a minha filha ter recebido uma visita do avô. Nem um presente de aniversário nem um cartão de Natal. Então não venha me falar sobre netos, velho. Você colhe o que planta.

— Mal-educada — ele disse.

— Você quem me educou.

Ele bateu o copo na bancada. O líquido âmbar sacudiu. Senti o cheiro do uísque e comecei a salivar. Esqueça essa discussão circular que nunca vai levar a nada. Eu podia pegar uma cadeira e tomar um drinque com meu pai. Talvez fosse isso que ele tinha esperado o verão inteiro quando eu tinha 14 anos. Ele não precisava de uma criança trabalhando para ele, precisava de uma filha que bebesse com ele.

Dois alcoólatras, lado a lado na garagem mal iluminada.

Daí nós dois teríamos falhado com nossos filhos.

— Vou levar um carro — eu disse agora.

— Eu vou entregar você.

— Faça o que tiver de fazer.

Virei para o painel do lado esquerdo da bancada, cheio de pequenos ganchos com chaves. Meu pai levantou do banquinho, parando com seu peso todo diante de mim.

Sujeito durão, cheio da coragem falsa que conseguia com seu amigo líquido Jack. Meu pai nunca tinha batido em mim. Enquanto esperava que ele o fizesse agora, não tive medo, só estava cansada. Eu conhecia aquele homem, não apenas como meu pai, mas como meia dúzia de idiotas que eu confrontava e levava presos cinco noites por semana.

— Pai — me ouvi dizendo suavemente. — Eu não sou mais uma menina. Sou uma policial treinada, e, se quiser me deter, você vai ter de fazer mais que isso.

— Eu não criei uma assassina de bebês — ele grunhiu.

— Não, você não criou.

A testa dele franziu. No estado de torpor em que se encontrava, estava tendo problemas para processar aquilo.

— Você quer que eu diga que sou inocente? — continuei. — Tentei isso uma vez. Não deu certo.

— Você matou o garoto Howe.

— Não.

— A polícia disse que sim.

— A polícia comete erros, por mais que me doa dizer isso.

— Então por que você virou policial, se eles não são bons?

— Porque — dei de ombros — eu queria servir. E sou boa no meu trabalho.

— Até você matar seu marido e filha.

— Não.

— A polícia diz que sim.

— E vamos continuar dando voltas.

A testa dele franziu outra vez.

— Eu vou levar um carro — repeti. — Vou usá-lo para perseguir o homem que está com minha filha. Você pode discutir comigo, ou pode me dizer qual desses carros está mais bem preparado para rodar alguns quilômetros. Ah, e gasolina ia ajudar. Parar em um posto não vai ser uma boa ideia para mim agora.

— Eu tenho uma neta — ele disse com a voz rouca.

— Sim. Ela tem seis anos, chama Sophie e está esperando que eu a resgate. Então me ajude, pai. Me ajude a salvá-la.

— Ela é tão dura quanto a mãe?

— Deus. Espero que sim.

— Quem a levou?

— Primeiro tenho de descobrir isso.

— Como você vai fazer isso?

Eu sorri, dessa vez de forma triste.

— Vamos apenas dizer que o estado de Massachusetts investiu muitos recursos no meu treinamento e que o dinheiro dele vai ser plenamente usado. Carro, pai. Não tenho muito tempo, nem a Sophie.

Ele não se moveu, apenas cruzou os braços e ficou olhando para mim.

— Você está mentindo para mim?

Eu não queria mais discutir. Em vez disso dei um passo para frente, passei o braço pela cintura dele e encostei a cabeça no peito dele. Ele cheirava a cigarro, óleo de motor e uísque. Ele tinha o cheiro da minha infância, e da casa e da mãe de quem eu sentia falta.

— Te amo, pai. Sempre amei. Sempre vou amar.

Senti o corpo dele se mover. Um pequeno tremor. Escolhi acreditar que era o modo dele de dizer que me amava também. Basicamente porque a alternativa doía demais.

Afastei-me dele. Ele descruzou os braços, foi até o painel e me entregou uma única chave.

— A perua Ford azul, no fundo. Ela está bem rodada, mas a mecânica está boa. Tem tração nas quatro rodas. Você vai precisar disso.

Para dirigir na estrada com neve. Perfeito.

— As latas de gasolina estão do lado de fora, junto do muro. Sirva-se.

— Obrigada.

— Traga ela — ele disse subitamente. — Quando você a encontrar, quando você... a recuperar. Eu quero... eu quero conhecer minha neta.

— Pode ser — eu disse.

Ele ficou surpreso com minha hesitação, olhou feio para mim.

Peguei a chave, devolvendo o olhar com calma.

— De uma alcoólatra para outro, você tem de parar de beber, pai. Daí conversamos.

— Durona — ele murmurou.

Eu sorri uma última vez, então o beijei no rosto áspero.

— Herdei isso de você — sussurrei.

Coloquei a chave no bolso, peguei minha sacola e fui embora.

# 35

— Por que a cena no mato foi tão horrível? — D.D. estava dizendo quinze minutos mais tarde. Ela respondeu sua própria pergunta: — Porque qual tipo de mãe mataria a própria filha, e depois explodiria o corpo? Que tipo de mãe faria algo assim?

Bobby, parado ao lado dela diante da porta de Juliana Howe, assentiu.

— Para nos distrair. Ela precisava de tempo para fugir.

D.D. deu de ombros.

— Só que não de verdade. Ela já estava sozinha com o policial Fiske e eles estavam a quatrocentos metros da equipe de busca. Ela poderia ter dominado o Fiske facilmente sem a explosão, e ainda teria uns bons trinta minutos de vantagem. Por isso explodir os restos da criança pareceu algo tão horrível. Não tem motivo. Por que fazer algo assim terrível?

— Certo, vou morder a isca: por que fazer algo assim?

— Porque ela precisava que os ossos fossem fragmentados. Ela não podia permitir que encontrássemos os restos. Daí ficaria óbvio que o corpo não era de uma criança.

Bobby olhou surpreso para ela.

— O quê? Os pedaços cor-de-rosa das roupas, o jeans, a costela, o dente...

— A roupa foi colocada com o corpo. A costela tem o tamanho aproximado da costela de uma criança de seis anos. Ou de um cachorro grande. Ben acaba de passar um tempo estudando os fragmentos de ossos no laboratório. Não são humanos. São caninos. Tamanho certo. Espécie errada.

Bobby ficou ainda mais surpreso.

— Mas que merda — ele disse, um homem que praguejava muito raramente. — O pastor-alemão. O velho cachorro de Brian Darby que morreu. Tessa enterrou *aquele* corpo?

— Aparentemente. Daí o forte cheiro de decomposição na Denali branca. Mais uma vez, de acordo com o Ben, o tamanho e comprimento de muitos ossos de um cachorro grande seriam iguais aos de uma criança de seis anos. Claro, o crânio estaria errado, assim como pequenos detalhes como cauda e patas. Um esqueleto canino completo, portanto, jamais seria confundido com o de um ser humano. Mas pedaços de ossos misturados, por outro lado... Ben pediu desculpas pelo engano. Ele está um pouco envergonhado para dizer a verdade. Faz tempo desde que ele viu uma cena de crime que bagunçasse tanto assim a cabeça dele.

— Espere um segundo. — Bobby ergueu a mão. — Os cães de cadáver, lembra? Eles não iam parar diante de restos que não fossem humanos. O nariz deles e o treinamento são bem melhores que isso.

D.D. sorriu subitamente.

— Realmente esperta — ela murmurou. — Não foi o que Juliana disse? Tessa Leoni é esperta, eu tenho de admitir isso.

— Dois dentes da frente — ela informou para Bobby. — E também três tampões com sangue, recuperados da cena depois que partimos. Ben fornece parte do material de treino para as equipes de cachorros. De acordo com ele, os treinadores são muito criativos quanto aos "cadáveres" que usam, já que possuir corpos de pessoas mortas é ilegal. Acontece que dentes são como ossos. Então os treinadores pegam dentes com dentistas e os usam para treinar os cachorros. Fazem o mesmo com tampões femininos usados. Tessa escondeu um cadáver de cachorro, mas colocou nele "cadáveres humanos", os dentes de leite da filha e alguns tampões femininos.

— Isso é desagradável — Bobby disse.

— Isso é genial — D.D. retorquiu.

— Mas por quê?

D.D. teve de pensar um pouco.

— Porque ela sabia que iríamos acusá-la. Sempre foi assim na experiência dela como policial, certo? Ela não atirou em Tommy Howe, mas os policiais assumiram que sim. O que quer dizer que estávamos certos antes, a primeira experiência dez anos atrás a preparou para a experiência de agora. Outra coisa terrível aconteceu no mundo de Tessa Leoni. Ela sabia que seria acusada. Só que dessa vez provavelmente seria presa. Então ela preparou um esquema complicado para escapar da prisão.

— Mas por quê? — Bobby repetiu. — Se ela não fez nada, por que não nos dizer a verdade? Por que... um esquema assim complexo? Ela é uma policial agora. Não devia ter mais fé no sistema?

D.D. arqueou uma sobrancelha.

Ele suspirou.

— Você está certa. Nós nascemos cínicos.

— Mas por que não falar conosco? — D.D. continuou. — Vamos pensar nisso. Assumimos que Tessa atirou em Tommy Howe faz dez anos. Estávamos errados. Assumimos que ela atirou no marido, Brian, na manhã de sábado. Bem, talvez estejamos errados quanto a isso também. O que quer dizer que outra pessoa fez isso. Essa pessoa atirou em Brian e levou Sophie.

— Por que matar o marido, mas sequestrar a criança? — Bobby perguntou.

— Garantia — D.D. falou de imediato. — Voltamos para o jogo. Brian devia demais. Em vez de irem atrás dele, o elo mais fraco, eles foram atrás da Tessa. Atiraram no Brian para mostrar que são sérios, então pegaram Sophie. Tessa pode ter a filha de volta se pagar. Então Tessa vai até o banco, pega os cinquenta mil...

— Que claramente não são o suficiente — Bobby comenta.

— Exato. Ela precisa de mais dinheiro, mas também tem de lidar com a morte do marido, morto com a arma dela, como a balística vai comprovar.

Os olhos de Bobby se alargaram.

— Ela estava em casa — ele disse subitamente. — É a única forma de eles poderem ter matado Brian com a arma dela. Tessa estava em casa. Talvez tenha chegado e encontrado a situação armada. Alguém segurando a filha. O que ela podia fazer? O homem exige que ela entregue a Sig Sauer, daí...

— Mata o Brian — D.D. disse suavemente.

— Ela está ferrada — Bobby continuou. — Ela sabe que está ferrada. O marido está morto, morto com a arma de serviço dela. A filha foi sequestrada, e ela já tem um histórico de ter matado alguém. Quais são as chances de alguém acreditar nela? Mesmo que tivesse dito, *Ei, algum mafioso matou meu marido viciado em jogo com minha arma, e agora preciso da sua ajuda para resgatar minha filha...*

— Eu não engoliria essa — D.D. disse em tom baixo.

— Policiais são cínicos — Bobby repetiu.

— Então ela começa a pensar — D.D. continuou. — A única forma de recuperar Sophie é conseguir o dinheiro, e a única forma de conseguir o dinheiro é estando fora da prisão.

— O que quer dizer que ela precisava começar a planejar — Bobby ajudou.

D.D. franziu a testa.

— Então, baseada na morte do Tommy, a opção A é alegar que estava se defendendo. Isso pode ser difícil, no entanto, já que abuso pelo cônjuge é uma defesa afirmativa, ela decide que precisa também de uma rede de segurança. A opção A é a defesa, e a opção B é esconder ossos de cachorro no mato, que ela diz serem os restos da filha. Se a opção A falhar e ela for presa, então pode escapar usando a opção B.

— Inteligente — Bobby comentou. — Como Juliana disse, autossuficiente.

— Complicado — D.D. estava com a testa franzida. — Especialmente considerando que agora é uma fugitiva, o que torna muito mais difícil para ela conseguir o dinheiro e resgatar Sophie. Você arriscaria tanto quando a vida da sua filha está em jogo? Não seria melhor dizer a verdade e implorar nossa ajuda? Nos fazer seguir os bandidos, nos fazer resgatar Sophie, mesmo se a prendermos primeiro?

Bobby encolheu os ombros.

— Talvez, como Juliana, ela não tenha uma impressão muito boa dos outros policiais.

Mas D.D. subitamente pensou outra coisa.

— Pode ser — ela disse lentamente — porque outro policial é parte do problema.

Bobby olhou fixo para ela, então ela o viu conectando os pontos.

— Quem bateu nela? — D.D. perguntou agora. — Quem bateu nela com tanta força que nas primeiras vinte e quatro horas ela nem conseguia ficar ereta? Quem estava presente o tempo todo quando estávamos na casa dela na manhã do domingo, a mão no ombro dela? Eu achei que ele estava demonstrando apoio. Mas talvez ele estivesse dizendo para ela ficar quieta.

— *Trooper* Lyons.

— O grande "amigo" que fraturou o rosto dela e viciou o marido dela em jogo para começar. Talvez porque Lyons já estivesse passando muito tempo no Foxwoods.

— *Trooper* Lyons não é parte da solução — Bobby murmurou. — *Trooper* Lyons é a fonte do problema.

— Vamos pegá-lo! — D.D. disse.

Ela já estava dando o primeiro passo quando Bobby segurou seu braço, fazendo com que parasse.

— D.D., você sabe o que isso quer dizer?

— Que finalmente vamos quebrar o *trooper* Lyons?

— Não, D.D. Sophie Leoni. Ela ainda pode estar viva. E o *trooper* Lyons sabe onde ela está.

D.D. se imobilizou. Sentiu uma onda de emoção.

— Então me escute, Bobby. Temos de fazer isso direito. Eu tenho um plano.

# 36

A perua Ford velha não gostava de trocar de marcha nem de frear. Felizmente, considerando o alerta da tempestade de inverno e o horário, as estradas estavam praticamente vazias. Passei por vários limpadores de neve, alguns veículos de emergência e várias viaturas de polícia indo atender alguma emergência. Mantive os olhos na estrada e a velocidade exatamente no limite. Vestida de preto, com o boné de beisebol puxado sobre os olhos, ainda me sentia sendo vigiada quando entrei em Boston, indo para casa.

Dirigi lentamente até lá. Vi a luz dos faróis brilhar nas faixas amarelas da cena do crime. Que ficavam bem evidentes contra o branco da neve.

A casa parecia vazia e dava a sensação de vazio. Um aviso claro de que Algo Ruim Aconteceu Aqui.

Segui adiante até achar uma vaga no estacionamento de uma loja de conveniência.

Com a sacola no ombro, caminhei até a casa.

Andando depressa agora. Querendo a proteção da escuridão e encontrando pouco dela em uma cidade agitada com ruas bem iluminadas e muitos sinais luminosos. Um quarteirão para a direita, outro para a esquerda e então quase chegara ao alvo. A viatura do Shane estava estacionada diante da casa dele. Faltavam cinco para as 11, o que significava que ele ia sair para o trabalho a qualquer momento.

Assumi posição, abaixada por trás do porta-malas, onde podia me misturar nas sombras do Crown Victoria criadas pela luz do poste.

Minhas mãos estavam frias, apesar das luvas. Assoprei nos dedos para aquecer; não podia me permitir que estivessem insensíveis. Só teria uma chance ali. Ou venceria, ou não.

Meu coração acelerou. Fiquei um pouco tonta e subitamente notei que não tinha comido nada fazia 12 horas. Mas era tarde demais agora. A porta da frente abriu. A luz do pátio acendeu. Shane surgiu.

A esposa dele, Tina, estava atrás, em um robe cor-de-rosa. Beijo rápido no rosto, mandando seu homem para o trabalho. Senti uma pontada de emoção. Mas a suprimi.

Shane desceu o primeiro degrau, depois o segundo. A porta fechou atrás dele, Tina não ia esperar até que ele fosse embora.

Soltei a respiração que não percebi que estava segurando e comecei a contagem regressiva em minha mente.

Shane desceu a escada, cruzou a calçada, as chaves tilintando na mão. Chegando à viatura, inserindo a chave na fechadura, virando, abrindo a porta do motorista.

Saí de onde estava na traseira do carro e enfiei a Glock .40 na lateral do pescoço dele.

— Uma palavra e você morre.

Shane ficou em silêncio.

Peguei a arma dele. Daí nós dois embarcamos na viatura.

Fiz ele sentar na traseira, longe do rádio e do painel de instrumentos. Fiquei com o assento do motorista, o painel de segurança deslizante entre nós aberto. Mantive a Glock desse lado da barreira à prova de balas, longe do alcance de Shane, apontada o tempo todo para o alvo. Normalmente os policiais apontam para o peito do alvo. A massa maior.

Considerando que Shane já estava vestindo o colete, eu apontei a arma para a cabeça dele.

Sob meu comando, ele me passou o celular, o cinturão, depois o pager. Coloquei tudo no assento do passageiro, de onde tirei as algemas, que passei para ele e fiz com que colocasse nos próprios pulsos.

Com o alvo sob controle, desviei o olhar o suficiente para ligar o carro. Pude sentir o corpo dele ficar tenso, preparando-se para algum tipo de ação.

— Não seja estúpido — eu disse em tom forte. — Estou lhe devendo uma, lembra? — Apontei para meu rosto machucado. Ele relaxou outra vez, deixando as mãos algemadas caírem no colo.

O motor do carro pegou. Se a esposa de Shane olhasse pela janela, veria o marido esquentando o motor enquanto chamava a expedição, talvez cuidando de alguns recados.

Uma espera de cinco a dez minutos não seria estranha. Mais que isso e ela poderia ficar preocupada, poderia até sair para dar uma olhada. O que queria dizer que eu não tinha muito tempo para essa conversa.

Ainda tinha de cavar mais um pouco.

— Devia ter batido em mim com mais força — eu disse, virando para trás, dando toda minha atenção para meu ex-colega policial. — Você achava mesmo que uma concussão seria o suficiente para me deter?

Shane não disse nada. Os olhos dele estavam na Glock, não no meu rosto machucado.

Senti que ficava brava. Como se quisesse passar pela pequena abertura no escudo de segurança e bater com a arma naquele homem uma meia dúzia de vezes, antes de deixá-lo inconsciente com minhas próprias mãos.

Eu tinha confiado em Shane, um colega policial. Brian confiara nele, seu melhor amigo. E ele tinha traído nós dois.

Eu liguei para ele na tarde de sábado, depois de pagar o matador. Minha última esperança em um mundo que desintegrava bem depressa, foi o que pensei. Claro que tinham me dito para não entrar em contato com a polícia. Claro que tinham dito para eu ficar quieta *senão...* Mas Shane não era apenas um colega policial. Ele era meu amigo, ele era o amigo mais próximo do Brian. Ele me ajudaria a salvar Sophie.

Em vez disso ele atendeu com a voz fria, sem nenhuma emoção:

— Você não entendeu direito as instruções, Tessa? Quando esses caras dizem para você ficar quieta, você *fica quieta.* Agora pare de tentar fazer com que nos matem a todos e faça o que eles disseram para fazer.

Então Shane já sabia que Brian estava morto. Ele também recebera instruções sobre a situação e agora ele dizia tudo muito claramente para mim: Brian batia na esposa. No calor do momento, ele foi longe demais e eu atirei nele para me defender. Não tem evidência do ataque físico? Não se preocupe, Shane vai cuidar disso. Balbuciei que eles tinham me dado 24 horas para preparar o retorno de Sophie. Certo, ele disse secamente. Ele viria logo pela manhã. Alguns golpes e contataríamos juntos as autoridades, Shane do meu lado a cada passo do caminho. Shane, ficando de vigia para relatar tudo.

*Claro,* percebi então. Shane não era apenas amigo do Brian, ele era seu colega de crime. E agora ele tinha de se proteger a qualquer custo. Mesmo que isso significasse sacrificar Brian, eu e Sophie.

Eu estava ferrada e a vida da minha filha estava na balança. É incrível como você pode ver tudo com clareza subitamente quando sua filha precisa de você. Como cobrir o cadáver do seu marido com neve faz todo o sentido do mundo. Assim como tirar o corpo do Duke de onde estava, embaixo do deque do quintal, onde Brian o guardara esperando o derretimento da primavera. E pesquisar bombas na internet...

Eu abandonei a negação. Abracei o caos. E aprendi que eu era uma pessoa muito mais dura do que imaginava.

— Eu sei sobre o dinheiro — eu disse agora para Shane. Apesar de minha intenção de conservar a calma, podia sentir a raiva crescendo outra vez. Lembrei do primeiro impacto do punho de Shane contra meu rosto. O modo como ele pareceu imenso em cima de mim quando caí no chão ensanguentado da cozinha. O minuto sem fim, quando percebi que ele podia me matar, e daí não haveria ninguém para salvar Sophie. Eu chorei. Implorei. Foi isso o que meu "amigo" fez comigo.

Agora o olhar de Shane encontrou com o meu, seus olhos se alargando com a surpresa.

— Você achou que eu não ia ligar os pontos? — eu disse. — Por que preparou toda essa farsa de que eu devia dizer que matei meu marido? Porque você e seus parceiros queriam me tirar do caminho. Você queria destruir minha credibilidade, então me enquadrar pelo roubo. Seus amigos mafiosos não estão interessados em tirar dinheiro de mim. Você está me usando para cobrir suas pistas, fazendo com que eu assuma a culpa por todo o dinheiro que *você* roubou do sindicato dos *troopers*. Você ia me acusar de tudo. *De tudo!*

Ele não disse nada.

— Seu maldito filho da puta! — explodi. — Se eu fosse para a cadeia, o que ia acontecer com a Sophie? Você assinou a garantia de morte dela, seu desgraçado. Você basicamente matou minha filha!

Shane ficou branco.

— Eu não... eu não faria isso. Nunca chegaria assim tão longe.

— *Assim tão longe?* Você *roubou* do sindicato dos *troopers*. Você ferrou seus amigos, sua carreira e sua família. Isso não foi deixar as coisas chegarem assim tão longe?

— Foi ideia do Brian — Shane disse de forma automática. — Ele precisava do dinheiro. Ele tinha perdido tanto... Eles iam matá-lo, ele disse. Eu estava tentando ajudar. Sério, Tessa. Você sabe como o Brian pode ser. Eu estava apenas tentando ajudar.

Em resposta, eu peguei o cinturão dele com minha mão esquerda, tirei o Taser e o ergui.

— Mais uma mentira e você vai dançar. Está me ouvindo, Shane? Pare de *mentir*!

Ele engoliu em seco, a língua indo nervosa lamber o canto da boca.

— Eu não... Ah, Cristo — ele exclamou subitamente. — Eu lamento, Tessa. Eu não sabia que ia chegar nisso. A princípio, eu ia com o Brian no Foxwoods para manter *ele* sob controle. O que queria dizer, claro, que às vezes também jogava. Daí ganhei algumas vezes. Eu ganhei. Quer dizer, eu *ganhei.* Cinco mil, assim, fácil. Comprei um anel para a Tina. Ela chorou. E isso foi tão... genial. Maravilhoso. Como se eu fosse o Super-Homem. Então, claro, eu tinha de jogar de novo, só que nós não ganhamos sempre.

Então você joga mais porque agora está viciado. É sua vez. Uma mão boa, é tudo que você precisa, uma mão boa. Foi o que dissemos para nós mesmos nessas últimas semanas. Uma boa noite nas mesas e tudo ia melhorar. Ficaríamos bem. Bastavam duas horas. As duas horas certas e ficaríamos bem.

— Você roubou dinheiro do sindicato dos *troopers*. Você vendeu sua alma para os mafiosos.

Shane olhou para mim.

— É preciso ter dinheiro para fazer dinheiro — ele disse com simplicidade, como se fosse a explicação mais lógica do mundo.

Talvez fosse, para um jogador.

— De quem vocês emprestaram o dinheiro? Quem matou Brian? Quem pegou minha filha?

Dar de ombros.

— Vá se foder, Shane! Eles estão com a minha filhinha. Você vai falar ou vou estourar sua cabeça!

— Eles vão me matar de qualquer jeito! — ele respondeu, os olhos por fim queimando cheios de vida. — Não se brinca com esses caras. Eles me mandaram fotos, a Tina no mercado, Tina na ioga, Tina pegando os meninos. Eu lamento pelo Brian. Lamento pela Sophie. Mas eu vou proteger minha família. Posso ser um idiota, mas não sou um completo incompetente.

— Shane — eu disse em tom duro. — Você ainda não entendeu. Eu vou matar você. Depois vou colocar a palavra "dedo-duro" no seu peito. Dou umas quarenta e oito horas de vida para Tina e os garotos depois disso. Provavelmente menos.

Ele piscou.

— Você não iria...

— Pense em até onde você pode ir pelos seus filhos e vai perceber que eu faria isso, sim.

Shane soltou o ar com força. Ele olhou para mim, e pude ver nos olhos dele que finalmente compreendeu como aquilo ia terminar. Talvez, como eu, ele tivesse passado os últimos dias imaginando que havia mesmo múltiplas camadas no Inferno, e não importa o quão fundo você pense que caiu, sempre há um lugar mais profundo e escuro para onde ir.

— Se eu der um nome — ele disse abruptamente — você vai matá-lo. Essa noite. Jure para mim, Tessa. Você vai pegá-lo, antes que ele pegue minha família.

— Combinado.

— Eu amo eles — Shane murmurou. — Sou um imbecil, mas eu amo minha família. Só quero que eles fiquem bem.

Foi minha vez de não dizer nada.

— Eu lamento pelo Brian, Tessa. De verdade, eu não pensei que eles iam fazer isso. Não achei que eles fossem machucá-lo. Nem pegar a Sophie. Eu não devia ter jogado. Não devia nunca ter pegado nenhuma carta.

— O nome, Shane. Quem matou Brian? Quem pegou minha filha?

Ele olhou para meu rosto machucado, e finalmente pareceu se encolher. Então ele assentiu, ergueu-se um pouco no banco, endireitou os ombros. Uma vez, Shane tinha sido um bom policial. Uma vez, ele tinha sido um bom amigo. Talvez ele estivesse tentando encontrar de novo essa pessoa.

— John Stephen Purcell — ele disse. — É o cobrador. Um sujeito que trabalha para outros sujeitos. Encontre Purcell e ele vai estar com a Sophie. Ele pelo menos vai saber onde ela está.

— E o endereço dele?

Uma leve hesitação.

— Tire as algemas e eu pego.

A pausa dele foi aviso suficiente para mim. Eu fiz que não.

— Você não devia ter machucado minha filha — eu disse suavemente, erguendo a Glock.

— Tessa, vamos lá. Eu disse o que você precisa saber. — Ele sacudiu os braços algemados. — Jesus Cristo, isso é uma loucura. Deixe eu ir. Eu vou ajudar você a recuperar sua filha. Vamos encontrar Purcell juntos, vamos lá...

Eu sorri, mas foi um sorriso triste. Shane fazia tudo parecer tão fácil. Claro, ele poderia ter feito essa oferta no sábado. Mas ele tinha dito para eu me sentar, calar a boca e, ah sim, ele voltaria no domingo para me espancar.

Brian Bom. Brian Ruim.

Shane Bom. Shane Ruim.

Tessa Boa. Tessa Ruim.

Talvez, para todos nós, essa linha entre o bem e o mal seja mais fina do que devia ser. E talvez, para todos nós, uma vez que se cruzou essa linha, não tem volta. Você era quem era, e agora você é quem é.

— Shane — eu murmurei. — Pense nos seus filhos.

Ele pareceu ficar confuso, daí vi que ligou os pontos. Assim como os policiais que morrem na linha de frente recebem benefícios extras para suas famílias, os policiais que vão para a prisão por roubar fundos e participar em atividades criminais não recebem nada.

Como Shane tinha dito, ele era um imbecil, mas não um fracasso completo.

Shane Bom pensou nos três filhos. E eu pude ver quando ele chegou à conclusão lógica, porque os ombros dele desceram. O rosto relaxou.

Shane Lyons olhou para mim uma última vez.

— Eu lamento — ele sussurrou.

— Eu também — eu disse.

Daí apertei o gatilho.

Em seguida, tirei a viatura da entrada da casa, segui pela rua e finalmente parei atrás de um depósito em uma viela escura, o tipo de lugar aonde um policial iria se visse alguma atividade suspeita. Abri a porta de trás, ignorando o cheiro de sangue, e a forma como o corpo de Shane ainda estava quente e móvel.

Procurei nos bolsos dele, daí no cinturão. Descobri um pedaço de papel com dígitos que pareciam coordenadas de GPS escondidos por trás do celular dele. Usei o computador no assento da frente para procurar as coordenadas, anotei o endereço correspondente e como chegar lá.

Voltei para o banco de trás, tirei as algemas dele e recoloquei o cinturão no lugar. Eu tinha feito um favor para ele, matando-o com a Glock do Brian. Poderia ter usado a Sig Sauer dele, levantando a possibilidade de que tivesse sido suicídio. Nesse caso, Tina e os meninos não receberiam nada.

*Eu ainda não sou assim tão dura,* pensei. Não tão fria.

Minhas faces pareciam estranhas. Meu rosto curiosamente entorpecido.

Mantive o foco no que estava fazendo. A noite mal começara, e eu tinha muito que fazer.

Dei a volta na viatura e abri o porta-malas. *Troopers* estaduais acreditavam em estar preparados e Shane não me desapontou. Uma garrafa de água, meia dúzia de barras de proteína, e até mesmo alguns pacotes de comida pronta para consumo de um lado. Coloquei a comida na minha sacola, com metade de uma barra de proteína já na boca, e usei as chaves do Shane para abrir o longo cofre de armas.

Shane tinha uma espingarda Remington de cano curto, um rifle M4, meia dúzia de caixas de munição e uma faca KA-BAR[20].

Peguei tudo.

---

[20] Marca de faca famosa por ter sido utilizada pelos fuzileiros navais dos Estados Unidos durante a Segunda Guerra Mundial (N. T.).

# 37

Bobby e D.D. estavam na metade do caminho da casa do *trooper* Lyons quando ouviram o chamado — *Policial ferido, policial ferido, todos os policiais respondam...*

A expedição passou um endereço. D.D. o colocou no computador. Ela ficou pálida quando o local apareceu na tela na sua frente.

— Isso fica bem perto da casa da Tessa — ela murmurou.

— E do *trooper* Lyons — Bobby disse.

Eles olharam um para o outro.

— Merda.

Bobby acendeu as luzes e pisou fundo. Avançaram para o endereço em completo silêncio.

Quando chegaram lá, ambulâncias e viaturas já lotavam a cena. Muitos policiais iam e vinham, ninguém realmente fazendo nada. O que significava apenas uma coisa.

Bobby e D.D. desceram do carro. O primeiro policial que encontraram era um *trooper* estadual, então foi Bobby quem falou com ele.

— Situação? — ele perguntou.

— *Trooper* Shane Lyons, senhor. Um único disparo na cabeça. — O jovem *trooper* engoliu em seco. — Morto, senhor. Declarado na cena. Não havia nada que os socorristas pudessem fazer.

Bobby assentiu, olhando na direção de D.D.

— Ele estava atendendo algum chamado? — ela perguntou.

— Negativo. Ainda não havia reportado para a expedição. O detetive Parker... — o jovem apontou um homem usando um casaco pesado de lã cinza parado do lado de dentro da fita da cena do crime — está comandando a investigação. Talvez seja melhor falar com ele, senhor, senhora.

Eles assentiram, agradeceram ao policial e seguiram adiante.

Bobby conhecia Al Parker. Ele e D.D. mostraram suas credenciais para o policial de uniforme que cuidava do registro do assassinato, daí passaram por baixo da fita amarela e foram até o detetive.

Parker, um homem magro e desengonçado, endireitou o corpo quando os viu. Deu a mão para Bobby sem tirar a luva de couro, e em seguida Bobby apresentou D.D.

A neve finalmente começava a diminuir. Ainda havia alguns centímetros no pavimento, revelando uma série de pegadas de policiais e socorristas que correram para auxiliar. Apenas um conjunto de marcas de pneus. Foi a primeira coisa que D.D. notou. Outro veículo teria deixado marcas, mas não havia nenhuma.

Ela comentou isso com o detetive Parker, que assentiu.

— Parece que o *trooper* Lyons dirigiu vindo para a parte de trás do prédio — ele disse. — Ainda não estava oficialmente a trabalho. Nem ele notificou a expedição de que estava respondendo a sinais de atividades suspeitas...

O detetive Parker deixou a declaração explicar a si mesma.

Os policiais a trabalho sempre falavam com a expedição. Era algo gravado no DNA deles. Se pegassem um café, fossem fazer xixi ou vissem um assalto em progresso, a primeira coisa a fazer era chamar a expedição. O que significava que o que levara *trooper* Lyons até aquele local remoto não tinha sido algo profissional, mas sim pessoal.

— Um único tiro — o detetive Parker continuou. — Têmpora esquerda. Disparo feito do banco da frente. *Trooper* Lyons estava no banco de trás.

D.D. e Bobby ficaram surpresos.

Vendo as expressões deles, o detetive Parker os levou até a viatura, que estava com as quatro portas abertas. Ele começou com o banco de trás manchado de sangue, daí mostrou a trajetória do projétil.

— Ele estava usando o cinturão? — Bobby perguntou franzindo a testa.

Parker assentiu.

— Sim, mas tem marcas nos pulsos dele consistentes com algo o prendendo. Não havia mais algemas quando o primeiro policial chegou, mas, em algum momento nessa noite, o *trooper* Lyons teve as mãos algemadas.

D.D. não gostou da imagem, um policial preso, sentado na traseira da viatura, olhando para o cano de uma arma. Ela fechou melhor o casaco, sentindo flocos frios de neve sussurrarem passando pelos seus cílios.

— A arma dele? — ela perguntou.

— A Sig Sauer está no coldre. Mas veja isso.

Parker os levou até a traseira da viatura, onde abriu o porta-malas. Estava vazio. D.D. compreendeu imediatamente o que aquilo significava. Nenhum policial, de uniforme ou não, deixava o porta-malas vazio. Deveria haver alguns suprimentos básicos, para não mencionar pelo menos um rifle, uma espingarda ou ambos.

Ela olhou para Bobby procurando confirmação.

— Espingarda Remington e rifle M4 são o básico — ele murmurou, assentindo. — Alguém estava procurando armas.

Parker observou os dois, mas nem ela nem Bobby disseram mais nada. Eles não precisavam dizer nada para saber quem seria o alguém, uma pessoa que conhecia o *trooper* Lyons, que podia atraí-lo para fora da viatura, e que precisava desesperadamente de poder de fogo.

— A família do *trooper* Lyons? — Bobby perguntou agora.

— O coronel foi até lá notificar.

— Merda — Bobby murmurou.

— Três meninos. Merda — Parker concordou.

O celular de D.D. tocou. Ela não reconheceu o número, mas era local, então ela pediu licença e se afastou um pouco para atender.

Um minuto depois, ela voltou para onde estavam Bobby e Parker.

— Precisamos ir — ela disse, dando um tapinha de leve no braço de Bobby.

Ele não fez perguntas, não na frente do outro detetive. Apenas deu a mão para Parker, agradeceu pelo tempo dele e os dois partiram.

— Quem? — Bobby perguntou assim que estavam sozinhos.

— Acredite se quiser, a viúva do Shane. Ela tem algo para nós.

Bobby arqueou uma sobrancelha.

— Envelope — D.D. explicou. — Aparentemente, Shane o deu para ela na noite de domingo. Disse que, se alguma coisa acontecesse com ele, ela devia ligar para mim, e só para mim, e entregar o envelope. O coronel acaba de sair de lá. A viúva está realizando os desejos finais do marido.

Todas as luzes estavam acesas na casa de Shane Lyons. Meia dúzia de carros ocupavam a rua, incluindo dois estacionados de forma ilegal no jardim. Família, D.D. calculou. Esposas de outros *troopers*. O sistema de apoio entrando em ação.

Ela imaginou se os filhos de Shane já estavam acordados. Imaginou se a mãe já havia dado a notícia de que o pai deles nunca mais voltaria para casa.

Ela e Bobby pararam ombro a ombro diante da porta da frente, as expressões do rosto cuidadosamente preparadas, porque era assim que as coisas funcionavam. Eles lamentavam a morte de um policial, sentiam a dor da família do policial, e cuidavam do trabalho assim mesmo. O *trooper* Shane Lyons era uma vítima que também era um suspeito. Não havia nada de fácil nesse tipo de caso ou nesse tipo de investigação.

Uma mulher mais velha veio atender a porta. Julgando pela idade e traços do rosto, D.D. deduziu que era a mãe de Tina Lyons. D.D. mostrou as credenciais; Bobby fez o mesmo.

A mulher mais velha pareceu confusa.

— Sem dúvida vocês não querem fazer perguntas para a Tina agora — ela disse suavemente. — Pelo menos deem a minha filha um dia ou dois...

— Ela nos chamou, senhora — D.D. disse.

— O quê?

— Estamos aqui porque ela nos pediu para vir — D.D. repetiu. — Se a senhora puder dizer para ela que a sargento-detetive D.D. Warren está aqui, nós não nos importamos de esperar aqui fora.

Na verdade, ela e Bobby preferiam ficar do lado de fora. O que quer que Tina tivesse para lhes entregar era o tipo de coisa que era melhor não fazer diante de testemunhas.

Os minutos passaram. Quando D.D. estava começando a pensar que Tina havia mudado de ideia, a mulher apareceu. O rosto estava péssimo, os olhos vermelhos de chorar. Ela vestia um robe cor-de-rosa e usava a mão para manter o alto dele fechado. Na outra mão havia um envelope simples de tamanho médio.

— Vocês sabem quem matou meu marido? — ela perguntou.

— Não, senhora.

Tina Lyons entregou o envelope para D.D.

— Isso é tudo que quero saber. De verdade. É *só* isso que quero saber. Descubra quem foi e conversaremos de novo.

Ela recuou para o conforto tênue da família e amigos, deixando D.D. e Bobby ali diante da porta.

— Ela sabe de alguma coisa — Bobby disse.

— Ela suspeita — D.D. corrigiu em voz baixa. — Ela não quer saber. Acho que foi isso que ela tentou dizer.

D.D. segurava o envelope com a mão enluvada. Ela olhou ao redor para a rua coberta de neve. Depois da meia-noite em uma área residencial tranquila, com muitos postes de iluminação, mas ainda assim áreas escuras podiam ser vistas por todos os lados.

Ela subitamente se sentiu exposta e observada.

— Vamos — murmurou para Bobby.

Eles andaram com cuidado pela calçada na direção do carro. D.D. carregava o envelope nas mãos enluvadas. Bobby carregava sua arma.

Dez minutos mais tarde, eles haviam realizado uma série de manobras básicas de evasão pelo labirinto das ruas de Allston-Brighton. Bobby estava seguro de que ninguém os seguia. D.D. morria de curiosidade para saber o que havia no envelope.

Encontraram uma loja de conveniência cheia de estudantes de faculdade, que não se deixavam deter nem pelo clima nem pelo tempo ruim. O grupo de veículos tornava o Crown Victoria deles menos óbvio, enquanto os estudantes forneciam testemunhas mais que suficientes para impedir uma emboscada.

Satisfeita, D.D. trocou as luvas de inverno por um par de látex, então ergueu a aba do envelope, abrindo-o cuidadosamente para preservar possíveis evidências.

Dentro, encontrou uma dúzia de fotos coloridas de seis por nove. As primeiras 11 pareciam ser da família de Shane Lyons. Ali estava Tina no mercado. Ali estava Tina entrando em um prédio carregando um colchonete de ioga. Ali estava Tina pegando os meninos na escola. Ali estavam os meninos brincando no parquinho da escola.

Não era preciso um Q.I. de gênio para compreender a mensagem. Alguém vinha seguindo a família de Shane e essa pessoa queria que ele soubesse disso.

Então D.D. chegou à última foto. Ela inspirou com força, enquanto ao seu lado Bobby praguejou.

Sophie Leoni.

Estavam olhando para Sophie Leoni, ou melhor, ela estava olhando diretamente para a câmera, agarrada a uma boneca com um único olho feito de botão. Os lábios de Sophie estavam comprimidos, da forma que uma criança faz quando está tentando com todas as forças não chorar. Mas ela estava com o queixo erguido. Os olhos azuis pareciam estar tentando ser desafiadores, apesar de haver marcas de sujeira e lágrimas em seu rosto e seu lindo cabelo castanho lembrar agora um ninho de rato.

A foto mostrava praticamente apenas o rosto dela, deixando ver apenas indícios de um painel de madeira no fundo. Poderia ser um closet ou outra sala pequena. Uma sala sem janelas, D.D. pensou. Seria num lugar assim que prenderiam uma criança.

A mão dela começou a tremer.

D.D. virou a foto, procurando mais pistas.

Encontrou uma mensagem escrita com um marcador preto: *Não deixe isso acontecer com seus filhos também.*

D.D. desvirou a foto, olhou mais uma vez para o rosto em forma de coração de Sophie e suas mãos agora tremiam tanto que ela teve de pôr a foto no colo.

— Alguém realmente a sequestrou. Alguém fez isso de verdade... — Depois seu próximo pensamento confuso. — E faz mais de três malditos dias! Quais são nossas chances de encontrarmos essa menina depois de *três malditos dias?*

Ela deu um soco no painel. O golpe machucou sua mão e não ajudou em nada a diminuir a raiva.

Virou-se para o parceiro.

— Que merda está acontecendo aqui, Bobby? Quem sequestra a filha de uma policial, enquanto ameaça a família de outro policial? Quer dizer, *quem diabos faz algo assim?*

Bobby não respondeu de imediato. As mãos dele seguravam a direção, e todos os nós dos dedos tinham ficado brancos.

— O que Tina disse quando ligou? — ele perguntou subitamente. — Quais foram as instruções de Shane para ela?

— Se algo acontecesse com ele, ela devia entregar o envelope para mim.

— Por que você, D.D.? Com todo o respeito, você é uma policial de Boston. Se Shane precisava de ajuda, ele não iria pedir para seus próprios colegas, seus supostos irmãos de azul?

D.D. ficou olhando para ele. Lembrou do primeiro dia no caso, o modo como a polícia estadual havia se fechado, até mesmo contra ela, uma policial da cidade. Daí os olhos dela se arregalaram.

— Você não está pensando que... — ela começou.

— Não há muitos criminosos com colhões para ameaçar um, quanto mais dois *troopers* do estado. Mas outro policial poderia fazer isso.

— Por quê?

— Quanto sumiu do sindicado dos *troopers*?

— Um quarto de milhão.

Bobby assentiu.

— Em outras palavras, duzentas e cinquenta mil razões para trair o uniforme. Duzentas e cinquenta mil razões para matar Brian Darby, sequestrar Sophie Leoni e ameaçar Shane Lyons.

D.D. pensou naquilo.

— Tessa Leoni atirou em Shane Lyons. Ele traiu o uniforme, mas, ainda pior, traiu a ela e sua família. Agora a questão é: ela conseguiu a informação que queria do Lyons?

— O nome e endereço da pessoa que está com a filha dela — Bobby deduziu.

— Lyons era um peixe pequeno. Talvez Brian Darby fosse também. Eles roubaram o sindicato dos *troopers* para bancar o vício em jogo. Mas alguém mais os ajudou. A pessoa que mandou matá-los.

Bobby olhou para a foto de Sophie, parecendo estar organizando os pensamentos.

— Se foi Tessa Leoni quem atirou no *trooper* Lyons, e se ela chegou até aqui, isso quer dizer que ela tem um carro.

— Para não mencionar um pequeno arsenal.

— Então ela conseguiu o nome e o endereço — Bobby concluiu.

— Ela está indo buscar a filha.

Bobby sorriu finalmente.

— Então, para o bem desse chefão criminoso, é bom ele torcer para que nós o encontremos primeiro.

# 38

É melhor não pensar sobre algumas coisas. Então não pensei. Mass Pike até a 128, 128 indo para o sul até Dedham. Mais 12 quilômetros, meia dúzia de curvas e eu estava em uma área residencial cheia de árvores. Casas mais antigas, propriedades maiores. O tipo de lugar onde as pessoas tinham trampolins no jardim e varais para estender roupa nos fundos.

Um bom lugar para criar filhos, pensei, daí parei de pensar novamente.

Não encontrei o endereço da primeira vez. Não vi os números por causa da neve que caía. Quando percebi que tinha passado, pisei no freio e a traseira da velha perua derrapou para o lado. Usei o movimento para fazer uma volta de 180 graus, uma manobra de reflexo que ajudou a acalmar meus nervos e fazer a compostura retornar.

Treinamento. Era isso o que importava.

Bandidos não tinham treinamento.

Mas eu tinha.

Estacionei a perua perto da guia. Bem à vista, mas eu precisava dela acessível para uma fuga rápida. Estava com a Glock .40 do Brian enfiada na cintura da calça, atrás. A faca KA-BAR tinha uma bainha para prender na perna, então foi onde a coloquei.

Em seguida carreguei a espingarda. Se você é jovem, mulher e não é muito grande, uma espingarda de cano curto é sempre a melhor opção. Com ela é possível abater um búfalo sem nem ter de mirar.

Verificando minhas luvas negras, puxando o boné mais para baixo. Sentindo frio, mas era algo abstrato e distante. Na maior parte, eu conseguia ouvir um som que se repetia nos meus ouvidos, meu próprio sangue, eu acho, acelerado nas veias por causa da adrenalina.

Sem lanterna. Deixei os olhos se adaptarem ao tipo de escuridão que existe apenas nas estradas rurais, depois corri entre as árvores.

Entrar em movimento foi uma sensação boa. Depois das primeiras 24 horas, confinada a uma cama de hospital, seguidas pelas 24 horas presa na cadeia, estar finalmente livre, em movimento, indo resolver o problema, era a sensação certa.

Em algum ponto ali na frente estava minha filha. Eu ia salvá-la. Eu ia matar o homem que a pegou. Daí nós duas voltaríamos para casa.

A menos, é claro...

Parei de pensar outra vez.

Logo havia menos árvores. Entrei em um quintal coberto de neve e inalei com força, olhando a casa larga e baixa que apareceu na minha frente. As janelas estavam escuras, nem uma luz brilhava lá dentro. Já passava da meia-noite. O tipo de horário em que gente honesta estava dormindo.

Mas, por outro lado, meu alvo não vivia de forma honesta, não é?

Luzes externas ativadas por movimento, foi o que calculei depois de mais um segundo. Holofotes que ganhariam vida no momento em que eu chegasse mais perto da casa. Provavelmente havia algum tipo de sistema de segurança nas portas e janelas. No mínimo medidas de defesa básicas.

É como aquele velho adágio, mentirosos esperam que os outros mintam. Matadores que assassinam esperam que tentem matá-los e se preparam para isso.

Entrar na casa sem ser percebida provavelmente não era opção.

Tudo bem, eu o atrairia para fora, então.

Comecei com o carro que encontrei parado na entrada da casa. Um Cadillac Esplanade preto com todos os acessórios possíveis e imagináveis.

Mas claro. Fiquei muito satisfeita de bater com a coronha da espingarda na janela do lado do motorista.

O alarme do carro disparou. Eu corri da SUV para a lateral da casa. Os holofotes acenderam, cobrindo de uma cegante luz branca a frente e a lateral da casa. Fiquei de costas contra a parede da casa, de frente para o Cadillac, e fui avançando para a parte de trás da casa o mais depressa que consegui, imaginando que Purcell viria lá de trás. Segurei a respiração.

Um assassino como Purcell seria esperto demais para sair correndo na neve só de roupa de baixo. Mas ele também seria arrogante demais para permitir que alguém roubasse seu carro. Ele viria. Armado. E, provavelmente, preparado.

Levou um minuto inteiro. Daí ouvi o rangido baixo de uma porta de tela sendo aberta.

Segurando a espingarda com a mão esquerda, peguei lentamente a faca KA-BAR.

Nunca tinha usado uma faca. Nunca tinha lidado com alguém assim dessa forma tão de perto, tão pessoal.

Parei de pensar outra vez.

Minha audição já havia se adaptado ao som do alarme do carro. Isso tornou mais fácil perceber outros ruídos: o som baixo do amassar da neve quando o alvo deu seu primeiro passo, depois mais um. Usei um segundo olhando para trás para o caso de serem dois homens na casa, um vindo dos fundos, outro da frente.

Ouvi apenas os passos de uma pessoa, e esse era meu alvo.

Forçando-me a respirar pelo nariz, colocando o ar profundamente dentro dos pulmões. O que acontecesse ia acontecer. Estava na hora de ir.

Abaixei, com a faca preparada.

Uma perna apareceu. Vi botas pretas para neve, jeans grosso, a ponta vermelha de uma camisa de flanela.

Vi uma arma mantida abaixada junto da coxa do homem.

— John Stephen Purcell? — sussurrei.

Um rosto assustado virou-se na minha direção, os olhos escuros se arregalando, a boca abrindo.

Olhei para o homem que havia matado meu marido e sequestrado minha filha.

Ataquei com a faca.

No momento que ele atirou.

Nunca leve uma faca para um tiroteio.

Não necessariamente. Purcell acertou meu ombro direito. Mas eu cortei o tendão do jarrete da perna esquerda dele. Ele caiu, atirando uma segunda vez, na neve. Chutei a arma, arrancando-a da mão dele, ergui a espingarda e, exceto por se debater loucamente de dor, ele não fez nada contra mim.

Tão de perto, tão pessoal, Purcell parecia ter 40 e tantos anos, ou até 50 e poucos. Um matador experiente, então. Um sujeito que já tinha matado muita gente. Ele obviamente tinha orgulho da posição que ocupava, porque, enquanto o jeans ficava escuro com um rio de sangue, ele manteve os lábios contraídos e não disse nada.

— Lembra de mim? — eu disse.

Depois de um momento, ele assentiu.

— Já gastou o dinheiro?

Ele fez que não.

— Que pena, porque teria sido a última vez que você fez compras. Eu quero minha filha.

Ele não disse nem uma palavra.

Então encostei a ponta do cano curto da espingarda na patela direita dele — a perna que ainda estava boa.

— Diga adeus para sua perna — eu disse para ele.

Os olhos dele se arregalaram. As narinas alargaram. Como muitos caras durões, Purcell era muito melhor causando dor do que lidando com ela.

— Ela não está comigo — ele balbuciou subitamente. — Não está aqui.

— Vamos ver.

Eu o fiz virar de bruços e colocar as mãos para trás. Eu tinha um bolso cheio de presilhas de plástico que peguei dos suprimentos do Shane.

Prendi primeiro os pulsos de Purcell, depois os tornozelos, apesar de que mover a perna ferida o tenha feito gemer.

*Eu devia sentir alguma coisa,* pensei subitamente. Triunfo, remorso, alguma coisa. Mas não sentia nada.

Era melhor não pensar nisso.

Purcell estava ferido e imobilizado. Ainda assim, nunca subestime o inimigo. Examinei os bolsos e encontrei um canivete, um pager e uma dúzia de balas soltas que ele havia enfiado no bolso para recarregar se precisasse. Retirei tudo e coloquei no meu bolso.

Depois, ignorando a careta dele, usei o braço esquerdo para arrastá-lo pela neve até a porta traseira da casa, onde usei mais uma presilha de plástico para prender os braços dele em uma torneira externa. Com bastante tempo e esforço, ele poderia conseguir se soltar, até mesmo quebrar a torneira de metal, mas eu não pretendia deixá-lo ali esse tempo todo. Além do mais, com os braços e pernas presos e o tendão cortado, ele não conseguiria se afastar muito. Nem depressa.

Meu ombro queimava. Podia sentir o sangue descendo pelo braço, por dentro da blusa. Era uma sensação desconfortável, como aquela da água escorrendo por dentro da manga. Eu tinha uma impressão vaga de que não estava dando a atenção necessária ao meu ferimento. Que provavelmente devia estar sentindo muita dor. Que provavelmente perder tanto sangue assim era pior do que um pouquinho de água escorrendo para dentro da manga.

Sentia-me estranhamente neutra. Além das emoções e das inconveniências da dor física.

Melhor não pensar nisso.

Entrei na casa cautelosamente, a faca de novo na bainha, mantendo a espingarda apontada para frente. Eu tinha de apoiar a arma no braço esquerdo. Levando em conta minha condição, minha mira provavelmente não seria boa. Mas, por outro lado, a arma era uma espingarda de cano curto.

Purcell não tinha acendido nenhuma luz. Fazia sentido, na verdade. Quando alguém se preparava para sair para o escuro, acender as luzes de dentro só arruinaria a capacidade de ver no escuro.

Entrei numa cozinha que cheirava a alho, manjericão e azeite. Aparentemente Purcell gostava de cozinhar. Da cozinha, passei para a sala onde havia duas poltronas reclináveis e uma televisão de tela gigante. Dali, fui para um escritório pequeno com uma escrivaninha e várias estantes. Um pequeno banheiro. Depois um corredor longo que levava até três portas.

Forcei-me a respirar, andando o mais silenciosamente possível na direção da primeira porta. Estava empurrando a porta para abrir mais quando minha calça começou a tocar. Abaixei-me de imediato, movendo a arma na direção do quarto todo, preparada para atirar em qualquer forma que se aproximasse, daí encostar na parede e esperar o contra-ataque.

Nenhuma sombra se aproximou. Enfiei a mão direita apressadamente no bolso e tirei o pager de Purcell, tratando de desligá-lo.

No último segundo, olhei para a tela. Ela dizia: *Lyons MEA. FAE Leoni.*

Shane Lyons estava morto. Fique esperando Tessa Leoni.

— Pouco demais, tarde demais — murmurei. Enfiei o pager de volta no bolso e terminei de revistar a casa.

Nada. Nada, nada, nada.

Parecia que Purcell morava sozinho com uma televisão de tela grande, um quarto extra e um escritório. Aí vi a porta do porão.

O coração acelerou novamente. Senti o mundo girar loucamente quando dei o primeiro passo para a porta fechada.

Perda de sangue. Ficando fraca. Devia parar, cuidar do ferimento.

Minha mão na maçaneta, girando.

Sophie. Todos esses dias, toda essa distância.

Abri a porta e olhei para baixo, para as trevas.

---

# 39

Quando D.D. e Bobby chegaram à oficina do pai de Tessa, encontraram a porta dos fundos aberta e o dono do lugar imóvel junto de uma bancada muito velha. D.D. e Bobby entraram correndo, D.D. indo direto até o Sr. Leoni, enquanto Bobby cuidava da cobertura.

D.D. ergueu a cabeça de Leoni, inspecionando-o em busca de sinais de ferimentos, mas recuou por causa do cheiro de uísque.

— Caramba! — Ela deixou a cabeça dele cair novamente sobre o peito. O corpo todo do homem começou a inclinar para a esquerda, caindo do banquinho, e ele teria ido parar no chão se Bobby não tivesse se aproximado para segurá-lo. Bobby colocou Leoni no chão, de lado, para reduzir a chance do bêbado de se afogar no próprio vômito.

— Pegue as chaves do carro dele — D.D. murmurou desagradada. — Vamos pedir para um policial em patrulha vir para garantir que ele chegue em casa em segurança.

Bobby já estava revistando os bolsos de Leoni. Encontrou uma carteira, mas nada de chaves. Então D.D. viu o painel com a coleção de chaves.

— Chaves dos clientes? — ela pensou em voz alta.

Bobby foi investigar.

— Vi alguns carros velhos parados no fundo — ele comentou. — Aposto que ele os restaura para vender.

— O que quer dizer que, se Tessa queria acesso rápido a um carro...

— Muito esperta — Bobby comentou.

D.D. olhou para o pai desmaiado de Tessa e balançou a cabeça outra vez.

— Ele podia pelo menos ter tentado resistir, puxa vida.

— Talvez ela tenha trazido o Jack para ele — Bobby disse encolhendo os ombros, apontando para a garrafa vazia. Ela era alcoólatra; sabia como eram essas coisas.

— Então ela definitivamente tem um carro. Seria bom saber que carro é, mas por algum motivo acho que o Papa Leoni aqui não vai conseguir falar ainda por um bom tempo.

Bobby apontou a porta aberta de um pequeno escritório. Lá dentro, encontraram uma mesa minúscula e um arquivo cinza bem estragado. No fundo da gaveta de cima havia uma pasta suspensa marcada "Em Trabalho".

D.D. pegou a pasta e eles saíram da garagem, deixando o bêbado roncando lá dentro. Identificaram três carros por trás da cerca de arame. Mas a pasta tinha documentos de quatro carros. Pelo processo de eliminação, determinaram que faltava uma perua Ford 1993 azul-escura. Segundo o documento, ela tinha mais de 320 mil quilômetros rodados.

— Uma perua velha, mas boa — Bobby comentou, enquanto D.D. acionava o rádio.

— Qual é a placa? — D.D. perguntou.

Bobby balançou a cabeça.

— Nenhum desses carros tem placa.

D.D. olhou para ele.

— Dê uma olhada na rua — ela disse.

Bobby entendeu o que ela estava pensando e correu rapidamente até a rua. E sim, na metade do quarteirão seguinte, do outro lado da rua, tinha um carro sem as duas placas. Tessa obviamente roubara as placas para pôr na perua.

Muito esperta, ele pensou novamente, mas também desleixada. Ela estava com pressa, o que significava que pegara as placas mais próximas, em vez de gastar tempo com a opção mais segura de ir pegá-las de outro carro a vários quarteirões dali.

O que queria dizer que ela estava começando a deixar uma trilha e eles poderiam usar essa trilha para encontrá-la.

Bobby devia se sentir bem com isso, mas na verdade estava se sentindo cansado. Não podia parar de pensar em como seria voltar para casa, passar pela porta e encontrar um homem com uma arma apontada para a filha. *Entregue sua arma e ninguém vai se machucar.*

Daí o mesmo homem atirando em Brian Darby três vezes antes de desaparecer com a filhinha de Tessa.

Se Bobby em algum momento passasse pela porta e encontrasse alguém com uma arma apontada para a cabeça de Annabelle, ameaçando sua esposa e filha...

Tessa devia ter ficado meio maluca com o desespero e medo. Ela teria concordado com qualquer coisa que eles quisessem, mesmo mantendo a desconfiança básica do policial. Sabendo que a cooperação nunca seria o suficiente, claro que eles a trairiam na primeira oportunidade.

Então precisava desesperadamente ficar um passo adiante. Encobrir a morte do marido para ganhar tempo. Plantar um cadáver com dentes de leite e explosivos feitos em casa como um macabro plano alternativo.

Shane tinha dito, a princípio, que Tessa ligara para ele na manhã de domingo e pedira que a espancasse. Só que agora eles sabiam que Shane provavelmente tinha sido parte do problema. Fazia sentido — um amigo "ajudando" uma amiga apenas bateria um pouco nela, não a deixaria com uma concussão que precisasse de uma noite inteira no hospital para ser tratada.

O que queria dizer que tinha sido ideia do Shane bater em Tessa. Como isso teria acontecido? *Vamos arrastar o corpo do seu marido morto da garagem para derreter. Daí eu bato em você para valer só para me divertir um pouco. Daí você chama a polícia e diz que matou o canalha do seu marido porque ele ia matar você?*

Eles certamente sabiam que ela seria presa. Shane, pelo menos, devia ter percebido como a história dela ia parecer fraca, especialmente com Sophie desaparecida e o corpo de Brian tendo sido mantido artificialmente no gelo.

Eles queriam que ela fosse presa. Eles precisavam dela na prisão.

Era tudo uma questão de dinheiro, Bobby pensou de novo. Um quarto de milhão sumido do sindicato dos *troopers*. Quem tinha roubado? Shane Lyons? Alguém mais alto na hierarquia?

Alguém esperto o bastante para perceber que cedo ou tarde eles teriam de produzir um suspeito antes que a investigação interna chegasse perto demais.

Alguém que percebesse que outra policial desacreditada, uma mulher, tinha sido vista pelas câmeras de segurança do banco — digamos, Tessa Leoni — seria o perfeito bode expiatório. Além disso, o marido dela tinha um conhecido problema com jogo, o que a tornava uma candidata ainda melhor.

Brian morrera porque seu vício descontrolado o tornava uma ameaça para todo mundo. E Tessa fora empacotada para presente com um laço e entregue para as autoridades como estratégia deles para escapar da prisão. Vamos dizer que ela roubou o dinheiro, que o marido o perdeu no jogo, e está tudo resolvido. A investigação vai ser fechada e podemos cavalgar para o pôr do sol, com 250 mil no bolso e nem um pouquinho mais sábios.

Brian morto, Tessa presa e Sophie...

Bobby não estava pronto para pensar nisso. Sophie era um risco. Talvez fosse mantida viva a curto prazo, caso Tessa não quisesse seguir o plano. Mas a longo prazo...

Tessa estava pronta para a batalha. Ela já tinha perdido um dia fazendo planos, um dia no hospital, um dia na prisão. O que queria dizer que não tinha jeito. Ela estava ficando sem tempo. Nas horas seguintes, ela ia encontrar a filha, ou morrer tentando.

Uma *trooper* solitária, enfrentando bandidos que não viam problema em invadir a casa de policiais e atirar em seus cônjuges.

Quem teria coragem de lidar com algo assim? E o acesso?

A máfia russa tinha enfiado grossos tentáculos na área de Boston. Sabia-se que eram seis vezes mais duros do que seus equivalentes italianos, e estavam rapidamente se tornando os principais jogadores em tudo que dizia respeito a corrupção, drogas e lavagem de dinheiro. Mas Bobby considerou que o quarto de milhão roubado do sindicato dos *troopers* parecia algo pequeno demais para essa gente.

Os russos preferiam riscos maiores, pagamentos maiores. Um quarto de milhão era apenas o arredondamento dos valores na maioria dos empreendimentos deles. Além disso, roubar da polícia do estado, atrair ativamente a ira de uma agência da lei poderosa...

Para Bobby isso parecia algo mais pessoal. Mafiosos não iam atrás de dinheiro do sindicato dos *troopers*. Mas poderiam, no entanto, fazer pressão para que alguém de dentro que acharia, então, que essa era a melhor forma de conseguir os fundos necessários. Alguém de dentro com acesso ao dinheiro, mas que tivesse também o conhecimento e a capacidade de visão para encobrir sua trilha...

Subitamente, Bobby compreendeu tudo. Isso o deixou horrorizado. Gelou até os ossos. E fazia todo o sentido.

Ele ergueu o cotovelo e bateu no vidro do lado do passageiro do carro estacionado. O vidro quebrou. O alarme do carro disparou. Bobby ignorou os dois sons. Estendeu a mão lá para dentro, abriu o porta-luvas e pegou o documento do carro, onde havia o número da placa que agora adornava a perua de Tessa Leoni.

Em seguida correu até a garagem onde D.D. estava, armado com nova informação e também com o alvo final deles.

# 40

As pessoas eram trazidas aqui embaixo para morrer.

Percebi isso só com o cheiro. O odor profundo, enferrujado do sangue, tão profundamente entranhado no concreto do chão que nenhuma quantidade de amoníaco ou cal conseguiria remover. Algumas pessoas tinham oficinas nos porões de suas casas. Parecia que John Stephen Purcell tinha uma câmara de tortura.

Eu precisava de uma luz geral. Isso ia acabar com minha visão noturna, mas também desorientaria qualquer bandido esperando para atacar.

Parada no degrau do alto, a mão esquerda tocando o interruptor, eu hesitei. Não sabia se queria luz naquele porão. Não sabia se queria ver.

Depois de horas de abençoado torpor, minha compostura estava começando a falhar. O cheiro. Minha filha. O cheiro. Sophie.

Eles não iam torturar uma menininha. O que teriam a ganhar? O que Sophie teria para dizer a eles?

Fechei os olhos. Apertei o interruptor. Daí fiquei ali no silêncio profundo que cai depois da meia-noite, e esperei ouvir o primeiro gemido da minha filha esperando para ser salva, ou o som apressado de um bandido correndo para atacar.

Não ouvi nada.

Abri o olho direito, contei até cinco, abri o esquerdo. O brilho da lâmpada descoberta não machucou tanto quanto eu temia. Mantive a espingarda apoiada nos braços e, com o sangue pingando do ferimento no ombro direito, comecei a descer.

Purcell mantinha o porão bem limpo. Não havia móveis ou caixas de trastes ou material de decoração de Natal para um homem na linha de trabalho dele.

O espaço aberto continha uma máquina de lavar roupa, outra de secar, uma pia e uma imensa mesa de aço. Havia canaletas nas beiradas da mesa, exatamente como as que se vê nas morgues. As canaletas levavam a uma bandeja na parte de baixo da mesa, onde era possível conectar um cano para drenar o conteúdo para a pia ali perto.

Aparentemente, quando quebrava patelas e arrancava pontas de dedos, Purcell gostava de manter tudo muito limpo. A julgar pela grande mancha rosada no chão, no entanto, era impossível impedir que gotas se espalhassem ao realizar coisas assim.

Junto da mesa de aço inoxidável havia uma velha mesinha de televisão com vários instrumentos, dispostos como em uma sala de cirurgia. Cada peça de aço inoxidável fora limpa recentemente, e uma luz no alto brilhava nas lâminas recém-afiadas.

Eu podia apostar que Purcell passava muito tempo cuidando desses instrumentos. Podia apostar que ele gostava de deixar as vítimas verem os instrumentos alinhados, a mente aterrorizada saltando adiante e fazendo metade do trabalho para ele. Daí ele as prenderia na mesa.

Imaginei que a maioria delas começaria a falar sem parar antes de ele pegar o primeiro alicate. E aposto que falar não os ajudava em nada.

Passei pela mesa, pela pia, pela lavadora e secadora. Atrás da escada encontrei uma porta que levava a uma outra sala. Fiquei de lado e estendi o braço para abrir a porta, com as costas contra a parede.

Ninguém saiu correndo dali. Nenhuma criança gritou feliz ao ver a porta abrir.

Ainda trêmula por causa da excitação, do cansaço e da fraca sensação pulsante do medo, eu me abaixei, erguendo a espingarda na altura do ombro, e entrei na sala.

Encontrei um tanque de óleo, um aquecedor de água, a caixa de fusíveis e duas estantes de plástico com vários produtos de limpeza, prendedores de plástico e rolos de corda. E uma mangueira grossa enrolada, perfeita para lavar o que restasse da sujeira.

Levantei lentamente e fiquei surpresa por perder o equilíbrio e quase desmaiar.

O chão estava molhado. Olhei para baixo, vagamente surpresa por ver uma poça do meu próprio sangue. Agora escorrendo pelo braço.

Precisava de ajuda. Devia ir para um hospital. Devia...

O quê, chamar a cavalaria?

A amargura dos meus pensamentos me trouxe de volta. Deixei o porão, voltei para a escuridão do andar térreo, mas agora acendi todas as luzes da casa.

Como desconfiava, achei um bom suprimento de material de primeiros socorros no banheiro de Purcell. Alguém na linha de trabalho dele sem dúvida esperava ter ferimentos que não poderiam ser tratados em um hospital, por isso equipara o armário de remédios de acordo.

Eu não podia tirar a blusa de gola olímpica pela cabeça. Por isso, usei a tesoura cirúrgica para cortá-la. Depois, inclinada sobre a pia, joguei água oxigenada direto no ferimento.

Eu gemi com o choque da dor, daí mordi forte meu lábio de baixo.

Se eu fosse mesmo durona, assim como, digamos, o Rambo, eu arrancaria a bala do ferimento com palitos japoneses, daí costuraria o buraco com fio dental. Eu não sabia fazer nenhuma das duas coisas, então enfiei gaze no ferimento e cobri tudo com faixas de esparadrapo cirúrgico.

Tomei três anti-inflamatórios com água, depois peguei uma camisa azul-escura de flanela no closet de Purcell. A camisa era grande demais e cheirava a amaciante de tecidos e colônia masculina. A bainha chegava no meio das minhas coxas e eu tive de enrolar as mangas para deixar as mãos livres.

Eu jamais vestira a camisa de um homem que ia matar. Aquilo me pareceu estranhamente íntimo, como se estender na cama usando o paletó do seu amante após a primeira vez que fizeram sexo.

*Eu fui longe demais*, pensei, *perdi uma parte de mim mesma*. Estava procurando minha filha, mas descobrindo um abismo que não sabia que existia dentro de mim. Sophie iria diminuir essa dor? A luz do amor dela faria essa escuridão recuar?

E isso importava? Desde que ela nasceu, eu daria minha vida pela minha filha. Então qual o problema em perder um pouco de sanidade?

Peguei a espingarda e fui para fora, onde Purcell permanecia caído junto da casa, os olhos fechados. Pensei que tinha desmaiado, mas, quando meus pés amassaram a neve, os olhos dele abriram.

O rosto estava pálido. Suor cobria o lábio superior, apesar da temperatura congelante. Ele havia perdido muito sangue. Provavelmente estava morrendo e parecia saber disso, apesar de aparentemente não ser algo que o surpreendesse.

Purcell era das épocas antigas. Viva pela espada, morra pela espada.

Isso tornaria minha missão seguinte mais difícil.

Eu me abaixei ao lado dele.

— Eu poderia levar você para o seu porão — eu disse.

Ele deu de ombros.

— Fazer você experimentar seu próprio remédio.

Ele deu de ombros novamente.

— Você está certo. Vou trazer o equipamento aqui, assim não tenho o trabalho de arrastar você até lá.

Mais um encolher de ombros. Eu desejei subitamente que Purcell tivesse uma esposa e filho. O que eu faria se tivesse? Não sei, mas desejava feri-lo tanto quanto ele havia me ferido.

Coloquei a espingarda atrás de mim, fora do alcance dele. Então peguei a faca KA-BAR com a mão esquerda.

O olhar de Purcell foi para a faca. Mas ainda assim ele não disse nada.

— Você vai morrer nas mãos de uma mulher — contei para ele, e por fim tive a satisfação de ver as narinas dele inflarem. Ego. É claro. Nada fere mais um homem do que ser suplantado por uma mulher. — Lembra do que você me disse naquela manhã na cozinha? — sussurrei. — Você disse que desde que eu cooperasse ninguém sairia ferido. Você me disse que, desde que eu lhe desse minha arma, deixaria minha família em paz. Daí você matou meu marido.

Passei a faca pela frente da camisa dele. A lâmina arrancou o primeiro botão, o segundo, o terceiro. Purcell estava vestindo uma camiseta escura por baixo, tendo sobre ela a inevitável corrente de ouro.

Enfiei a ponta da faca no alto do tecido de algodão e comecei a cortar.

Purcell olhava a lâmina com fascinação. Pude ver a imaginação dele funcionando, começando a perceber o que uma lâmina grande e bem afiada como aquela poderia fazer nele. Enquanto estava ali sentado com as mãos presas na própria casa. Desamparado. Vulnerável.

— Eu não vou matar você — eu disse, enquanto cortava a camiseta preta.

Os olhos de Purcell se arregalaram. Ele olhou para mim, incerto.

— É o que você quer, não é? Morrer na frente de combate. Um final adequado para um mafioso honrado.

Último botão da camisa. Pop. Último pedaço da camiseta. Cortado.

Usei a lâmina para afastar os tecidos. A barriga dele ela inesperadamente pálida, um pouco mais larga na cintura, mas bem definida. Ele fazia exercícios. Não era grandalhão. Talvez lutasse boxe. Ele sabia que estar em forma era importante em sua linha de trabalho. Tinha de ter músculos para carregar pessoas desacordadas lá para baixo no porão e as prender na mesa.

Precisava ter algum tamanho para pegar uma menina de seis anos que se debatia.

A faca afastou os tecidos, expondo o lado esquerdo dele. Olhei para o ombro nu, fascinada. Os pelos arrepiados por causa do frio. O modo como o mamilo formava um botão redondo sobre o coração.

— Você atirou no meu marido aqui — murmurei, e usei a faca para marcar o lugar. O sangue surgiu, formando um X vermelho perfeito na pele de Purcell. A lâmina afiada como navalha cortou com perfeição. Shane sempre levara seu equipamento muito a sério.

— Depois você atirou aqui. — Movi a lâmina outra vez. Talvez tenha cortado mais profundamente dessa vez, porque Purcell gemeu e se contorceu.

— E o terceiro tiro foi aqui. — Dessa vez, eu definitivamente fui mais fundo. Quando ergui a faca KA-BAR, o sangue subiu dos lados da faca e escorreu pela barriga de Purcell.

Sangue na neve limpa e branca.

Brian morrendo na cozinha impecavelmente limpa.

O assassino agora estava tremendo. Olhei para o rosto dele. Deixei que ele visse a morte nos meus olhos. Deixei que ele visse a matadora que havia ajudado a formar.

— O acordo é o seguinte — informei para ele. — Diga onde está minha filha e em troca eu tiro as presilhas. Não vou dar para você uma faca nem nada assim louco, mas você vai poder tentar me vencer. Talvez consiga, já que é maior, e, nesse caso, azar meu. Talvez não consiga. E, nesse caso, pelo menos você vai morrer lutando em vez de ser preso como um porco no seu próprio jardim. Você tem cinco segundos para decidir. *Um.*

— Eu não sou dedo-duro — Purcell rosnou.

Eu dei de ombros, ergui as mãos e, basicamente porque me deu vontade, cortei um cacho grande do cabelo dele.

— *Dois.*

Ele se encolheu, mas não recuou.

— Você vai me matar de qualquer jeito.

Mais um tanto do cabelo, talvez um pedaço de orelha.

— *Três.*

— Filha da puta.

— Paus e pedras podem quebrar meus ossos... — Segurei um monte de cabelo escuro no alto da testa dele. Entrando no espírito da coisa, eu puxei com força, vendo o escalpo dele se erguer. — *Quatro.*

— Eu não estou com sua filha! — Purcell explodiu. — Eu não lido com crianças. Disse isso para eles no começo, eu não lido com crianças.

— Então onde ela está?

— Você é a porcaria de policial. Não acha que devia saber?

Movi a faca. Arranquei um monte de cabelo e definitivamente parte do escalpo. O sangue borbulhou vermelho. Pingou no chão gelado, ficando rosado ao misturar com a neve.

Imaginei se eu conseguiria passar outro inverno em que quando começasse a nevar eu não tivesse vontade de vomitar.

Purcell uivou, lutando contra as presilhas.

— Você confiou nas pessoas erradas. E agora vem me machucar? Eu fiz um favor para você! Seu marido era ruim. Seu amigo policial ainda pior. Como acha que eu entrei na sua casa, sua vaca idiota? Acha que seu marido simplesmente me deixou entrar?

Eu parei. Olhei para ele. E percebi, naquele instante, a peça do quebra-cabeça que estava faltando. Eu estava tão chocada com o trauma da manhã de sábado que não pensei na logística da coisa. Não analisei a cena como um policial.

Por exemplo, Brian já sabia que estava encrencado. Os músculos dele, o fato de ter comprado a Glock .40. O nervosismo e falta de paciência. Ele sabia que tinha ido longe demais. E não, ele nunca abriria a porta para alguém como John Stephen Purcell, especialmente com Sophie em casa.

*Só que Sophie não estava em casa quando voltei.*

Ela já tinha sido levada. Purcell estava na cozinha, apontando uma arma para Brian. Sophie já havia sido levada, por uma segunda pessoa que devia ter ido com Purcell. Alguém que Brian receberia sem problemas. Alguém que tinha acesso à pensão dos *troopers*. Que conhecia Shane. Que tinha poder o bastante para controlar todos os envolvidos.

Meu rosto deve ter ficado pálido, porque Purcell começou a rir. O som vinha do fundo do peito dele.

— Está vendo? Eu digo a verdade — ele grunhiu. — Eu não sou o problema. Os homens na sua vida é que são.

Purcell riu novamente, o sangue pingando pelo rosto dele e fazendo com que parecesse tão louco quanto eu me sentia. Éramos duas peças na engrenagem, percebi abruptamente. Soldados na guerra, para serem usados, abusados e traídos pelos generais envolvidos.

Outros tomavam as decisões. Nós só pagávamos o preço.

Coloquei a faca atrás de mim, junto da espingarda. Meu braço direito pulsava. Usá-lo tanto havia feito o ferimento começar a sangrar outra vez. Eu sentia o molhado escorrendo pelo braço. Mais manchas rosadas na neve.

Não faltava muito agora, eu sabia. E como Purcell, não estava com medo. Estava resignada com meu destino.

— *Trooper* Lyons está morto — eu disse.

Purcell parou de rir.

— Acontece que você o matou faz duas horas.

Purcell comprimiu os lábios. Ele não era idiota.

Tirei da parte de trás da cintura da calça uma semiautomática .22 que tinha encontrado presa com fita adesiva atrás do tanque de água da privada no banheiro de Purcell. Uma simples arma de reserva para alguém como ele, mas mesmo assim daria conta do trabalho.

— Estou supondo que essa seja uma arma do mercado negro — declarei. — Com o número de série raspado. Não pode ser identificada.

— Você prometeu uma luta justa — Purcell disse subitamente.

— E você prometeu deixar meu marido em paz. Parece que somos os dois mentirosos. — Eu me aproximei dele. — Quem você ama? — sussurrei para a neve ensanguentada.

— Ninguém — ele respondeu cansado. — Nunca amei.

Eu assenti, sem surpresa. Daí atirei nele. Dois tiros na têmpora direita, um típico trabalho do mundo dos bandidos. Em seguida peguei a faca KA-BAR e escrevi "dedo-duro" no peito do homem morto. Tinha de encobrir os três X que tinha feito antes, que levariam um detetive esperto como D.D. Warren direto até minha porta.

Meu rosto parecia estranho. Duro. Triste, até para mim. Forcei-me a lembrar do porão impecável com cheiro de alvejante e sangue, da dor que Purcell teria me infligido cheio de alegria, se eu tivesse dado uma chance. Mas não ajudou. Eu devia ser uma policial, não uma matadora. E cada ato de violência me tirava algo que eu não recuperaria mais.

Mas segui em frente, porque, como qualquer mulher, eu era boa com dores autoinfligidas.

Detalhes finais: peguei a Glock .40 do Brian na minha sacola e apertei a mão direita de Purcell na coronha para transferir as digitais. A .22 de Purcell ficou na minha sacola, para ser jogada no primeiro rio por onde eu passasse. A Glock .40 foi colocada no interior da casa de Purcell, presa com fita adesiva atrás da caixa de água da privada, como ele havia feito com sua arma de reserva.

Algum tempo depois de o sol nascer, a polícia descobriria o corpo de Purcell preso junto da casa, obviamente torturado, agora morto. Revistariam a casa dele, iam encontrar o porão, e isso responderia metade das perguntas — um sujeito na linha de trabalho de Purcell costumava morrer de forma ruim.

Ao revistar a casa de Purcell, eles também encontrariam a Glock .40 do Brian. A balística confirmaria que o projétil que matou o policial Shane Lyons saíra daquela arma, gerando a teoria de que Purcell uma vez entrara em minha casa e roubara a arma do meu marido, e depois a usara para matar um *trooper* estadual altamente respeitado.

O assassinato de Purcell ficaria em segundo plano — só mais um bandido que encontrara uma morte violenta. Shane seria enterrado com honras e a família dele receberia os benefícios.

A polícia procuraria a arma que matou Purcell, é claro. Ficaria pensando sobre o assassinato dele. Mas nem todas as perguntas eram para ser respondidas.

Assim como nem todas as pessoas merecem confiança.

Às 13h17 da madrugada eu me levantei e fui cambaleando até a perua. Tomei duas garrafas de água e comi duas barras energéticas. O ombro direito ardia. Meus dedos formigavam. Tinha uma sensação de vazio nas entranhas. Um curioso torpor nos lábios.

Saí para a estrada outra vez, a espingarda de cano curto do meu lado, as mãos ensanguentadas na direção.

Sophie, aqui vou eu.

---

# 41

— É o Hamilton — Bobby disse, puxando D.D. para fora da oficina de Leoni e começando a correr para o carro.

— Hamilton? — D.D. estreitou os olhos. — O tenente-coronel da Polícia Estadual?

— Sim. Ele teve acesso, oportunidade e conhecia todos envolvidos. Talvez o problema de jogo do Brian tenha iniciado a coisa, mas Hamilton é o cérebro da operação. *Rapazes, vocês precisam de dinheiro? Eu sei onde tem um grande monte de dinheiro, só lá parado...*

— Entre ele e Shane... — D.D. murmurou. Ela assentiu, sentindo a primeira pontada de excitação. Um nome, um suspeito, um alvo. Ela entrou no carro e Bobby se afastou do meio-fio, acelerando na direção da rodovia.

— Sim — ele disse agora. — Foi fácil resolver os problemas logísticos de montar uma companhia de fachada, com Hamilton dando as ordens de forma a encobrir suas pistas. Mas, claro, todas as coisas boas têm de acabar.

— Assim que a investigação interna começou...

— Os dias deles estavam contados — Bobby completou para ela. — Eles teriam investigadores do estado farejando ao redor, além do quê, graças a Shane e Brian continuarem a jogar excessivamente, também teriam muitos bandidos querendo um pedaço do bolo. Hamilton, é claro, ficou preocupado. E Brian e Shane deixaram de ser parceiros no crime para se tornarem problemas altamente descartáveis.

— Hamilton matou Brian, daí sequestrou Sophie para Tessa confessar ter atirado no próprio marido e depois ser acusada de roubar o sindicato dos *troopers*? — D.D. contraiu o cenho e depois acrescentou: — Ou um matador cuidou disso. O tipo de mafioso que Brian já havia irritado. O tipo de sujeito que concordaria em fazer mais um serviço sujo para ter seu dinheiro de volta.

— O tipo de sujeito que enviaria fotos da família de Shane como garantia — Bobby concordou.

— Esse é o problema com os chefões — D.D. disse balançando a cabeça. — Eles têm grandes ideias, mas não gostam de sujar as mãos na implementação delas. — Ela hesitou. — Seguindo essa lógica, onde está Sophie? Hamilton se arriscaria a ficar pessoalmente com uma menina de seis anos?

— Não sei — Bobby disse. — Mas estou apostando que, se cairmos sobre ele como uma tonelada de tijolos, podemos descobrir isso. Ele deve estar no centro, na cena da morte do Lyons, junto com o coronel e outros chefes.

D.D. assentiu, daí subitamente agarrou o braço de Bobby.

— Ele não está lá. Aposto o que você quiser.

— Por que não?

— Porque Tessa está solta. Nós sabemos disso. Ele sabe disso. Além do mais, ele já sabe que a espingarda e o rifle M4 do *trooper* Lyons estão desaparecidos. O que significa que Tessa está armada, é perigosa e está desesperada para encontrar a filha.

— Ele está fugindo — Bobby completou — da polícia dele mesmo. — Mas então foi a vez dele de balançar a cabeça. — Não, não um sujeito com tanta experiência e astúcia quanto Hamilton. A melhor defesa é um bom ataque, certo? Ele está indo pegar Sophie. Se ela ainda estiver viva, ele vai pegá-la. Ela é a única ficha que resta para ele barganhar.

— Então onde está Sophie? — D.D. perguntou novamente. — Temos um Alerta Âmbar em todo o estado há três dias. A foto dela aparece a toda hora na televisão, a descrição dela no rádio. Se a menina estivesse por aqui, nós teríamos uma pista a essa altura.

— O que quer dizer que ela está bem escondida — Bobby concluiu. — Uma área rural, sem vizinhos próximos. Com alguém com ordens para a vigiar o tempo todo. Então é um lugar de difícil acesso, mas bem suprido. Um lugar que Hamilton tem certeza de que não será descoberto.

— Ele nunca esconderia Sophie na própria casa — D.D. disse. — Seria perto demais dele. Talvez ela esteja na casa de um amigo de um amigo? Ou numa segunda casa dele? Vimos fotos dele caçando. Ele tem uma cabana de caça ou algo assim?

Bobby sorriu subitamente.

— Bingo. Hamilton tem uma cabana de caça perto de Mount Greylock, no oeste do estado. A duas horas e meia do quartel-general, no sopé das Berkshires. Isolada, fácil de vigiar e longe o bastante para garantir a ele uma boa chance de negar. Apesar de ser o dono do lugar, ele pode dizer que faz tempo que não vai lá, especialmente considerando toda a atividade que requeria sua atenção em Boston.

— Você sabe chegar lá? — D.D. perguntou imediatamente.

Bobby hesitou.

— Estive lá duas vezes, mas faz anos. Às vezes ele convida *troopers* para um fim de semana de caça, esse tipo de coisa. Posso lembrar das estradas...

— Phil — D.D. falou, pegando o celular. — Vá para a Pike. Eu arrumo o endereço depois.

Bobby acendeu as luzes giratórias, acelerando na direção da Mass Pike, o caminho mais rápido para cruzar o estado. D.D. ligou para o quartel-general do DPB. Já passava da meia-noite, mas ninguém na força policial de Boston estava dormindo naquela noite: Phil atendeu ao primeiro toque.

— Você ouviu sobre o *trooper* Lyons? — Phil disse à guisa de alô.

— Já estivemos lá. Tenho um pedido delicado para você. Quero um levantamento geral sobre Gerard Hamilton. Procure sob os nomes dos familiares também. Quero saber todos os endereços de propriedades e, depois disso, um levantamento completo de finanças dele.

Houve uma pausa.

— Você está falando do tenente-coronel da Polícia do Estado? — Phil perguntou com cuidado.

— Falei que era algo delicado.

D.D. ouviu um som de teclas. Os dedos de Phil, voando pelo teclado do computador.

— Hummm, se quiser informação não oficial, que não chega nem ao nível de conversa na hora do café, e é mais do tipo fofoca de urinol... — Phil começou, sem parar de digitar.

— Pode dizer — D.D. incentivou.

— Parece que Hamilton tem uma amante. Uma italiana muito fogosa.

— Nome?

— Não tenho ideia. O sujeito só mencionou o... *derrière* dela.

— Homens são porcos.

— Pessoalmente, eu sou um porco apaixonado pela minha esposa e quero que ela sobreviva aos nossos quatro filhos, então não olhe para mim.

— Verdade — D.D. concedeu. — Comece a cavar, Phil. Conte-me o que eu precisar saber, porque achamos que ele está com Sophie Leoni.

D.D. desligou. Estavam chegando à saída para a Mass Pike a mais de 100 por hora e passaram pelo acesso cantando pneus. As estradas estavam finalmente livres da neve e não havia muito tráfego nessa hora da noite. Bobby chegou a 150 na rodovia larga e plana, seguindo para oeste. Tinham de cobrir 200 quilômetros, mais ou menos, D.D. pensou, e não dava para ir nessa velocidade o tempo todo. Duas horas, ela decidiu. Duas horas até finalmente resgatar Sophie Leoni.

— Você acha que ela é uma boa policial? — Bobby perguntou subitamente.

D.D. não precisou perguntar sobre quem ele estava falando.

— Não sei.

Bobby desviou os olhos da estrada apenas o bastante para olhar rapidamente para ela.

— Até onde você iria? — ele perguntou suavemente, os olhos descendo para o ventre dela. — Se fosse sua filha, até onde você iria?

— Espero nunca ter de descobrir.

— Porque eu mataria eles todos — Bobby declarou em tom neutro, as mãos comprimindo e relaxando na direção. — Se alguém ameaçasse a Annabelle e sequestrasse a Carina. Não haveria munição suficiente nesse estado para o que eu faria com eles.

D.D. não duvidou nem por um instante, mas ainda assim balançou a cabeça.

— Não é certo, Bobby — ela disse calmamente. — Mesmo se você for provocado, mesmo se for o outro sujeito quem começou... Criminosos recorrem à violência. Nós somos policiais. Supostamente sabemos qual é a forma correta de agir. Se não conseguimos agir da forma correta... bem, então, quem conseguiria?

Eles viajaram em silêncio depois disso, escutando o grunhido gutural do motor acelerado ao máximo e vendo as luzes da cidade piscarem como raios.

*Sophie*, D.D. pensou, *aqui vamos nós.*

# 42

O tenente-coronel Gerard Hamilton era meu oficial comandante, mas eu não poderia dizer que o conhecia bem. Para começar, ele estava vários níveis acima de mim na hierarquia. Além disso, ele é um daqueles que gosta da companhia dos iguais. Quando se reunia com *troopers*, era com Shane, e ele costumava incluir o colega de crimes de Shane, meu marido Brian.

Eles iam assistir a jogos do Red Sox, saíam para fins de semana de caça, ou uma ida ao Foxwoods.

Pensando bem, tudo fazia sentido. As pequenas excursões do Shane. Meu marido indo junto. E Hamilton também.

O que quer dizer que, quando Brian começou a jogar demais, ir mais para o fundo... Quem sabia que ele precisava desesperadamente de dinheiro? Quem conhecia outra opção para ficar rico bem depressa? Quem estaria na posição perfeita para se aproveitar da fraqueza do meu marido?

Shane nunca fora grande no departamento cerebral. Já o tenente-coronel Hamilton... Ele saberia como conduzir Shane e Brian. Tirar um pouco aqui, depois ali. É incrível como as pessoas conseguem racionalizar a realização de coisas ruins quando tudo começa bem pequeno.

Por exemplo, eu não planejava matar Shane quando saí da prisão, nem assassinar um matador de aluguel chamado John Stephen Purcell, ou dirigir em uma noite gelada até a cabana de caça do meu oficial superior com uma espingarda de cano curto no colo.

Talvez Brian e Shane tivessem dito um ao outro que estavam apenas "emprestando" aquele dinheiro. Como representante do sindicato, Shane sabia tudo sobre as pensões e fundos disponíveis. Hamilton provavelmente sabia como ter acesso, que tipo de companhia de fachada seria mais adequada para roubar o dinheiro. Entre os conhecidos dele, provavelmente era questão de fazer apenas um telefonema.

Eles montariam uma companhia de fachada e estariam prontos, fazendo cobranças do sindicato, embolsando o dinheiro e indo jogar.

Por quanto tempo eles planejavam seguir com isso? Um mês? Seis meses? Um ano? Talvez não tivessem planejado isso. Talvez isso não importasse para eles no momento. Finalmente, claro, a auditoria interna descobriu a fraude e iniciou uma investigação. Infelizmente para Brian e Shane, assim que a investigação começou, ela não terminaria até que conseguissem respostas.

Foi então que Hamilton decidiu me transformar no bode expiatório? Ou isso foi consequência do efeito dominó? Quando, depois de roubar do sindicato dos *troopers*, Brian e Shane continuaram a não ter dinheiro, emprestando das pessoas erradas até eles terem investigadores internos e também gente da máfia atrás deles?

Em algum ponto Hamilton tinha percebido que Shane e Brian poderiam quebrar sob pressão, poderiam confessar seus crimes para salvar seus pescoços e o entregariam numa bandeja de prata.

Dos dois, Brian era certamente o risco maior. Talvez Hamilton tivesse negociado um acerto final com a máfia. Ele pagaria os débitos de Brian e Shane. Em troca, eles eliminariam Brian e ajudariam a jogar a culpa em mim.

Shane permaneceria vivo, mas aterrorizado demais para falar, enquanto Hamilton e seus capangas manteriam os ganhos ilícitos.

Brian estaria morto. Eu estaria na prisão. Sophie... bem, depois que tivéssemos feito tudo que eles pediram, eles não precisariam mais dela, não é?

Minha família estaria destruída, pela sobrevivência de Shane e pela ganância de Hamilton.

A raiva me manteve acordada enquanto dirigi para oeste por três horas, indo para Adams, Massachusetts, onde sabia que Hamilton tinha uma segunda casa. Eu tinha estado lá uma vez, para um churrasco, no outono, fazia alguns anos.

Lembro que a cabana de troncos era pequena e isolada. Perfeita para caminhadas, para caçar e para esconder uma criança pequena.

Os dedos da minha mão direita não funcionavam mais. O sangramento finalmente diminuíra, mas acho que a bala havia danificado tendões, talvez até nervos. Agora a inflamação tinha acentuado ainda mais o ferimento e eu não conseguia fechar a mão em um punho. Nem apertar um gatilho.

Teria de prosseguir só com a mão esquerda. Com alguma sorte, Hamilton não estaria por lá. Um dos homens dele tinha sido morto na linha de frente naquela noite, o que queria dizer que Hamilton deveria estar em Allston-Brighton, cuidando dos assuntos oficiais.

Eu estacionaria no final da longa estrada de terra que ia até a cabana. Seguiria pelo mato, levando a espingarda, que conseguiria disparar com a mão esquerda da altura do quadril. A mira não seria boa, mas essa era a vantagem de uma espingarda de cano curto, a área de impacto era tão grande que a mira não precisava mesmo ser boa.

Eu observaria a cabana, ensaiei em minha mente. Ela estaria deserta. Usaria a coronha da espingarda para quebrar a janela. Entraria, encontraria minha filha dormindo em um quarto escuro.

Eu a resgataria e íamos fugir juntas. Talvez para o México, apesar de que o sensato seria ir direto para o quartel-general do DPB. Sophie testemunharia que Hamilton a sequestrara. Mais investigações sobre os negócios do tenente-coronel revelariam um saldo bancário muito maior do que poderia ser. Hamilton seria preso. Sophie e eu ficaríamos em segurança.

Seguiríamos adiante com nossa vida e não teríamos mais medo. Um dia, ela pararia de perguntar sobre Brian. E um dia eu pararia de lamentar a morte dele.

Eu precisava acreditar que seria assim fácil.

Doeria demais se fosse de outra forma.

Eram 4h32 da manhã, encontrei a estradinha de terra que levava até a cabana de Hamilton. Às 4h41, saí da estrada e parei atrás de um arbusto coberto de neve.

Desci do carro.

Pensei ter sentido o cheiro de fumaça.

Ergui a espingarda.

E ouvi minha filha gritar.

---

# 43

Bobby e D.D. tinham acabado de sair da Mass Pike na faixa escura que era a US 20 quando o celular dela tocou. O barulho alto assustou D.D. e a fez sair do estado semiadormecido. Ela apertou o botão para atender, levou o telefone até o ouvido. Era Phil.

— D.D., vocês ainda estão indo para oeste?

— Já estamos aqui.

— Certo. Hamilton tem duas propriedades. A primeira é em Framingham, perto do Q.G. Estou assumindo que seja a residência primária dele, pois está listada como propriedade de Gerard e Judy Hamilton. Mas a outra, em Adams, está só no nome dele.

— Endereço? — D.D. perguntou com intensidade.

Phil falou depressa.

— Mas escute isto: o escâner da polícia acaba de receber um aviso de fogo residencial em Adams, perto da Reserva Estadual de Mount Greylock. Será coincidência? Ou será a cabana de Hamilton que está pegando fogo?

— Merda! — D.D. ergueu-se no banco, completamente desperta. — Phil, chame as autoridades locais. Quero apoio. Polícia do condado e da cidade, mas não *troopers* estaduais. — Bobby olhou para ela, mas não disse nada. — Agora! — ela exclamou com urgência, terminando a ligação, e então digitou o endereço de Hamilton no sistema de navegação da viatura.

— Phil conseguiu o endereço, que aparentemente fica perto do local de um incêndio.

— Mas que droga! — Bobby deu um soco na direção. — Hamilton já chegou lá e está encobrindo as pistas!

— Mas não vai conseguir se tivermos algo a dizer a respeito.

# 44

Sophie gritou outra vez, e eu entrei em ação. Peguei a espingarda e o rifle, enfiando cartuchos e cápsulas de munição .223 nos bolsos da calça. Os dedos da mão direita estavam lentos, derrubando mais munição no chão coberto de neve do que colocando no bolso. Eu não tinha tempo para pegar o que caiu. Segui adiante, confiando na adrenalina e no desespero para terminar o trabalho.

Carregando o peso do pequeno arsenal de armas e munição, entrei pela floresta coberta de neve, avançando na direção do cheiro de fumaça e o som da minha filha.

Mais um grito. E um adulto praguejando. O som de chiado de madeira verde pegando fogo.

A cabana ficava bem adiante. Fui de árvore em árvore, lutando para apoiar os pés na neve fresca, respirando depressa. Não sabia quantas pessoas estavam ali. Precisava da vantagem da surpresa se era para Sophie e eu escaparmos disso. Não deixar que vissem minha posição, encontrar um ponto mais alto.

Meu treinamento profissional dizia para realizar uma aproximação estratégica, enquanto meus instintos maternos gritavam para correr e pegar minha filha *agora, agora, agora.* O ar ficou mais denso com a fumaça. Tossi, sentindo os olhos arderem quando finalmente cheguei ao alto de um pequeno monte do lado esquerdo da propriedade. Vi a cabana de Hamilton em chamas e minha filha brigando com uma mulher que vestia uma parca negra pesada. A mulher tentava arrastar Sophie para uma SUV parada ali. Minha filha, vestindo nada além do pijama cor-de-rosa que usava quando a coloquei na cama quatro noites atrás e ainda abraçando sua boneca favorita, Gertrude, lutava selvagemente.

Sophie mordeu o pulso exposto da mulher. Ela recolheu o braço e deu um tapa em Sophie. A cabeça de minha filha balançou para o lado. Ela caiu para trás na neve, tossindo muito por causa da fumaça.

— Não, não, não — minha filha gritava. — Me larga! Eu quero minha mãe, *eu quero minha mãe*!

Espingarda no chão — não podia arriscar atingir minha filha já que estava tão próxima do alvo. Peguei o rifle, lutei para tirar um pente do meu bolso esquerdo. Sempre carregue um pente de M4 deixando dois espaços vazios para garantir o funcionamento perfeito, dizia meu treinamento policial.

Mate eles todos, rugia meu instinto materno.

Ergui o rifle, engatilhei o primeiro projétil.

O sangue começou a escorrer do meu ombro. Os dedos insensíveis lutando para encontrar o gatilho.

A mulher aproximou-se de Sophie.

— Entre no carro, sua menina imbecil! — ela berrou.

— Me larga!

Mais um grito. Outro tapa.

Apoiando a coronha do rifle em meu ombro ferido, mirando na mulher de cabelo escuro que batia na minha filha.

Sophie chorando, os braços protegendo a cabeça, tentando bloquear os tapas.

Eu saí da floresta, aproximando-me das duas.

— Sophie! — gritei no meio da noite acre. — Sophie! *Corra!*

Como eu esperava, o som inesperado da minha voz chamou a atenção delas. Sophie se virou. A mulher levantou subitamente, tentando descobrir onde estava a intrusa.

Ela olhou direto para mim.

— Quem é...

Apertei o gatilho.

Sophie não olhou para trás. Para o corpo que desabou subitamente, para a cabeça que explodiu com o impacto brutal de um projétil .223 e se transformou numa massa vermelha na neve.

Minha filha não olhou para trás. Ela ouviu minha voz e correu para mim.

No momento que uma arma encostou em meu ouvido e Gerard Hamilton disse:

— Vaca filha da puta.

D.D. e Bobby seguiram o sistema de GPS através de um labirinto de estradas rurais, até chegarem a uma estrada de terra estreita cheia de caminhões vermelhos e bombeiros de feições sérias. Bobby desligou os faróis. Ele e D.D. saltaram do carro, mostrando seus documentos.

As notícias eram curtas e ruins.

Os bombeiros chegaram bem a tempo de ouvir gritos seguidos por tiros. A residência ficava 200 metros acima, cercada de floresta. A julgar pela fumaça e calor, a casa estava tomada pelas chamas. Os bombeiros estavam esperando a polícia controlar o local para poderem ir até lá trabalhar. Esperar não era algo em que eles fossem bons, especialmente quando um deles jurava que os gritos eram de uma criança.

Bobby disse para D.D. ficar no carro.

Em resposta, D.D. foi até a traseira da viatura dela, onde colocou o colete de Kevlar e pegou sua carabina de cano curto. Entregou o rifle para Bobby. Afinal de contas, ele era um ex-atirador de elite.

Ele olhou feio para ela.

— Eu vou na frente. Reconhecimento — declarou em tom duro.

— Dou seis minutos — ela disse em um tom equivalente.

Bobby colocou o colete, carregou a M4 e foi até a entrada da propriedade em terreno muito inclinado. Trinta segundos depois, ele desaparecia na floresta coberta de neve. E três minutos depois, D.D. seguiu atrás dele.

Mais sirenes a distância.

A polícia local finalmente chegava à cena.

D.D. concentrou-se em seguir os passos de Bobby.

Fumaça, calor, neve. Um inferno de inverno.

Era hora de encontrar Sophie. Estava na hora de terminar esse trabalho.

Hamilton arrancou o rifle do meu braço ferido. O M4 saiu facilmente das minhas mãos, caindo no chão. Ele o pegou. A espingarda estava aos meus pés. Ele ordenou que eu a pegasse e a entregasse.

Do alto do morrinho, eu podia ver Sophie correndo para mim, atravessando a propriedade embaixo, emoldurada por árvores cobertas de branco e as chamas vermelhas.

Enquanto o cano da arma de Hamilton comprimia o ponto sensível por trás da minha orelha.

Comecei a me abaixar. Hamilton se afastou dois centímetros para me dar espaço, e eu me joguei sobre ele, gritando com toda força:

— Sophie, saia daqui! Vá para o mato. Saia, saia, saia!

— Mamãe! — ela gritou, a 100 metros de mim.

Hamilton bateu em mim com a Sig Sauer. Eu caí, o braço direito ficando por baixo. Mais dor forte. Talvez o som de algo quebrando. Eu não tive tempo de me recuperar. Hamilton bateu de novo, erguendo-se sobre mim, cortando minha face, minha testa. O sangue cobriu meu rosto, cegando os olhos enquanto eu me enrolava em posição fetal na neve.

— Você devia ter feito o que mandaram! — ele gritou. Ele estava usando o uniforme de gala, incluindo o casaco de lã até os joelhos, o chapéu de aba larga puxado sobre os olhos. Provavelmente havia se vestido quando recebeu a notícia de que um de seus homens havia morrido na linha de frente. Depois, quando percebeu que se tratava de Shane, que eu tinha escapado, e continuava solta...

Ele veio pegar minha filha. Vestido no uniforme de gala de tenente--coronel da Polícia Estadual de Massachusetts, ele veio ferir uma criança.

— Você era uma policial treinada — ele bradou, imenso sobre mim, bloqueando as árvores, o fogo, o céu da noite. — Se você tivesse feito o que mandaram, ninguém teria sido ferido!

— Exceto o Brian — eu consegui balbuciar. — Você arranjou a morte dele.

— O problema dele com o jogo estava fora de controle. Eu fiz um favor para você.

— Você sequestrou minha filha. Você me mandou para a prisão. Só para ganhar alguns dólares.

Em resposta, meu oficial superior me chutou com toda a força no rim esquerdo, o tipo de chute que me faria urinar sangue, assumindo que eu sobrevivesse.

— Mamãe, mamãe! — Sophie gritou novamente. Percebi com horror que a voz dela estava mais próxima. Ela ainda corria na minha direção, subindo o banco de neve.

*Não*, eu queria gritar. *Salve-se, vá embora daqui.*

Mas minha voz não funcionava mais. Hamilton havia tirado todo o ar dos meus pulmões. Meus olhos ardiam com a fumaça, as lágrimas escorrendo pelo rosto enquanto eu ofegava e afundava na neve. O ombro queimava. O estômago tinha cãibras.

Pontos negros dançavam na minha frente.

Eu tinha de me mover. Tinha de levantar. Tinha de lutar. Por Sophie.

Hamilton ergueu o pé novamente. Ele ia me chutar no peito. Dessa vez, baixei o braço esquerdo, peguei o pé dele no meio do chute e rolei. Pego despreparado, Hamilton foi jogado para frente, caindo sobre um joelho na neve.

Então ele parou de bater em mim com a Sig Sauer e em vez disso atirou.

O som me ensurdeceu. Senti um calor terrível imediatamente, seguido por uma dor imensa. Meu lado esquerdo. Minha mão caindo, agarrando a cintura, enquanto os olhos subiam, na direção do meu oficial superior, um homem em quem eu fora treinada a confiar.

Hamilton parecia atordoado. Talvez até um pouco trêmulo, mas ele se recuperou depressa, o dedo novamente no gatilho.

Nesse momento Sophie chegou ao alto do morro e nos viu.

Eu tive uma visão. O rosto pálido e doce da minha filha. O cabelo em um mar selvagem de nós. Os olhos de um azul brilhante quando nos olhamos. Então ela correu, da forma como apenas uma criança de seis anos pode correr, e Hamilton não existia para ela e a floresta não existia para ela nem o fogo assustador, ou a ameaça da noite ou os terrores desconhecidos que a deviam ter atormentado durante dias.

Ela era uma menina que finalmente encontrava a mãe e ela correu direto para mim, uma das mãos agarrando Gertrude, o outro braço afastado do corpo quando ela se jogou em cima de mim e eu gemi com a dor e a alegria que jorrou em meu peito.

— Eu te amo, te amo, te amo — eu exalei.

— Mamãe, mamãe, mamãe, mamãe, mamãe.

— Sophie, Sophie, Sophie...

Pude sentir as lágrimas dela quentes em meu rosto. Doeu, mas ainda assim ergui a mão, segurando a cabeça dela. Olhei para Hamilton e puxei minha filha para mais perto.

— Sophie — sussurrei, sem tirar os olhos dele —, feche os olhos.

Minha filha me abraçou, duas metades de um inteiro, finalmente juntas outra vez.

Ela fechou os olhos.

E eu disse, na voz mais clara que consegui produzir:

— Vá em frente.

A escuridão atrás de Hamilton se materializou na forma de um homem. Com meu comando, ele ergueu o rifle. No momento que Hamilton colocou o cano da Sig Sauer na minha têmpora.

Concentrei-me na sensação de ter minha filha comigo, o peso do corpo dela, a pureza do amor dela. Algo para me levar para o abismo.

— Você devia ter feito o que eu disse — Hamilton bradou acima de mim.

E, no próximo bater do coração, Bobby Dodge apertou o gatilho.

---

# 45

Quando D.D. chegou no alto do morro, Hamilton estava caído e Bobby se encontrava abaixado do lado do corpo do tenente--coronel. Ele ergueu o rosto ao ouvi-la chegar e fez que não com a cabeça uma vez.

Então ela escutou alguém chorando.

Sophie Leoni. Levou um segundo para D.D. ver a forma pequena e cor-de-rosa da menina. Ela estava no chão, cobrindo outra figura escura, os braços magros envolvendo o pescoço da mãe enquanto soluçava sem parar.

Bobby ajoelhou-se junto das duas enquanto D.D. se aproximava. Ele colocou a mão no ombro de Sophie.

— Sophie — ele disse calmamente. — Sophie, quero que você olhe para mim. Eu sou da polícia do estado, como a sua mãe. Estou aqui para ajudá-la. Por favor olhe para mim.

Sophie por fim ergueu o rosto marcado pelas lágrimas. Ela viu D.D. e abriu a boca como se fosse gritar. D.D. balançou a cabeça.

— Está tudo bem, está tudo bem. Meu nome é D.D. Eu sou amiga da sua mãe também. Sua mãe nos trouxe para cá para ajudar vocês.

— O chefe da mamãe me pegou — Sophie disse claramente. — O chefe da mamãe me deu para a mulher má. Eu disse não. Eu disse que queria ir para casa! Eu disse que queria minha mãe!

O rosto dela desmontou outra vez. Ela começou a chorar, dessa vez sem som, ainda agarrada ao corpo imóvel da mãe.

— Nós sabemos — D.D. disse, abaixando-se junto delas, colocando a mão nas costas da menina. — Mas o chefe da sua mãe e a mulher má não podem mais machucar você, está bem, Sophie? Nós estamos aqui e você está em segurança.

A julgar pela expressão de Sophie, ela não estava acreditando neles. D.D. não podia condená-la por isso.

— Você está machucada? — Bobby perguntou.

A menina fez que não.

— E quanto a sua mãe? — D.D. perguntou. — Podemos olhar, ver se ela está bem?

Sophie moveu-se um pouco para o lado, o suficiente para D.D. conseguir ver a mancha escura do lado esquerdo da camisa escura de flanela de Tessa, a mancha vermelha na neve. Sophie também viu. O lábio inferior da menina começou a tremer. Ela não disse uma palavra. Apenas se deitou na neve ao lado da mãe inconsciente e segurou a mão dela.

— Volte, mamãe — a menina pediu. — Eu te amo. Volte.

Bobby saiu correndo morro abaixo para chamar os socorristas. Enquanto D.D. tirava seu casaco e o usava para cobrir mãe e filha.

Tessa recuperou a consciência quando os socorristas estavam para colocá-la na ambulância. Os olhos abriram subitamente, ela ofegou buscando ar, então tateou em volta, desesperada. Os socorristas tentaram segurá-la. D.D. fez a coisa sensata, pegou Sophie e a ergueu e a colocou na beirada da maca.

Tessa agarrou o braço da filha, apertando com força. D.D. achou que Tessa devia estar chorando, ou talvez as lágrimas estivessem nos seus próprios olhos. Ela não sabia dizer.

— Eu te amo — Tessa sussurrou para a filha.

— Amo mais você, mamãe. Amo mais você.

Os socorristas não deixaram Sophie ficar na maca. Tessa precisava de cuidados imediatos e a criança só ficaria no caminho. Depois de uma negociação de 30 segundos, foi determinado que Sophie iria na frente da ambulância, enquanto cuidavam da mãe dela atrás. Os socorristas, movendo-se depressa, começaram a empurrar a menina para frente.

Ela deu a volta neles e correu de volta até a mãe, e colocou algo do lado dela, daí voltou correndo para o assento do passageiro na cabine.

Quando D.D. olhou novamente, a boneca com um olho só de Sophie estava colocada ao lado da forma imóvel de Tessa. Os socorristas a embarcaram.

A ambulância partiu.

D.D. ficou no meio da neve na madrugada, a mão pousada no próprio ventre. Ela sentia o cheiro de fumaça. E o gosto das lágrimas.

Olhou para a floresta, onde o fogo agora virara cinzas. A última tentativa de Hamilton de encobrir sua pista, que havia custado a vida dele e da companheira.

D.D. queria se sentir triunfante. Tinham salvado a menina, tinham vencido o inimigo malvado. Agora, exceto por alguns dias de papelada torturante, eles estariam cavalgando para o pôr do sol.

Não era suficiente.

Pela primeira vez em uma dúzia de anos, D.D. Warren chegara à conclusão bem-sucedida de um caso, e isso não bastava. Ela não tinha vontade de relatar as boas-novas para os chefes, ou de fornecer respostas autogratificantes para a imprensa, nem mesmo de tomar algumas cervejas com o pessoal da força-tarefa.

Ela queria ir para casa. Queria se enrodilhar ao lado de Alex e sentir o cheiro da loção pós-barba dele, e sentir o conforto familiar dos braços dele ao seu redor. E queria, que os céus a ajudassem, ainda estar ao lado dele na primeira vez que o bebê se movesse, e olhar nos olhos dele quando sentisse a primeira contração, e segurar a mão dele quando o bebê viesse ao mundo.

Ela queria uma menininha ou menininho que a amasse tanto quanto Sophie Leoni obviamente amava a mãe. E queria devolver aquele amor multiplicado por dez, sentir que ficava maior e maior a cada ano, da forma que Tessa tinha dito.

D.D. queria uma família.

Ela teve de esperar dez horas. Bobby não podia trabalhar, já que usara de força mortal, e agora tinha de ficar de lado e esperar a chegada da equipe de investigação de disparos de armas de fogo, que investigaria formalmente o incidente. O que queria dizer que D.D. estava sozinha ao notificar o chefe sobre os últimos acontecimentos, daí isolar a cena e começar a processar os arredores, enquanto esperava que as brasas esfriassem. Mais policiais e mais técnicos em evidências chegaram. Mais perguntas a responder, mais corpos com os quais lidar.

Ela trabalhou além da hora do café da manhã. Bobby levou iogurte e um sanduíche de pasta de amendoim para ela no almoço. Ela trabalhou. Ela cheirava a fumaça e suor, a sangue e cinzas.

O jantar veio e passou. O sol se pôs outra vez. A vida de um detetive de homicídios.

Ela fez o que tinha de fazer. Ela cuidou do que precisava cuidar.

E então, finalmente, tinha acabado.

A cena estava isolada, Tessa fora levada de avião para um hospital de Boston e Sophie permanecia em segurança ao lado da mãe.

D.D. entrou no carro e voltou para a Mass Pike.

Ligou para Alex quando chegou a Springfield. Ele estava fazendo frango à parmegiana e adorou saber que ela estava finalmente vindo para casa.

Ela perguntou se ele podia mudar o frango à parmegiana para berinjela à parmegiana.

Ele quis saber por quê.

O que a fez rir, então a fez chorar, e ela não conseguia falar. Então ela disse que estava com saudade dele e ele prometeu para ela todas as berinjelas à parmegiana do mundo, e isso, D.D. pensou, era amor. O amor dele. O amor dela. O amor deles.

— Alex — ela finalmente conseguiu murmurar. — Ei, Alex. Esqueça o jantar. Eu tenho algo que preciso contar para você...

*Fiquei no hospital por quase duas semanas. Tive sorte. O tiro de Hamilton passou direto e não acertou nenhum órgão vital. O matador Purcell, no entanto, foi um profissional até o amargo fim. Ele estourou a cabeça do meu úmero, resultando em numerosas cirurgias e intermináveis meses de fisioterapia. Disseram que nunca mais vou ter os movimentos completos do ombro direito, mas que devo recuperar os movimentos dos dedos quando o inchaço diminuir.*

*Acho que vamos ter de esperar para ver.*

*Sophie ficou comigo no hospital. Ela não devia ficar. As regras do hospital dizem que crianças só podem ficar lá durante o horário de visitas. Horas depois da minha chegada, a Sra. Ennis ficou sabendo e veio ajudar. Mas ela não conseguiu tirar Sophie do meu lado, e, depois de mais dez minutos, a chefe das enfermeiras disse para ela parar.*

*Sophie precisava da mãe. Eu precisava da Sophie.*

*Então elas nos deixaram juntas, duas meninas no meu quarto privativo, um luxo inacreditável. Dormimos juntas, comemos juntas e assistimos ao Bob Esponja juntas. Nossa pequena forma de terapia.*

*Por volta do nono dia, demos um pequeno passeio até meu antigo quarto de hospital, onde, imagine só, enfiado no fundo de uma gaveta, encontramos o botão perdido que era o olho da Gertrude.*

*Eu o costurei de volta naquela noite com fio cirúrgico, e Sophie fez uma cama de hospital para Gertrude se recuperar da cirurgia.*

*Gertrude vai ficar bem, ela me informou solenemente. Gertrude foi uma menina muito corajosa.*

*Assistimos a mais Bob Esponja depois disso, e fiquei abraçando minha filha e com a cabeça dela no meu ombro apesar da dor.*

*O hospital arrumou para uma psiquiatra infantil conversar com a Sophie. Ela não queria falar sobre o período em que esteve presa nem mencionava o nome do Brian. A médica disse para eu "manter os canais de comunicação abertos" e deixar Sophie vir até mim. Quando ela estiver pronta, a médica disse, ela vai falar. E quando ela falar, eu devo manter a expressão neutra e só fazer comentários sem julgamentos.*

*Achei que era um conselho engraçado de dar para uma mulher que cometera três assassinatos para salvar a filha, mas não disse isso.*

*Abracei Sophie. Nós dormimos, por consentimento mútuo, com a luz acesa, e, quando ela fez desenhos com noites escuras, chamas vermelhas e armas explodindo, eu elogiei o nível de detalhe e disse que a ensinaria a atirar assim que meu braço sarasse.*

*Sophie gostou muito da ideia.*

*Os detetives D.D. Warren e Bobby Dodge voltaram. Eles trouxeram com eles a Sra. Ennis, que levou Sophie até a cafeteria do hospital para eu poder responder as últimas perguntas deles.*

*Não, Brian nunca bateu em mim. As costelas machucadas foram porque eu escorreguei em degraus com gelo e, estando atrasada para a patrulha, cuidei sozinha do ferimento. Shane, no entanto, tinha batido em mim na manhã de domingo, numa tentativa de fazer parecer que a morte de Brian tinha sido para eu me defender.*

*Não, eu não sabia que o* trooper *Lyons tinha levado um tiro. Que tragédia terrível para a família dele. Eles tinham alguma pista?*

*Eles me mostraram fotos de um homem de rosto magro com olhos escuros que pareciam queimar e com cabelo castanho. Sim, eu reconhecia o homem como sendo aquele que vi na minha cozinha no sábado de manhã, apontando uma arma para meu marido. Ele disse que, se eu cooperasse, ninguém ia se machucar. Por isso tirei meu cinturão; naquele momento ele pegou minha Sig Sauer e atirou no meu marido três vezes no peito.*

*Purcell então explicou que, se eu quisesse ver minha filha viva novamente, eu tinha de fazer exatamente o que ele dissesse.*

*Não, eu não vi Purcell novamente depois daquela manhã, nem sabia da reputação dele como matador profissional, nem sabia por que ele apontava uma arma para meu marido e sequestrara Sophie. Sim, e sabia que meu marido tinha um problema com jogo, mas não tinha ideia que tivesse se tornado algo tão sério que chegou a ponto de terem mandado um matador para cuidar do problema.*

*Depois que Purcell atirou em Brian, eu ofereci 50 mil dólares para ele, para me dar mais tempo antes de reportar a morte de Brian. Expliquei que podia congelar o corpo de meu marido, depois o degelar e chamar a polícia na manhã de domingo. Eu ainda faria o que Purcell queria, só precisava de 24 horas para preparar a volta de Sophie, já que eu estaria na prisão por atirar no meu marido.*

*Purcell aceitou o acordo, e passei a tarde de sábado cobrindo o corpo de Brian com neve, retirando o corpo do cachorro de debaixo do deque e construindo as bombas incendiárias. Tentei montá-las para explodir para trás para não ferir ninguém.*

*Sim, eu tinha planejado a fuga da prisão. E não, eu não achei que seria seguro dizer, nem para os detetives de Boston, o que estava realmente acontecendo. Por um motivo, eu não sabia quem tinha pegado Sophie e temia de verdade pela vida dela. Além disso, eu sabia que pelo menos um colega policial, o* trooper *Lyons, estava envolvido. Como poderia saber se não haveria aliados dele na polícia de Boston? Ou, como aconteceu, entre oficiais superiores?*

*Nessa altura, eu estava agindo por instinto, tentando cuidadosamente fazer o que tinham me mandado fazer, enquanto também percebia que, se eu não escapasse e não encontrasse minha filha eu mesma, ela poderia ser morta.*

*D.D. quis saber quem tinha me dado uma carona no lugar da busca. Eu olhei direto para ela e disse que tinha pegado carona. Ela quis uma descrição do veículo. Infelizmente, eu não lembrava.*

*Mas terminei na oficina do meu pai, onde peguei um carro. Ele estava desmaiado, sem condições de concordar nem protestar.*

*Assim que peguei a perua Ford, dirigi direto para oeste do estado, para confrontar Hamilton e resgatar Sophie.*

*Não, eu não sabia o que havia acontecido com Shane naquela noite, ou como ele havia sido morto com a Glock .40 do Brian. Mas, se eles tinham recuperado a Glock .40 na casa do matador, isso não queria dizer que Purcell tinha cometido o assassinato? Talvez alguém visse Shane como outra ponta solta que precisava ser resolvida. Pobre Shane. Espero que a esposa e os filhos dele fiquem bem.*

*D.D. olhou feio para mim. Bobby não disse nada. Nós tínhamos algo em comum, ele e eu. Ele sabia exatamente o que eu tinha feito. E acho que aceitou a ideia de que uma mulher que já havia matado três pessoas provavelmente não ia por mágica fraquejar e confessar, mesmo quando a parceira dele usava sua voz brava.*

*Eu matei com um tiro a amante de Hamilton, Bonita Marcoso. A mulher estava atacando minha filha. Eu tinha de usar força mortal.*

*Quanto ao tenente-coronel... Matando-o, Bobby Dodge havia salvado minha vida, eu informei a D.D. E eu queria que isso fosse registrado. Se não fosse pelas ações do detetive estadual Bobby Dodge, Sophie e eu provavelmente estaríamos mortas.*

*— Investigado e liberado — Bobby me informou.*

*— Como devia ser. Obrigada.*

*Ele ruborizou um pouco, não gostando de atenção. Ou talvez ele simplesmente não quisesse agradecimentos por ter matado alguém.*

*Eu não penso muito nisso. Não vejo por quê.*

*Então aí está, eu concluí para D.D. Meu marido não batia na esposa nem na filha. Era apenas um viciado em jogo que mexeu com quem não devia. E talvez eu devesse ter feito algo quanto a isso antes. Chutá-lo para fora. Ou algo assim.*

*Eu não sabia sobre os cartões de crédito que ele abriu no nome da Sophie. Eu não sabia sobre o roubo do dinheiro do sindicato. Havia muito que eu não sabia, mas isso não me tornava culpada. Apenas fazia de mim a esposa típica, desejando sem conseguir que o marido deixasse as mesas de carteado e viesse ficar comigo e minha filha.*

*— Desculpe — ele me disse, morrendo em nossa cozinha. — Tessa... amo mais você.*

*Eu sonho com ele, sabe. Não é algo que eu possa contar para a detetive Warren. Eu sonho com meu marido, mas nos meus sonhos ele é o Brian Bom, e ele está de mãos dadas comigo, e Sophie está indo na frente na bicicleta dela. Nós estamos andando. E conversando. E estamos felizes.*

*Eu acordo soluçando, e por isso não tem problema que eu não consiga mais dormir muito.*

*Quer saber o quanto o tenente-coronel ganhou no final das contas? De acordo com D.D., a investigação interna recuperou 100 mil dólares da conta dele. Ironicamente, uma fração do que ele receberia com benefícios de aposentadoria se tivesse feito o trabalho dele com consciência, e depois ido pescar na Flórida.*

*O tenente-coronel tinha ordenado a morte do meu marido, e perdeu dinheiro no processo.*

*Eles não conseguiram recuperar o restante dos fundos. Não havia registro nas contas de Shane nem nas do Brian. De acordo com D.D., a investigação interna achava que os dois tinham perdido os ganhos ilícitos no cassino, enquanto Hamilton guardou a parte dele. Ironicamente, o vício queria dizer que Shane e Brian nunca teriam sido acusados do crime, enquanto Hamilton e a namorada Bonita — que havia sido identificada positivamente como a mulher que fechou a conta da empresa de fachada — ficariam com a culpa póstuma.*

*Boa notícia para a viúva do Shane, pensei, e boa notícia para mim.*

*Ouvi dizer mais tarde que Shane foi enterrado com todas as honras. A polícia determinou que ele devia ter concordado em encontrar com Purcell na viela. Purcell o dominou, depois o matou, talvez para eliminar Shane, assim como havia eliminado Brian.*

*O assassinato de Purcell permanecia aberto, me disseram, e não tinham conseguido recuperar a arma do crime.*

*Como expliquei para a detetive D.D. Warren, eu não sabia nada sobre nada, e não deixe ninguém convencê-la do contrário.*

*Sophie e eu moramos juntas agora em um apartamento de dois quartos na mesma rua que a Sra. Ennis. Nunca voltamos para a casa antiga; eu a vendi em cerca de três horas, porque, apesar de ter sido uma cena de crime, ela ainda assim tinha um dos maiores quintais de Boston.*

*Sophie não pergunta sobre Brian, nem fala sobre ele. Nem fala sobre o sequestro. Acho que ela pensa que está me protegendo. O que posso dizer é que ela é muito forte. Ela vai ver um especialista toda semana. Ele disse para eu ser paciente, por isso eu sou. Considero meu trabalho agora o de construir um local seguro para minha filha cair quando ela por fim se soltar.*

*Ela vai cair, e eu vou segurá-la. Com alegria.*

*Fiz sozinha os arranjos para o funeral do Brian. Ele foi enterrado com uma simples lápide de granito com seu nome e as datas relevantes. E talvez tenha sido fraqueza da minha parte, mas, já que ele morreu por Sophie, já que ele sabia, ali na nossa cozinha, qual decisão eu teria de tomar, acrescentei uma última palavra. O maior elogio que se pode fazer para um homem. Fiz gravarem, sob o nome dele: Pai.*

*Talvez um dia Sophie vá visitá-lo. E talvez, vendo essa palavra, ela possa se lembrar do amor dele e perdoe os erros que ele cometeu. Pais não são perfeitos, você sabe. Estamos todos apenas fazendo o melhor que podemos.*

*Eu tive de pedir demissão da polícia estadual. Apesar de D.D. e Bobby não terem conseguido me conectar às mortes de Shane Lyons e John Stephen Purcell, ainda existia o pequeno assunto de eu ter fugido da prisão e atacado um colega policial. Meu advogado está argumentando que eu estava operando sob extrema pressão emocional, considerando que meu oficial superior havia sequestrado minha filha, e não devia ser considerada responsável por minhas ações. Cargill permanece otimista de que o promotor distrital, querendo evitar muita publicidade negativa para a polícia estadual, vai concordar com que eu cumpra uma pena sob liberdade condicional ou, no pior dos casos, em prisão domiciliar.*

*De qualquer forma, compreendi que meus dias como policial estadual estão encerrados. Francamente, uma mulher que fez as coisas que eu fiz não deve ser uma protetora armada do público. E eu não sei, talvez haja algo errado comigo, um limite essencial faltando, porque, quando outras mães teriam chorado por suas filhas, eu me armei até os dentes e cacei as pessoas que a levaram.*

*Às vezes, fico assustada com a imagem que vejo no espelho. Meu rosto está tão duro, e até eu percebo que faz muito tempo desde que sorri pela última vez. Homens não me convidam para sair. Estranhos não puxam papo comigo no metrô.*

*Bobby Dodge está certo — matar alguém não é algo pelo que se deva receber agradecimentos. É um mal necessário que custa um pedaço de si mesmo e uma conexão com a humanidade que nunca se recupera.*

*Mas você não precisa ter pena de mim.*

*Recentemente comecei a trabalhar em uma empresa de segurança global, e ganho mais trabalhando menos horas. Meu patrão leu minha história no jornal e ligou com uma oferta de emprego. Ele acha que tenho uma das melhores mentes estratégicas que ele já viu, com uma capacidade incrível de prever obstáculos e antecipar próximos passos. Há demanda para esse tipo de habilidade, especialmente nessa época; eu já fui promovida duas vezes.*

*Agora eu deixo Sophie na escola de manhã. Vou para o trabalho. A Sra. Ennis pega Sophie às três. Eu me junto a elas às seis. E, mesmo depois de três meses, ainda não estamos preparadas para o escuro.*

*Geralmente ficamos juntas, abraçadas, com Gertrude entre nós.*

*Sophie gosta de descansar com a cabeça no meu ombro, os dedos abertos na palma da minha mão.*

*— Eu te amo, mamãe — ela diz toda e a cada noite.*

*E eu digo, com o rosto encostado no topo do cabelo escuro dela:*

*— Eu te amo mais, meu bem, eu te amo mais.*

# NOTA DA AUTORA E AGRADECIMENTOS

Com o devido respeito à detetive D.D. Warren, minha parte favorita em embarcar em um novo romance não está em passar o tempo com os velhos personagens, mas, ao contrário, em pesquisar modos novos e criativos de cometer assassinato e mutilações. E, ah, sim, também passar ótimos momentos com profissionais da lei que me fazem lembrar por que uma vida de crime realmente não é uma boa ideia e que, portanto, devo continuar torcendo para que essa coisa de escrever dê certo.

Para *Sangue na Neve,* consegui realizar um dos meus sonhos, que foi fazer pesquisas na University of Tennessee Anthropology Research Facility, conhecida como Fazenda de Corpos. Tenho uma dívida impossível de pagar com a dra. Lee Jantz, que é uma das pessoas mais inteligentes que conheço, e que tem um dos empregos mais legais do mundo. Ela pode olhar para uma pilha de ossos cremados e dizer em 30 segundos praticamente tudo sobre a pessoa, incluindo gênero, idade, problemas crônicos de saúde e que tipo de fio dental ela usava. Tive muitos momentos com a dra. Jantz que eu gostaria de pôr no livro, mas acho que ninguém iria acreditar em mim.

Leitores interessados em coisas mórbidas como decomposição, identificação de esqueletos e atividade de insetos *post mortem* devem sem dúvida ler *Death's Acre*, do dr. Bill Bass, criador da Fazenda de Corpos, e do coautor Jon Jefferson. Você pode também visitar minha página no Facebook para ver fotos de minha muito informativa viagem de pesquisas.

Ah, essa é a parte onde digo que antropólogos são profissionais treinados, enquanto eu apenas digito para viver, significando que todos os erros no livro são meus e apenas meus. Além disso, só para você saber, eu nunca acusaria a dra. Jantz, que tem uma camiseta que diz *Não me irrite — estou ficando sem lugar onde enterrar corpos*, de ter cometido algum erro.

Também tenho uma dívida profunda com Cassondra Murray, da Southern/Western Kentucky Canine Rescue & Recovery Task Force[21], por suas informações sobre como treinar cães de cadáver e a vida como treinadora voluntária de cachorros. Eu não tinha ideia de que a maioria dos grupos que fazem esse tipo de trabalho é de voluntários. Esses grupos e seus cachorros realizam um trabalho fantástico, e temos uma grande dívida para com eles pelo trabalho duro, dedicação e sacrifícios.

Mais uma vez, todos os erros são meus, então nem mesmo pense sobre isso!

A próxima: policial Penny Frechette, assim como várias outras policiais que preferem não ser mencionadas. Aprecio o tempo e candura compartilhados por essas mulheres, e adorei meu primeiro passeio em uma viatura policial. Eu estava nervosa! Ela não. Para aqueles que gostam de procedimentos policiais, as experiências da minha personagem Tessa Leoni são uma mistura de diferentes jurisdições, e não representam necessariamente a vida de uma *trooper* estadual de Massachusetts. A Polícia Estadual de Massachusetts é uma organização ótima e confiável e aprecio a paciência deles com autores de livros de suspense que exercem muita licença ficcional.

[21] Força-tarefa Canina de Resgate e Recuperação do Sul/Oeste do Kentucky (N. T.).

Sobre outras experiências que acabam com os nervos e são dignas de notas, devo agradecer ao superintendente Gerard Horgan, Esquire[22], e ao vice-superintendente assistente Brian Dacey, ambos do departamento do Xerife do Condado de Suffolk, por um dia muito divertido na prisão desse Condado. Não é todo dia que eu percorro toda a distância até Boston para ser presa, mas, puxa vida, eu aprendi muito (basicamente: continue escrevendo crimes ficcionais, porque, vou lhe dizer, eu não duraria um dia atrás das grades). Eles me mostraram uma instalação de primeira classe. Eu, claro, usei o lugar para mais assassinato e mutilações, porque, claro, é isso o que faço de melhor.

Também, minha mais profunda admiração para Wayne Rock, Esquire, pelos conselhos legais e várias sugestões sobre o DPB. Um detetive de Boston aposentado, Wayne é sempre muito paciente ao responder minhas perguntas e não fica mais chocado quando eu digo coisas como *Então eu quero matar um cara, mas isso não pode ser minha culpa. Qual a melhor opção?* Obrigada, Wayne!

Também tenho dívida com Scott Hale, terceira geração de marinheiros mercantes, por suas informações sobre a profissão. Ele concordou em me ajudar, mesmo depois de saber que eu ia matar o personagem marinheiro mercante. Obrigada, Scott!

E para terminar com o que falta no departamento de pesquisas, minha interminável gratidão para com a hábil doutora e colega autora de suspense C. J. Lyons por suas informações médicas. Vamos encarar, não é qualquer um que vai responder e-mails com títulos como "Preciso de Ajuda com Mutilação". Obrigada, C. J.!

Como escrever livros não é apenas fazer passeios por cadeias e bater papo com policiais, devo agradecer também a David J. Hallett e Scott C. Ferrari, que superaram todos os rivais com uma generosa doação para nosso abrigo local para animais, pelo direito de incluir seus *Terriers Soft Coated Wheaten* Skyler e Kelli no livro. Espero que gostem do desempenho estelar de Skyler e Kelli, e obrigada por ajudarem nosso abrigo local.

---

22 Nos Estados Unidos, o termo Esquire é aplicado a pessoas que são licenciadas para trabalhar com a lei, sejam homens ou mulheres (N. T. ).

Eu não podia deixar os animais ficarem com toda a diversão. Parabéns para Heather Blood, vencedora da sexta versão anual do sorteio "Mate um Amigo, Aleije um Colega" que indicou Erica Reed para morrer. E também a canadense Donna Watters por vencer a edição internacional. Ela sacrificou a irmã, Kim Watters, para viver um grande final.

Espero que vocês tenham gostado de sua imortalidade literária. E para aqueles que quiserem participar da ação, por favor acessem www.LisaGardner.com.

Claro, eu não poderia realizar este livro sem minha família. Desde minha filha querida, que me perguntava todo dia se eu já tinha salvado a menininha, até meu extremamente paciente marido, que ficou tão acostumado a ter uma esposa que vai para a prisão que nem mesmo pergunta mais quando é que eu volto. Isso é amor, posso lhe dizer.

Por fim, para a Equipe Gardner. Minha agente, que muito me apoia, Meg Ruley; minha brilhante editora, Kate Miciak; e toda minha equipe de editoração da Random House. Você não tem ideia de quantas pessoas talentosas e que trabalham muito são necessárias para produzir um romance. Tenho uma dívida para com todos e com cada um deles. Obrigada por estarem do meu lado e ajudando a fazer a mágica acontecer.

Este livro é dedicado à memória amorosa do tio Darrell e da tia Donna Holloway, que nos ensinaram a rir, amar e, claro, a estratégia no cribbage[23].

Também à memória de Richard Myles, conhecido como tio Dick, cujo amor por grandes livros, belos jardins e um bom Manhattan não será esquecido.

Nós te amamos e nos lembramos.

---

[23] Jogo de cartas para duas a quatro pessoas (N. T.).

# SOBRE A AUTORA

Lisa Gardner é a autora de best-sellers do *The New York Times* com 17 livros publicados. Seus livros com a detetive D.D. Warren incluem *Sangue na Neve, Viva para Contar, Alone, Hide, The Neighbor, Catch Me* e *The 7th Month.* Seus livros sobre especialistas em perfis do FBI incluem *Say Goodbye, Gone, The Killing Hour, The Next Accident, The Third Victim* e *The Perfect Husband.* Ela vive com a família na Nova Inglaterra, onde está trabalhando em seu novo livro.